Moje miejsce na ziemi

Polecamy następujące powieści Carole Matthews:

Święta Miłośniczek Czekolady

Cukiernia w ogrodzie

Moje miejsce na ziemi

Carole
Matthews

Moje miejsce na ziemi

Tłumaczenie:
Elżbieta Regulska-Chlebowska

Tytuł oryginału: *A Place To Call Home*

Pierwsze wydanie: Sphere, 2014

Projekt okładki i ilustracja: Alice Tait

Opracowanie graficzne okładki: Emotion Media

Redaktor prowadzący: Małgorzata Pogoda

Opracowanie redakcyjne: Jolanta Nowak

Korekta: Agnieszka Jędrzejczak-Sprycha

HarperCollins Polska sp. z o.o.
02-516 Warszawa, ul. Starościńska 1B lokal 24-25

Skład i łamanie: Studio COMPTEXT
Druk: ABEDIK

ISBN 978-83-276-1838-2

Witaj!

Dziękuję, że chcesz spędzić trochę czasu ze mną i z bohaterami powieści „Moje miejsce na ziemi". Mam nadzieję, że pokochasz ich tak jak ja, kiedy o nich pisałam.

To dla mnie szczególna książka. Choć pisarze każdą swoją powieść traktują jak własne dziecko, więc nie powinnam żadnej faworyzować, to jednak z niej jestem wyjątkowo dumna. Podczas pisania czasem roniłam łzy, często się śmiałam i szczerze kibicowałam Ayeshy, Sabinie, Haydenowi, Crystal i Joy, gdy wspólnie pokonywali życiowe przeszkody, a potem ruszali własnymi drogami.

Chciałam opowiedzieć krzepiącą historię o tym, że dom i rodzina czasem wymagają wyrzeczeń, ale są tego warte. Współczesne rodziny coraz częściej nie mieszczą się w tradycyjnych ramach, szukają niekonwencjonalnych rozwiązań, a wcale nie są przez to mniej prawdziwe. Czasem trzeba z pokorą przyjąć to, co los nam daje, i wykorzystać najpiękniej, jak się da.

Miłej lektury, baw się dobrze.

Twoja Carole ☺ XX

Dla Ayeshy i Sabiny

Rozdział pierwszy

Niespokojnie zerkam na zegarek. Dochodzi druga w nocy, oczy mnie szczypią z niewyspania. Obok mnie w łóżku chrapie głośno Suresh. Na szczęście tabletka na sen, którą mu podałam w drinku przed czterema godzinami, nadal działa.

Mimo to wyślizguję się z łóżka bardzo ostrożnie, pomału unoszę kołdrę i cichutko opuszczam stopy na podłogę. Na palcach podchodzę do krzesła w rogu pokoju, gdzie zostawiłam ubranie. Księżyc świeci jasno, zbyt jasno, widać mnie jak za dnia.

Stoję przez chwilę z *salwar kamiz*, szarawarami i kaftanem, w ramionach, patrzę na mojego śpiącego męża. Dziesięć lat małżeństwa. Serce mi wali, zbiera mi się na mdłości, ale nie mam wyboru, muszę działać. Cokolwiek się stanie, nie mogę tu zostać. Ostatni raz jestem w tej sypialni, w tym domu, z tym mężczyzną.

Najciszej, jak umiem, skradam się korytarzem do łazienki. Rodzice Suresha śpią w głębi domu, w największym pokoju, z widokiem na ogród. Całe szczęście, że pokój Sabiny jest po drugiej stronie korytarza. W nocnej ciszy słyszę tylko swój nerwowy oddech.

W łazience ściągam koszulę nocną i wkładam strój z poprzedniego dnia. Starannie składam koszulę. Zabiorę ją ze sobą. Wezmę też szczoteczkę do zębów. Chętnie bym przepłukała usta, ale nie mam odwagi odkręcić kranu. Ściany są cienkie jak papier, a przecież nie chcę obudzić nikogo poza Sabiną.

Z lustra patrzy na mnie wychudzona, zmęczona twarz wystraszonej kobiety. Boi się, lecz jest zdeterminowana.

Skradam się wzdłuż podestu prowadzącego na schody i wreszcie jestem przy drzwiach do pokoju Sabiny. Sypialnia mojej córeczki tonie w półmroku, pali się tylko różowa lampka nocna. Klękam przy jej łóżeczku.

Głaszczę jej długie, jedwabiste, czarne włosy, tak podobne do moich. Są potargane od snu, a moje spadają na plecy w ciężkim warkoczu.

– Sabino – szepczę jej do ucha. – Córeczko.

Mała otwiera oczy i spogląda na mnie z taką ufnością, że serce mi się kraje. Już cię nie zawiodę, kruszynko, teraz już nie.

– Mama cię zabierze na wycieczkę – szepczę. – Teraz musimy być cichutko jak myszki. Zrobisz to dla mnie?

Kiwa głową, oczy ma jeszcze zaspane, pomagam jej wstać z łóżka. Przykładam palec do ust. Niepotrzebnie. Sabina się nie odezwie. Nie mówi.

Bardzo szybko i w całkowitej ciszy przebieram ją w bluzę i szarawary. Wiosna w pełni, ale noce wciąż są chłodne, więc wyjmuję z szafy jej płaszczyk, podczas gdy mała powoli zawiązuje buciki. Mam serce na ramieniu, wydaje mi się, że drzwi zaraz skrzypną, ale na szczęście żaden dźwięk nie zakłóca ciszy dziecięcego pokoju. Urządziłam go najpiękniej, jak umiałam. Moja córeczka ma tu śliczną narzutę na łóżko, delikatne firanki i abażur, który przypomina spódniczkę baletnicy. Ale to w życiu nie wystarcza. Potrzebne są jeszcze miłość, radość i czułość. Tego nie potrafiłam jej dać.

Sabina, zapięta pod szyję, zasypia na stojąco. Siadamy na chwilę. Pod jej łóżkiem, w najdalszym kącie, upchnęłam spakowaną torbę. Przygotowywałam się do tej chwili wiele miesięcy. Torbę podróżną kupiłam w supermarkecie. Jest niewielka, łatwo było ją ukryć, ale zmieściła się tylko jedna zmiana ubrań. Wystarczy nam na jutro. Nie wiem, co będzie dalej.

– Musimy iść – mówię z palcem przy ustach. – Pamiętaj, po cichutku.

Biorę Sabinę za małą, ciepłą rączkę i mam nadzieję, że ona również poczuje się pewniej. Przemykamy do schodów. Słyszę chrapanie Suresha; pewność, że śpi, dodaje mi odwagi.

Nie wiem, gdzie pracuje mój mąż, ale z pewnością zajmuje się jakimiś podejrzanymi interesami. Czasem przyprowadza do naszego domu obcych ludzi i do rana hałasują. Czasem nie wraca na noc. Nigdy nie mogłam być pewna jego planów, więc długo musiałam czekać na dogodny moment.

Liczę schodki. Siódmy trochę skrzypi, boję się, że będzie nas słychać w tej głuchej nocnej ciszy wypełniającej dom. Ostrożnie omijamy schodek. Sabina jest bardzo lekka jak na swoje osiem lat, podnoszę ją z łatwością, choć jestem drobną kobietą. Ma poważną, przejętą minę. Drży w moich ramionach, więc mocniej ją przytulam.

Przechodzimy przez hol i jesteśmy przy drzwiach. Zdejmuję z wieszaka płaszcz i zawiązuję chustę na głowie. Co bym zrobiła, gdyby na górze pojawił się Suresh? Czy wystarczyłoby mi odwagi, żeby uciec? A może posłusznie wróciłabym zająć swe miejsce u jego boku, mimo postanowienia, że już nigdy mu nie ulegnę? Gdyby nas teraz zobaczył, nie miałby wątpliwości, że uciekamy - przed nim, przed jego pięściami, przed jego gniewem.

Jeśliby się na mnie rzucił, a z pewnością by to zrobił, czy umiałabym się obronić? A może uzna, że tym razem powinien mnie zabić? Drżę na tę myśl. Co wtedy się stałoby z moją kochaną córeczką?

Patrzę na zaniepokojoną twarz Sabiny i wiem, że muszę to zrobić. Jeśli nie dla siebie, to dla niej. Muszę świecić przykładem. Muszę być najlepszą matką, żeby moje dziecko wyrosło na silną, szczęśliwą i niezależną kobietę. Taką, jaką ja nie jestem.

Patrzę na trzymaną w rękach torbę i uświadamiam sobie, że mam tyle dobytku, co przed laty, gdy przyjechałam ze Sri Lanki do świeżo poślubionego męża. Ileż miałam wtedy nadziei na przyszłość! I gdzie się ona podziała? Powinnam poszukać jej głęboko w sobie.

Cicho otwieram zamek w drzwiach. W zeszłym tygodniu w sekrecie naoliwiłam go, żeby nie skrzypiał.

– Gotowa? – szepczę do Sabiny.

Kiwa głową i znikamy w ciemności.

Rozdział drugi

Wraz z Sabiną oglądamy się na dom. Niczym się nie wyróżnia, podobny jest do wielu innych w tej okolicy. Nie ma w nim nic wyjątkowego. Żadnych roślin w ogrodzie, żadnej szczególnej cechy. Jest zimny i anonimowy, podobnie jak jego mieszkańcy.

Ściskam Sabinę za rękę i szybko idziemy przed siebie.

– Musimy się spieszyć – ostrzegam ją. – Dasz radę?

Kiwa głową.

Omijam przejścia podziemne, zwłaszcza w nocy, bo to raj dla narkomanów i opryszków. Przez wiele lat nie wolno mi było wychodzić po zmroku, więc teraz aż kręci mi się w głowie od nagłej wolności, nawet jeśli oznacza niebezpieczeństwo dla mnie i córki.

Pieszy szlak Redways to najszybsza i najkrótsza droga do dworca Coachway, to nasza droga do wolności. Nie chcę się zgubić.

Mieszkamy w nieciekawej dzielnicy Milton Keynes. Co prawda dom znajduje się w centrum miasta, ale lata świetności naszej dzielnicy dawno już minęły. Teraz to położenie jest dla nas optymalne, bo czeka nas niewielki spacer – nie więcej niż godzina – do dworca autobusowego. Dworzec kolejowy jest zbyt daleko, po drugiej stronie miasta. Musiałabym wezwać taksówkę, a to za duże ryzyko. Zbyt wielu kumpli Suresha zarabia, jeżdżąc jako taksówkarze, więc szybko by się dowiedział o mojej ucieczce. Mogę polegać tylko na sobie.

– Dobrze się czujesz? – pytam Sabinę.

W nocnym chłodzie jej oddech zamienia się w parę.

Kiwa głową, tylko tyle.

Dałabym wszystko, żeby usłyszeć, jak marudzi. Jak narzeka, że idziemy za szybko, że jest za zimno, albo jak dopytuje się po raz dziesiąty o cel naszej wędrówki. Próżne marzenia.

Od miesięcy podkradałam mężowi pieniądze z portfela. Niewielkie sumy, żeby nie zauważył – raz pięć, raz dziesięć funtów. Trzymałam je w blaszanej puszce w szafie, pod stertą rzadko używanych ręczników. Uzbieram osiemset funtów, to mój kapitał na ucieczkę. Jest teraz na dnie torby, w zwitkach po sto funtów.

Posuwamy się w ciemności. Rada miejska obcina wydatki, uliczne lampy są więc wyłączone. Droga zajmuje nam więcej czasu, niż się spodziewałam. Zaczynam się gubić. Skręcam w złą stronę i dopiero po kwadransie orientuję się, że idziemy w przeciwnym kierunku, niż powinnyśmy. Musimy się cofnąć. Kiedy jestem bliska paniki, bo niebo zaczyna się rozjaśniać, widzę w oddali budynek Coachway. Słyszę odgłosy autostrady M1, która znajduje się za nim, i to jest najpiękniejsza muzyka dla moich uszu.

– Już niedaleko, Sabino – obiecuję. – Jesteśmy prawie na miejscu.

Budynek jest nowoczesny, niedawno powstał, jego światła ostro kontrastują z pomału rozpraszającą się ciemnością. Trzymając się za ręce, wchodzimy na ostatnią prostą. Dwie podejrzane figurki w nocnej pustce. Mam nadzieję, że Suresh jeszcze się nie obudził i nie odkrył naszej ucieczki. Modlę się, żeby nagle nie wyrósł przed nami jego samochód, teraz, gdy jesteśmy tak blisko wolności. Zaciskam palce na dłoni córeczki i przyspieszamy kroku.

Pierwszy autobus do Londynu odchodzi dopiero o wpół do piątej. Mamy jeszcze trochę czasu, bo udało nam się pokonać trasę szybciej. Wyciągam parę banknotów z jednego zwitka i kupuję bilety w automacie. Wsuwam do niego pieniądze ukradzione mężowi. O tej porze na dworcu jest niewiele osób. Mija nas mężczyzna w mundurze, niosący jakieś tablice. Mam wrażenie, że badawczo mi się przygląda. Siadamy w najdalszym kącie, za dużą rośliną doniczkową, która nas częściowo zasłania. Kawiarnia jest jeszcze zamknięta. Nie mam dla córki nic poza sokiem pomarańczowym w kartoniku schowanym w torbie.

– Chcesz się napić?

Kiwa głową, więc wyjmuję sok i pomagam jej włożyć słomkę.

Macam ręką w torbie i upewniam się, że ruloniki banknotów tkwią bezpiecznie na swoim miejscu. Pieniądze dodają mi pewności siebie. Wyjmuję bilety, mocno ściskam je w dłoni. Dwa, na przejazd do Londynu, do stacji Victoria. Jeden dla osoby dorosłej. Drugi dla dziecka. W jedną stronę.

Drewniana ławka jest twarda i zimna. Przytulam do siebie córeczkę i czuję ulgę. Jeszcze nie jesteśmy wolne, ale na razie wszystko idzie zgodnie z planem.

Rozdział trzeci

Niebo wciąż się rozjaśnia. Podstawiono autobus. Wsiadam do niego z Sabiną. Kierowca chce schować moją torbę do bagażnika pod pokładem autobusu, ale mocno ściskam jej rączki. Nie mogę się z nią rozstać. To moja lina ratunkowa, moja przyszłość.

Odnajduję nasze miejsca, upycham torbę pod nogami i sadzam córkę na siedzeniu obok. Kilka minut później wszyscy pasażerowie są w autobusie. Ruszamy z dworca i kierujemy się do zjazdu na autostradę. Migają mi przed oczami oświetlone znaki drogowe. Nareszcie mogę odetchnąć. Spadł mi kamień z serca. Jedziemy. Sabinie zamykają się oczy, przytulam ją.

– Wygodnie ci?

Kiwa główką i wtula się we mnie.

– Prześpij się – mówię. – Obudzę cię, gdy będziemy na miejscu.

Prawie natychmiast zasypia, a ja trzymam ją mocno i wracam myślami do zdarzeń, które doprowadziły mnie do rozpaczliwej nocnej ucieczki.

Mieszkałam tu przez dziesięć lat, od chwili gdy przyjechałam ze Sri Lanki, aby poznać i poślubić mojego męża, Suresha Rasheeda. Nie znam jednak tego miasta. Bardzo się zmieniło, a ja mogłam wychodzić tylko tam, gdzie zabierał mnie mąż. Były takie tygodnie, gdy w ogóle nie opuszczałam domu. Nie miałam odwagi. Gdyby Suresh się dowiedział, że złamałam jego zakaz, wpadłby w szał. A ja nie mogłam przewidzieć, kiedy wróci, bo nigdy mi nie mówił, dokąd i na jak długo wychodzi. Bezpieczniej było posłusznie siedzieć w domu. Jeśli miałam do zrobienia zakupy czy jakieś sprawy do załatwienia, mogła to zrobić jego matka, biorąc ze sobą Sabinę. Ja niespokojnie kręciłam się po pokojach, sprzątałam i gotowałam. Jak więźniarka we własnym domu.

Nie miałam przyjaciółek, Suresh stopniowo ograniczył krąg moich znajomych do swoich krewnych. Nieliczne osoby, z którymi się zbliżyłam na początku pobytu, stopniowo zniknęły z mojego otoczenia, wystraszone brutalnością i dominującą rolą mojego męża. Teraz wszystkie znane mi osoby należą do jego rodziny. Nikomu nie mogę ufać, nikogo nie mogę poprosić o pomoc. Zdradziliby Sureshowi, gdzie jestem, a on zawlókłby mnie za włosy z powrotem do domu. Nie mogłam do tego dopuścić.

Nie zawsze tak było. Pierwszy rok naszego małżeństwa był szczęśliwy. Lubiliśmy ze sobą przebywać. Suresh nigdy nie był szczególnie czuły. Nie lubił mnie trzymać za rękę i całować, ale wydawał się zrównoważonym i opiekuńczym człowiekiem. Byłam przekonana, że stworzymy udany związek.

Wynajęliśmy dom w pobliżu domu jego rodziców, którzy od lat mieszkali w Anglii. Suresh był dzieckiem, gdy się tu osiedlili. Dom był niewielki, ale wygodny, a ja dbałam o to, aby było w nim przytulnie i czysto. Robiłam wszystko, co mogłam, żeby stworzyć prawdziwe ognisko domowe. Kiedy zaszłam w ciążę, Suresh był szczęśliwy.

A potem się zmienił. Niemal z dnia na dzień. Wciąż nie rozumiem dlaczego. Wydaje mi się, że drobne niepowodzenia wypaczyły mu charakter.

Kiedy urodziła się Sabina, wręcz demonstrował dumę z ojcostwa. Jednak wkrótce potem stał się trudny, wycofany. Miałam wrażenie, że jest zazdrosny o moją uwagę, która skupiła się na maleńkiej córeczce. Ale czyż tak nie zachowują się wszystkie młode matki? Od pierwszej chwili wiedziałam, że niemowlę nadaje sens mojemu życiu i nigdy nikogo nie pokocham bardziej niż to bezradne maleństwo, we wszystkim zależne ode mnie. Miłość do dziecka wypełniła moje serce. Suresh zapewne uznał, że nie ma w nim już miejsca dla niego.

Tak się nieszczęśliwie złożyło, że kilka tygodni później został zwolniony z pracy, co dotkliwie zraniło jego dumę. Bardzo się starał, pukał do wszystkich drzwi, uruchomił swoje kontakty, ale nie mógł znaleźć zatrudnienia. Dopadły nas problemy finansowe; mieliśmy nieopłacone rachunki i nie otwieraliśmy drzwi, gdy nieznajomi pukali do naszego domu. Wkrótce musieliśmy go opuścić i przeprowadziliśmy się do teściów.

Początkowo rodzice Suresha byli mili, często się uśmiechali i żartowali. Robili dobrą minę do złej gry, przyjęli nas gościnnie, choć w ich domu zrobiło się ciasno. Bardzo kochali swoją małą wnuczkę. Wkrótce jednak wszystko się zmieniło, coraz trudniej było im znieść zachowanie syna.

Nie minęło wiele czasu, a Suresh przestał szukać pracy i całymi dniami wylegiwał się w łóżku. Nigdy nie był gorliwy w wierze, ale teraz przestał się modlić. Zaczął się upijać, skumał się z podejrzanym towarzystwem i często znikał na całe noce.

Ze smutkiem stwierdzam, że moja wiara także gdzieś się rozwiała. Moi rodzice odwiedzali różne świątynie – czasem modliliśmy się z buddystami, czasem z hinduistami. Mama zabierała nas także do katolickiego kościoła, gdy akurat były tam uroczystości ku czci ich świętych. „Warto mieć otwartą głowę i szanować wszystkich", mawiała. Może w głębi duszy sądziła, że w pewnym momencie któryś z bogów dowiedzie swojej wyższości nad innymi, więc wszystkie drzwi powinny pozostać otwarte. Teraz nie jestem pewna, czy istnieje jakikolwiek bóg. Kieruję się wyłącznie instynktem przetrwania. Moi rodzice byliby bardzo rozczarowani.

Sabina kocha babcię ze strony ojca, jedyną, jaką zna. Razem gotują w ciasnej kuchni i matka Saresha przekazuje jej różne rodzinne przepisy, których kiedyś uczyła i mnie.

Szkoda, że jest zbyt zastraszona, aby powiedzieć, co myśli. Kiedyś spojrzałam na nią - akurat gdy przygotowywałyśmy wieczorny posiłek - i zobaczyłam siebie w przyszłości. Zmroziła mnie ta perspektywa. Teściowa przemyka pod domu jak cień, boi się własnego dziecka. Nawet mój teść jest przerażony przemianą najstarszego syna. Oboje jak żółwie chowają się w swoich skorupach. Nie staną w mojej obronie ze strachu przed jego gniewem. Są niemymi, bezsilnymi świadkami domowej przemocy. To wszystko jest bardzo smutne, czasem brak mi tych ludzi, którymi kiedyś byli, ale muszę myśleć o sobie i Sabinie. Jej dobro jest najważniejsze.

Początkowo teściowie starali się nas chronić, wkrótce jednak zaczęli się lękać o własne bezpieczeństwo. Ja też się o nich boję. Teściowa roniła gorzkie łzy z żalu nade mną, ale od tego nie przestawały mnie boleć potłuczenia i nie goiły się rany. Uświadomiłam sobie, że tylko ja odpowiadam za siebie i swoje dziecko. Tylko ja mogę nas ochronić. Nie zwierzyłam się teściom, bo mogliby się czymś zdradzić. Im mniej wiedzą, tym lepiej dla nich.

Sabina kręci się niespokojnie, śni jej się coś niedobrego, głaszczę pieszczotliwie jej włosy. „Cicho, cichutko", mruczę.

W autobusie jest wielu pasażerów, ale śpią albo słuchają muzyki ze słuchawkami na uszach. Nikt nie zwraca na nas uwagi, co za szczęście.

Przed rokiem mąż pobił mnie tak mocno, że córeczka, która to widziała, przestała mówić. Kuliłam się w kącie salonu i osłaniałam rękami, gdy mnie kopał i okładał pięściami. Podniosłam wzrok i za jego plecami zobaczyłam Sabinę. Przybiegła ze swojej sypialni, gdy usłyszała awanturę. Nie pierwszy raz widziała, jak jej ojciec bije matkę, ale tym razem było dużo gorzej.

Czasami płakała i próbowała mnie bronić, a wtedy serce mi się kroiło, że mała jest świadkiem podobnych scen. A kiedy pięść Suresha wylądowała na mojej szczęce z taką siłą, że głowa gwałtownie odskoczyła do tyłu, zobaczyłam przerażone oczy mojego dziecka i usta otwarte do krzyku.Z jej gardła nie wydobył się jednak żaden dźwięk. Widok był tak żałosny, że mój mąż się opamiętał, a ja skorzystałam z chwili, żeby zabrać małą do jej pokoju i utulić ją, zapominając o bólu przeszywającym całe ciało.

Rany się zagoiły, siniaki zniknęły, złamane kości się zrosły, ale moja córka nadal cierpi. Do dzisiaj nie odezwała się ani słowem, nie wydała z siebie ani jednego dźwięku. Nie zaśmiała się radośnie ani nie krzyknęła ze strachu. Wcześniej była radosną i mądrą jak na swój wiek dziewczynką – zawsze zabawną i dowcipną. Cieszyłam się, słuchając jej dziecięcego szczebiotu. Teraz milczy jak zaklęta. Nie odzywa się nawet wtedy, gdy jesteśmy same i nikt nas nie słyszy. Czasem mi się wydaje, że nie może mi wybaczyć. Nie winię jej za to, bo ja też nie umiem sobie wybaczyć.

Kiedy straciła głos, dotarło do mnie, że muszę stąd uciec. Muszę ją wyrwać z kręgu przemocy, przysięgłam jej to w duszy. Co będzie, jeśli po którymś biciu nie uda mi się wydobrzeć? Czy wtedy Sabina stanie się dla ojca workiem treningowym do wyładowania agresji? Nie pozwolę na to . Została już wystarczająco skrzywdzona. Chociaż obiecywałam sobie, że włos nie spadnie z jej ślicznej główki, dopuściłam do tego, że domowy horror odebrał jej mowę.

Jedyne, co mogę zrobić, żeby naprawić zło, to chronić ją za wszelką cenę.

Rozdział czwarty

Przyjeżdżamy na dworzec autobusowy Victoria tuż przed siódmą rano i dopiero wtedy widzę, że Londyn jest najbardziej zatłoczonym i ruchliwym miejscem na świecie. Na Sri Lance mieszkałam w małej rybackiej wiosce, na przylądku, w pobliżu świątyni Kathaluwa. Teraz mam wrażenie, że to było przed wiekami.

Kiedy przyjechałam do Anglii, nie mogłam uwierzyć, że w jednym miejscu mogą być takie tłumy. Teraz znowu czuję się jak przybysz z innego świata, jakbym tu wylądowała i wszystko odkrywała na nowo. Niemożliwe, żeby Suresh odnalazł nas w takiej metropolii. Mieszkają tu tysiące ludzi. Setki tysięcy. Wszyscy gdzieś się spieszą i gonią za swoimi sprawami, są jak mrówki. Czy uda nam się wtopić w to ludzkie mrowie i zatrzeć za sobą ślady? Taką mam nadzieję.

Budzę Sabinę, która na szczęście spała do tej pory. Autobus był pełen ludzi, siedziałyśmy z tyłu i nikt nie spoglądał w naszą stronę.

Po wyjściu z dworca znajduję małą kafejkę w pobliżu. W środku jest ciepło i pachnie świeżo parzoną kawą. Tani lokalik, ale atmosfera domowa. Kupuję Sabinie sok pomarańczowy i kruche ciasteczka z czekoladą, bo nie ma nic więcej, co mogłaby zjeść na śniadanie. Dla siebie zamawiam herbatę i croissanta. Człowiek za kontuarem życzliwie uśmiecha się do Sabiny.

– Jaka śliczna dziewczynka – mówi. – Mam nadzieję, że nie gniewa się pani za komplement?

– Podziękuj panu – zachęcam Sabinę, ale ona tylko zerka nieśmiało na mężczyznę. – Moja córeczka nie mówi – usprawiedliwiam ją.

Mężczyzna podaje mi szklankę herbaty i zawija rogalika w serwetkę, a ja płacę.

– Powie mi pan, jak tam dojść? – Wyjmuję z kieszeni kartkę z adresem.

Kilka miesięcy temu pod jakimś pretekstem udało mi się wyjść do miasta samej. Teściowa nie zaprotestowała. Odwróciła wzrok, gdy wychodziłam, a potem nie spytała, gdzie byłam. Przez całą drogę trzęsłam się ze strachu, że za którymś rogiem wpadnę na zaczajonego Suresha. Na szczęście dotarłam do celu bez przeszkód.

W bibliotece uprzejma pani pokazała mi, jak wejść do internetu i w jaki sposób poszukiwać w nim informacji. To była dla mnie nieznana kraina. Pomogła mi znaleźć infolinię, gdzie podano mi nazwę fundacji, która pomaga kobietom. Moja rozmówczyni zapewniła, że umieszczą mnie w bezpiecznym miejscu, gdzie nie dopadnie mnie mąż, i będę mogła w spokoju zastanowić się, co dalej robić. Wtedy postanowiłam, że uciekniemy do Londynu i zgłosimy się po pomoc do tej fundacji.

Ich biuro otwiera się dopiero o dziesiątej, mamy jeszcze mnóstwo czasu.

– Proszę jechać metrem – mówi mężczyzna. – Najlepiej Victoria Line, do Euston. To prosta trasa i droga nie zajmie wiele czasu. Ten numer jest tuż przy stacji metra. Proszę spytać kogoś na miejscu.

– Dziękuję. – Starannie składam kartkę i chowam w kieszeni. Prawdę mówiąc, mam adres wyryty w pamięci.

Wyjmuję z torby książeczkę do rysowania i kredki dla Sabiny. Mościmy się wygodnie na starej skórzanej kanapie w kącie lokalu. Mam nadzieję, że uda nam się tu przeczekać parę godzin, aż nadejdzie pora, by wyruszyć w dalszą drogę. Córeczka zajmuje się kolorowaniem obrazków, ja przeglądam porzucony przez kogoś kolorowy magazyn. Dobrze mówię po angielsku, bo uczyłam się go w szkole od najmłodszych lat. Nasza wioska jest popularna wśród turystów, przyjeżdżają oglądać rybaków łowiących ryby z pali wbitych w dno oceanu.

Dzieciaki z mojej wsi zaczepiały przyjezdnych, a najbardziej odważne prosiły o ołówki i cukierki, chociaż rodzice nam tego zabraniali. Wtedy sobie nawet nie wyobrażałam, że pewnego dnia zamieszkam w Anglii. Niestety, kiepsko piszę i czytam po angielsku. Suresh nie pozwolił mi chodzić na kursy językowe dla imigrantów. Zaczęłam się uczyć z Sabiną i potrafię przeczytać wszystkie jej książeczki. Codziennie odrabiam z nią lekcje. Nie chcę zostać w tyle. Nie będzie dumna z matki, która jest niedouczoną ignorantką.

W kieszeni płaszcza odzywa się telefon komórkowy. Oczy zachodzą mi łzami. Jak przez mgłę widzę esemes od Saresha. Jest mi niedobrze ze strachu i zaczynam się pocić.

Ciekawe, co się dzieje w domu. Mój oprawca już się obudził i odkrył, że uciekłam, zabierając Sabinę. To pewne, że wpadł w szał. Suresh nie jest człowiekiem, który łatwo godzi się z porażką.

Niechętnie odczytuję esemes. *Gdzie jesteś?*

Nie zamierzam odpowiedzieć, ale i tak komórka pali mnie w rękę. Czy Suresh może mnie wyśledzić, patrząc, gdzie się loguje moja komórka, tak jak robią to policjanci w kryminałach?

Za chwilę kolejna wiadomość. *Wracaj, bo będzie źle.*

Zasycha mi w gardle.

I kolejna. *Znajdę cię, suko.*

Pewnie będzie jeździł w kółko po mieście, wypatrując nas na każdym rogu, ale nie zgłosi zaginięcia na policji. Wyłączam komórkę i wrzucam ją do najbliższego kosza na śmieci.

Rozdział piąty

O dziewiątej stoimy już przed drzwiami schroniska dla kobiet. Siedziałyśmy w kawiarni, dopóki się dało, ale nie chciałam marnować pieniędzy na kolejną herbatę, na którą zresztą nie miałam ochoty. W pewnym momencie poczułam, że nadużywamy uprzejmości sprzedawcy.

Nie jesteśmy pierwsze w kolejce, przed nami są dwie panie. Jedna ma podbite oko, a druga gips na przegubie ręki. Współczuję im, wiem z własnego doświadczenia, przez co przechodzą. Kiedy Suresh pobił mnie ostatnim razem, złamał mi żebra i szczękę. Gapią się w ziemię, nie podnoszą wzroku, chcą uniknąć pytań. Czuję to samo. Sabina stoi obok mnie, dzielna jak zwykle. Jest ciepło, nawet jak na tę porę roku. Zaczynam się pocić, bo przecież mam na sobie palto. O dziesiątej drzwi się otwierają i wchodzimy do małej poczekalni. Czekamy.

Obie kobiety wchodzą przede mną, ale wreszcie kolej na mnie i Sabinę. Pokój jest niewielki i oszczędnie urządzony. Dwie panie siedzą przy biurkach zawalonych papierami. Siadam na wskazanym mi krześle przy jednym z biurek. Urzędniczka podnosi wzrok znad formularzy i uśmiecha się do mnie.

– Mam na imię Ruth – mówi. Jest jeszcze wcześnie, a ona już sprawia wrażenie zmęczonej. – Jak możemy pani pomóc?

Opowiadam jej o wszystkim. Wyjaśniam, czemu Sabina nie mówi. Informuję, dlaczego powrót do domu jest wykluczony.

Wzdycha i odpowiada, że wszystkie schroniska dla maltretowanych kobiet są przepełnione.

– Bardzo mi przykro. – Robi zmartwioną minę. – Mamy kilka domów i zazwyczaj udaje nam się znaleźć miejsce dla wszystkich potrzebujących, choćby na kilka nocy. Niestety, ostatnie dwa miejsca zajęły kobiety, które pani widziała.

Nie mam pomysłu, co teraz. Myślałam, że ta kobieta, Ruth, mi pomoże. Najwyraźniej byłam w błędzie. Jestem zła na siebie, bo mogłyśmy tu przyjść dużo wcześniej i czekać przed drzwiami. Gdybym tylko wiedziała, że obowiązuje zasada: kto pierwszy, ten lepszy.

Nie ruszam się. Sabina także. Nie chcę sprawiać kłopotów. Całkiem dosłownie sparaliżował mnie strach. Mój plan kończył się w tym miejscu. Jeśli stąd wyjdę, nie mam pojęcia, gdzie się podziać.

– Nigdy nic nie wiadomo – mówi Ruth, zorientowawszy się, że się mnie nie pozbędzie. – Niestety, żadna z pensjonariuszek nie opuści schroniska przez najbliższe dwa tygodnie. Nie wiem, jak mogłabym pani pomóc.

Nadal siedzę nieruchomo. Może jej słowa przestaną być prawdą, jeśli udam, że ich nie słyszałam.

Kobieta w końcu wzdycha, ale nie jest zirytowana. Patrzy na mnie ze współczuciem.

– Zadzwonię w parę miejsc – proponuje. – Postaram się coś załatwić. Choćby czasowe schronienie. Nic więcej nie mogę zrobić, choć nie chcemy, żeby wylądowała pani z dzieckiem na ulicy.

„Nie, myślę, zdecydowanie nie chcemy".

Dzwoni w kilka miejsc, a my z Sabiną cierpliwie czekamy. Za każdym razem, gdy odkłada słuchawkę, jej czoło marszczy się coraz bardziej, a mój niepokój rośnie.

– Mam jeszcze jeden pomysł – mówi, kręcąc głową. – Moją starą znajomą. Pracowałyśmy kiedyś razem. Pomoże, jeśli będzie mogła.

Zdecydowanie wstukuje numer i mocno ściska słuchawkę. Boję się, że robi dobrą minę do złej gry, a w rzeczywistości jest całkiem bezradna.

– Cześć, Crystal – mówi. – Tak sobie pomyślałam, że będziesz mogła wyświadczyć mi przysługę. Mam tu kogoś, kto rozpaczliwie poszukuje dachu nad głową, a nasze schroniska są przepełnione. – Zerka na mnie niespokojnie. – Nawet zaprzyjaźnione pensjonaty nie mają miejsc. Przyjmiesz je? Choćby na kilka dni?

Nie słyszę odpowiedzi Crystal. Wstrzymuję oddech i modlę się z całych sił o pomoc, choć nie wiem do kogo.

– Kobieta z córką. Obie są niezwykle – zerka na nas – cichutkie. – Po chwili dodaje: – Dziękuję, kochana. Jesteś aniołem. Będę ci bardzo zobowiązana.

Odkłada słuchawkę i teraz widzę ulgę na jej twarzy. Ciekawa jestem, jakie uczucia malują się na mojej. Zdaje się, że udało jej się znaleźć dla nas bezpieczne miejsce. Tam nas nie wytropi mój mąż.

– Zazwyczaj nie korzystamy z tego domu – mówi Ruth. – To wyjątkowa sytuacja. Crystal i ja znamy się od lat. Mam nadzieję, że nie sprawicie jej kłopotu.

– To mogę obiecać.

Ruth uśmiecha się do Sabiny, ale moja córeczka nie okazuje emocji, jak zwykle. Kobieta zapisuje adres i podaje mi kartkę.

– To piękny dom. Spodoba się pani.

– Będę bezpieczna?

– Tak – mówi. – Oczywiście.

Mam nadzieję, że ma rację.

Rozdział szósty

– Gdzie ona jest?! – wrzeszczy Suresh do rodziców i uderza telefonem w stół. Ślina pryska mu z ust. Ojciec i matka kulą się przy kuchennych szafkach, oboje jeszcze w piżamach. Zerwał ich rano z łóżka, gdy się zorientował, że zniknęły jego żona i córka. – Musicie coś wiedzieć.

Pierwsza odzywa się matka. Głos jej drży, ale to tylko podsyca jego wściekłość.

– Nic nie wiemy, synku.

– Nie uciekłaby bez pomocy. – Jego portfel wciąż leży na nocnym stoliku. Jest wypchany banknotami. Kiwa głową. Czemu Ayesha ich nie wzięła? Dobrze ukrył jej paszport, więc miał pewność, że nie przyjdzie jej do głowy kretyński pomysł powrotu na Sri Lankę. – Daliście jej pieniądze?

Zgodnie zaprzeczają.

– Więc jakim cudem uciekła? I dokąd? Ma znajomych, o których nic nie wiem? Faceta?

– Nie, nie – protestuje matka. – Nic z tych rzeczy, Suresh. Jestem pewna. Ayesha to dobra żona.

– Więc gdzie jest teraz? – Ogarnia go szewska pasja. Rodzice są tacy słabi, ugodowi, bez charakteru. Czasem ma ochotę nimi solidnie potrząsnąć. – Zabrała Sabinę, moje jedyne dziecko, a wy jej na to pozwoliliście.

– Nic nie słyszeliśmy – zapewnia matka.

– Nie wierzę. Jedno z was musiało o tym wiedzieć. – Wskazuje palcem matkę. – Kiedy wrócę, jeszcze pogadamy. Wszystko mi wyśpiewasz.

Wypadł z domu, wskoczył do samochodu i ruszył z piskiem opon. O której wyszła? Dlaczego nic nie usłyszał? Zazwyczaj ma czujny sen. Tym razem nie słyszał ani zamykania drzwi, ani trzeszczenia podłogi. Rozpłynęła się w sinej mgle.

Krążył po mieście, rozglądając się i kombinując gorączkowo, dokąd mogły pójść. Łamał sobie głowę, ale nic nie wymyślił. Musi gdzieś mieć przyjaciela, o którym nie wiedział. Zapłaci mu za to, gdy już ją znajdzie. Ayesha nie ma prawa do sekretów przed własnym mężem. Tak ją stłucze, że przez tydzień nie stanie o własnych siłach. Wybije jest z głowy wychodzenie z domu. Mała też oberwie. Robi się krnąbrna jak jej matka.

Suresh nie miał zamiaru zgłaszać sprawy na policję. Im mniej kontaktów z mundurowymi, tym lepiej. Zresztą, co by mu z tego przyszło? To sprawa rodzinna. Najlepiej załatwić ją własnymi siłami. Zna ludzi, którzy mu pomogą.

Przeszukał centrum miasta, krążąc wzdłuż ulic i uliczek dla pieszych, a jego wściekłość sięgnęła zenitu, gdy utknął w korkach. Posuwał się powoli wzdłuż Avebury Boulevard i z powrotem Midsummer w kierunku dworca kolejowego. Ani śladu żony i córki, ale przecież miały kilka godzin przewagi.

Wreszcie przyszło mu do głowy, że mogły opuścić miasto. A jeśli Ayesha zdobyła skądś pieniądze na bilety na pociąg? Miałaby tyle odwagi, żeby się wypuścić w podróż? Przez wszystkie wspólne lata jej największym wyczynem było skorzystanie z miejskiej komunikacji, żeby dojechać do centrum handlowego. Nie ma prawa jazdy, nie ma samochodu. Jak daleko mogła uciec?

Roześmiał się. Jego żona nigdy by nie znalazła tyle odwagi, żeby zorganizować ucieczkę. Musi być w Milton Keynes, gdzieś w pobliżu, i z pewnością ktoś jej pomaga. A on, Suresh, na pewno się dowie, gdzie się zamelinowała i kto jest jej wspólnikiem. Dziś wieczorem pokaże jej zdjęcie swoim kumplom, może nawet wyznaczy nagrodę. To źle wpłynie na opinię o nim, bo co to za facet, który nie potrafi utrzymać baby w ryzach. Ale trudno.

Ayeshy nie ujdzie to na sucho. Jest jego żoną, należy do niego i dostanie nauczkę, którą długo popamięta. Odpłaci jej za upokorzenia i niewygody, na które go naraziła. Przecież nie mogła zniknąć bez śladu.

Już jej zapowiedział, że ją odnajdzie i za włosy sprowadzi z powrotem. Im prędzej, tym lepiej.

Rozdział siódmy

Ruth poradziła mi, jak mam dojść do domu. Wydaje się, że szłam dokładnie według jej wskazówek. Teraz jednak, gdy stoję przed wielkim domostwem przy wysadzonej drzewami alei, ponownie sprawdzam adres. To chyba pomyłka?

– Ładnie tu, prawda? – mówię do Sabiny.

Moja córeczka wygląda na zmęczoną. Chciałabym ją wykąpać i położyć na godzinkę do łóżka. Powinna zjeść coś ciepłego. Ciastko z kawałkami czekolady trudno uznać za posiłek.

Jesteśmy na północy Londynu, w dzielnicy, która się nazywa Hampstead. Znów musiałyśmy jechać metrem, tym razem niedaleko. Kilka przystanków. Myślałam, że w Londynie wszędzie są tłumy i gwar, jednak ta uliczka jest zupełnie inna. To dzielnica bogatych ludzi. Naprzeciwko posiadłości, przed którą stoję, jest park miejski.

Dom jest ogromny i piękny, otynkowany na biało. Stoi w ogrodzie wśród starych drzew. Od ulicy dzieli go wysoki mur i kuta żelazna brama. Obserwuje nas oko kamery systemu alarmowego. Jeszcze raz sprawdzam numer. Nie, nie mylę się. To tutaj.

Nie mam pojęcia, jakim cudem stać nas na taki luksus, ale Ruth wypełniła mnóstwo papierków w moim imieniu i zapewniła, że wszystko zostanie opłacone. Obiecała mi także, że dostanę zasiłek od państwa na siebie i na Sabinę. Będziemy miały czas stanąć na nogi. Sugerowała rozwód z Sureshem, wtedy będzie musiał płacić alimenty. Odparłam, że to wykluczone. Dowiedziałby się, gdzie jesteśmy, a właśnie tego muszę uniknąć za wszelką cenę. Wolę klepać biedę, niż pozwolić, żeby nas znalazł.

Nie mogę tak stać i się gapić. Zbieram się na odwagę i przyciskam dzwonek.

– Popchnij mocno, gdy usłyszysz kliknięcie – trzeszczy głos w głośniku.

Słyszę jakiś odgłos, więc napieram na bramę. Otwiera się. Idziemy żwirową alejką. Nabieram powietrza, gdy stajemy pod drzwiami. A jeśli nie spodobamy się tej pani, tej Crystal? Czy nas odeśle? Co wtedy zrobimy?

Po chwili otwiera drzwi. Stoję jak wryta. Nie spodziewałam się, że tak wygląda. Jej długie blond włosy są upięte wysoko na głowie i spadają kaskadą loków na ramiona. Ma brązową opaleniznę i bardzo białe zęby. Używa szminki tak różowej, że bije po oczach. Jest prawie goła. Ma na sobie obcisłe białe szorty i różową koszulkę, spod której widać brzuch, a na nogach szpilki w kolorze szminki. Patrzę na Sabinę i widzę, że rozdziawiła buzię ze zdziwienia.

– Cześć, kochana – mówi. – To o tobie mówiła Ruth? Witajcie w nowym domu. Wyglądacie na zmęczone. Daj, pomogę. – Wyrywa mi z ręki torbę, zanim zdążam zaprotestować. – Gdzie reszta rzeczy?

– Nie mam nic więcej.

– Naprawdę? – Teraz ona wygląda na zaskoczoną. – O rety! Naprawdę wiesz, jak podróżować bez obciążeń.

Najwyraźniej niewiele o nas wie.

– Wejdźcie. Nie stójcie w progu.

Biorę córeczkę za rękę i podążamy za naszą gospodynią.

Wnętrza są przestronne, pełne światła i powietrza. Wielki hol pomalowano na biało. Dom bardzo się różni od tego, w którym spędziłam ostatnich kilka lat, z jego wyblakłymi, nijakimi kolorami i ponurą atmosferą. Czuję się podniesiona na duchu, ale Sabina się denerwuje i mocniej ściska moją rękę.

– Zaprowadzę was do pokoju – mówi Crystal. – Potem wstawię wodę. Przyda wam się filiżanka dobrej, mocnej herbaty.

Prowadzi nas schodami na górę, a ja się rumienię, bo widać jej całą pupę. Chętnie bym zakryła Sabinie oczy, ale nie chcę być niegrzeczna.

– Mam na imię Crystal – zwraca się do mnie – ale to pewnie wiesz od Ruth. Cieszę się, że zadzwoniła. Od wieków jej nie widziałam, a chętnie bym się z nią umówiła na ploty. – Znika za drzwiami pokoju. Idziemy za nią. Robi gest ręką, zachęcając, by się rozejrzeć. – Bardzo proszę. Witam w naszym królestwie.

Pokój jest wielki, króluje w nim ogromne łoże przykryte turkusową narzutą. Komoda i toaletka z ciemnego drewna wyglądają na drogie meble. Na ścianie jest duży telewizor.

– Podoba ci się?

Ostrożnie podchodzę do wielkiego wykuszowego okna. Mam stąd widok na rozciągający się po przeciwnej stronie ulicy park. Łzy kręcą mi się w oczach. Nigdy nie mieszkałam w tak pięknym miejscu – nawet w rodzinnym domu na Sri Lance.

– To nasz pokój? – upewniam się nieśmiało.

– Jasne. Podoba ci się?

– Bardzo. – Rozglądam się z zachwytem. – Ty też tu mieszkasz?

– Tak. Piętro wyżej. – Crystal odstawia moją torbę na łóżko i przysiada na brzegu. – Druga lokatorka to Joy. Źle dobrane imię, gdyby mnie kto pytał, nic w niej radosnego. Mówiąc szczerze, zgryźliwa jędza. Ma pokój na moim piętrze. Na samej górze mieszka Jego Wysokość. – Zadziera brodę. – Zajmuje całe piętro.

– Jego Wysokość?

– Hayden.

– Mieszka tu mężczyzna? – Ruth mnie nie uprzedziła.

– To jego dom. – Crystal wzrusza ramionami. – Musiałam się nieźle nagadać, żeby go przekonać, ale w końcu dał za wygraną.

– To nieprzyjemny człowiek?

– Hayden? – Crystal parska śmiechem. – Broń Boże. Skomplikowany. Z problemami. Jest muzykiem. Piosenkarzem. Kiedyś był gwiazdą muzyki pop. Wiesz, jakie są te artystyczne typy.

Prawdę mówiąc, nie mam pojęcia.

– Mamy wspólną kuchnię na dole i gigantyczny salon, w którym stoi pianino Haydena. Rzadko na nim grywa, a szkoda. Trzyma ludzi na dystans. Prawdę powiedziawszy, samotnik z niego. Nie wiem, czemu przyjął lokatorów. Wydaje się, że ma zbyt miękkie serce, żeby odmówić.

Crystal gada bez przerwy, a ja z trudem za nią nadążam.

– Przygarnął dwie przybłędy, mnie i Joy, a teraz nie może się nas pozbyć. Bierze od nas śmieszny czynsz, dlatego obydwie staramy się nim opiekować. Pozwala się przez chwilę rozpieszczać, ale wkrótce zaczynamy mu działać na nerwy, więc znika. Zaszywa się na górze i prawie go nie widujemy.

– Słodziak z niego – zapewnia na widok mojej zaniepokojonej miny. – Do rany przyłóż. Słowo daję. Po prostu nie plącz mu się pod nogami, a wszystko będzie dobrze. I nie pozwól małej na dzikie harce.

– Będzie cicho.

– Jak ci na imię, skarbie? – Crystal zwraca się teraz do mojej córki.

Ta milczy.

– Sabina – wtrącam. – Ona nie mówi.

– Ooo – dziwi się Crystal. – Nigdy?

– Nie.

– Taka się urodziła?

– Nie. Dopiero od niedawna. – Czerwienię się gwałtownie. Ta wygadana pani uzna mnie za złą matkę.

– Biedactwo – użala się nad nią Crystal. – Za to ładna jak obrazek. Podobna do mamusi.

– Mam na imię Ayesha – mówię. – Ayesha Rasheed.

– Miło cię poznać, Ayesho. – Przytula mnie do swoich bujnych piersi. – Mam nadzieję, że zostaniemy dobrymi przyjaciółkami.

Nie miałam w Anglii żadnej przyjaciółki, choć bardzo bym chciała, ale ta żywiołowa kobieta trochę mnie przerażała.

Rozdział ósmy

Przy naszym pokoju jest ogromna łazienka. Kiedy Crystal wyszła włączyć czajnik, puściłam ciepłą wodę do wanny dla Sabiny. Stała nieruchomo, gdy ją rozbierałam. Czasem mam ochotę nią potrząsnąć tylko po to, żeby zmusić do reakcji. Wtedy przypominam sobie, jak destrukcyjne jest okrucieństwo, i mocno przytulam do siebie to kruche ciałko.

– Mam nadzieję, że będziemy tu szczęśliwe – mówię. – Nikt cię nie skrzywdzi. Będę się tobą opiekowała, a może któregoś dnia poczujesz, że znowu możesz do mnie mówić.

Patrzy na mnie smutnymi oczami, a ja całuję ją w czoło. Pomagam wejść do ciepłej kąpieli, czekam na westchnienie ulgi, ale Sabina milczy jak zaklęta.

Jej ubranie ma brzydki zapach, powinnam je uprać. Jutro pójdziemy na zakupy i znajdę dla nas coś do przebrania. Poradzę się Crystal, gdzie tanio kupić odzież; sprawia wrażenie osoby, która o sklepach wie wszystko. Wydaje się też, że z niejednego pieca chleb jadła.

Patrzę na swoje odbicie w lustrze i uświadamiam sobie, że w porównaniu z naszą gospodynią wyglądam jak szara myszka. Mój *salwar kamiz* jest spłowiały i szczelnie przykrywa ręce i nogi. Ukrywa też moje kształty. Takie są zwyczaje w naszej kulturze. Mama pilnowała mnie i moją siostrę Hinni, żebyśmy się ubierały skromnie, jak przystoi przyzwoitym dziewczynom. Kiedy wyszłam za mąż, Suresh tego ode mnie oczekiwał. Nigdy się nie malowałam. To nawet ciekawe, jak bym się czuła z jaskrawą szminką na ustach. Dotykam warg. Są suche, spierzchnięte.

Kiedy Sabina wychodzi z kąpieli, wycieram ją miękkimi ręcznikami zdjętymi z ciepłego kaloryfera. Są śnieżnobiałe i puszyste. Nie spytałam, czy możemy ich używać, ale po cóż by tu leżały? To miejsce bardziej przypomina hotel niż dom, i nie jestem pewna, czy tu pasujemy. Zaczynam mieć wrażenie, że sytuacja mnie przerasta.

Sadzam Sabinę na wielkim łóżku. Prześcieradła są miękkie, dobrej jakości, kołdra ciepła i lekka.

– Śpij – radzę. – Ja sobie porozmawiam z tą miłą panią. – Kurczowo łapie mnie za rękę i nie chce puścić. – Będę blisko. Odpocznij. To był męczący dzień.

Upewniam się, że Sabinie jest wygodnie, potem schodzę na dół. Znajduję Crystal w kuchni. Siedzi przy stole, malując paznokcie, ale na mój widok uśmiecha się szeroko.

– Klapnij sobie – zachęca, ale sama się podrywa. – Herbata i ciasteczka. Brytyjskie lekarstwo na wszystkie problemy.

Powinnam wyjść i kupić przynajmniej kanapki na kolację. Prawie nic dzisiaj nie jadłyśmy, a do tego nie mam żadnych zapasów

Rozglądam się. Kuchnia jest przestronna. Pośrodku stoi duży stół. Kuchenka rozmiarami pasuje raczej do restauracji niż prywatnego domu. Mam nadzieję, że wolno mi będzie jej używać, bo uwielbiam gotować.

Drzwi wychodzą na ogromny ogród na tyłach domu. Zachwyca mnie świeża zieleń i pierwsze kwiaty, zapowiedź nadchodzącego lata. Sabina będzie miała zaciszne miejsce do zabawy.

– Piękny ogród.

– Zasługa Joy. Pewnie teraz gdzieś grzebie w ziemi. – Crystal otwiera lodówkę. Jest gigantyczna, jak na amerykańskich filmach.

– Hayden zamówił codzienne dostawy mleka i raz na tydzień jajek, więc nabiału nam nigdy nie brakuje. Joy uprawia warzywa, mamy własne kabaczki, pomidory i co tam jeszcze z jej grządek. W szafkach są ryż, makarony i mąka. Można ich używać bez ograniczeń. W zasadzie płaci za nie Hayden. Joy uzupełnia zapasy, gdy czegoś brakuje. Każde z nas ma półkę w lodówce – wyjaśnia. – Moja jest ta z czekoladą. Na półce Joy są jogurty i owoce. Hayden trzyma tu tylko tuzin butelek piwa.

– Jest pijakiem?

– Nie. – Crystal energicznie potrząsa głową. – Po prostu nic nie je.

Crystal dolewa mleka do parujących kubków, stawia jeden przede mną i przysuwa talerz z herbatnikami.

– Ja nie mogę – mówi. – Odchudzam się.

Jestem strasznie głodna, ale staram się zachowywać kulturalnie i nie rzucić się na jedzenie.

– Mamy mnóstwo pokoi – opowiada dalej Crystal. – Hayden nie używa nawet połowy z nich. W niektórych przechowuje rzeczy, które kupił do urządzenia domu, ale nigdy z nich nie skorzystał. Większość pomieszczeń jest zamknięta na cztery spusty. Stoją tam meble przykryte pokrowcami, żeby się nie kurzyły. Naprawdę nie rozumiem, czemu nie sprzeda domu, ale jestem też szczęśliwa, że tego nie robi. Kupił go za kasę, którą zarobił na swoich przebojach.

Patrzę na nią bez zrozumienia.

– Hayden Daniels – powtarza z naciskiem. – Nasz gospodarz.

Nic mi to nie mówi.

– Nie znasz go?

– Nie.

– I nigdy o nim nie słyszałaś?

– Nie.

– Nie oglądałaś „Gry o sławę”?

– Nie.

– Gdzie ty, do diabła, mieszkałaś? W jaskini?

– W Milton Keynes – mówię.

– Och. Niewielka różnica. – Crystal bierze ciastko.

Powinnam jej przypomnieć, że się odchudza, ale milczę.

– To program telewizyjny. Szalenie popularny. Nadawany w sobotę wieczorem. Wszyscy go oglądają. – Wzrusza ramionami. – Hayden wygrał „Grę o sławę" kilka lat temu. Jego piosenka zdobyła pierwsze miejsce na liście przebojów, sukces odniosła pierwsza płyta. Potem pisał jeden hit za drugim, jeździł w trasy, zdobył światową sławę, a za tym przyszła gigantyczna kasa. Wtedy kupił tę posiadłość. A teraz nienawidzi własnej popularności i ukrywa się przed ludźmi jak pieprzony Howard Hughes.

Nie wiem, kim jest Howard Hughes, ale wstydzę się przyznać. Przy Crystal czuję się jak ignorantka.

– Polubisz go – zapewnia mnie. – Trochę dziwak, ale bardzo dobry człowiek.

Już zapomniałam, że mężczyźni mogą być dobrzy.

– A jaka jest twoja historia? – Crystal bierze kolejne ciastko. – Jak to się stało, że wparowałaś tutaj z dzieckiem i całym dobytkiem w niewielkiej torbie?

Nie chcę mówić o sobie, ale skoro mam zamieszkać pod jednym dachem z tą miłą panią, to ma prawo coś o mnie wiedzieć.

– Porzuciłam męża. – Spuszczam głowę ze wstydem. – Ale nie był dobrym człowiekiem.

– Bił cię?

Niechętnie kiwam głową.

– Skąd ja to znam. – Cmoka znacząco. – Spotkałam niejednego typka z ciężką łapą. Dobrze, że udało ci się uciec od drania. Twoje szczęście, kochana.

– Umieram ze strachu, że mnie znajdzie.

– Nie tutaj – zapewnia. – W tym domu będziesz bezpieczna. Zatroszczymy się o ciebie. Hayden nie znosi ludzi, więc zabarykadował się, jakby to był co najmniej Fort Knox. Poza wysokim ogrodzeniem i kamerą przy bramie teren wokół domu jest monitorowany przez ochronę.

Oddycham z ulgą. Łzy kręcą mi się w oczach. Crystal kładzie swoją rękę na mojej i serdecznie się uśmiecha.

– Stanęłaś na nogi, Ayesha. Dobrze trafiłaś.

– Jak długo tu mieszkasz?

– Parę lat. Spotkałam Haydena w klubie po… Jak by tu powiedzieć… To nie był najlepszy okres w jego życiu. Coś zaiskrzyło i zabrał mnie do domu. Spędziliśmy ze sobą jedną upojną noc, a potem, cóż, tak jakoś się tu rozgościłam. – Crystal bierze kolejne ciastko. – Nie jesteśmy, wiesz…

Znacząco pociera palcami. Daje mi w ten sposób poznać, że nie sypiają ze sobą.

– Zostaliśmy przyjaciółmi, nic więcej. – Jej wzrok pada na pusty talerz. – O rany, wszystkie zjedzone! Pewnie umierasz z głodu.

Przez grzeczność nie wyjaśniam jej, że zjadłam tylko dwa herbatniki, a ona resztę.

– Nie mam nic do jedzenia. Czy są jakieś sklepy w pobliżu?

– Jasne – zapewnia Crystal. – Nieco dalej, na High Street. Ale nie martw się o zakupy. Mamy mnóstwo jedzenia na kolację. Coś później odgrzeję. – Kładzie mi rękę na ramieniu. – Wyglądasz na piekielnie zmęczoną.

Jej serdeczność wzrusza mnie do łez.

– Odpocznij trochę. Rozejrzyj się po domu. Posiedź z nogami w górze. Znajdziesz sobie tu jakieś zajęcie. Jutro możemy powłóczyć się po sklepach i kupić wszystkie potrzebne rzeczy.

– Brakuje nam ubrań – wyznaję – ale mam niewiele pieniędzy.

– Masz tylko to, co na grzbiecie? Nie mylę się?

– Tak. – Ukradkiem ocieram łzy.

– Ciocia Crystal weźmie cię na zakupy. – Klaszcze w ręce. – Zmienimy cię w nową kobietę, skarbie. Jeśli ktoś zacznie cię szukać, to cię nie pozna.

Patrzę na swój spłowiały i sprany *salwar kamiz*. A potem przenoszę wzrok na Crystal, ciasną koszulkę opinającą obfity biust, i przychodzi mi refleksja, że nie do końca mogę ufać jej wyczuciu w sprawach mody.

Rozdział dziewiąty

Sabina po krótkiej drzemce wygląda dużo lepiej. Przytulam się do niej na szerokim łożu, grzeję się jej ciepłem.

– Będziemy tu szczęśliwe, córeczko – obiecuję.

Drzemiemy jeszcze przez chwilę, po czym mała zaczyna się wiercić. Wyjmuję z torby książeczkę i czytam na głos. Jutro, poza jedzeniem i ubraniem, muszę się zatroszczyć o szkołę dla Sabiny. Nie chcę, żeby ucierpiała jej nauka. Jest mądrą dziewczynką. Muszę jej dać szansę na dobre życie. Nauczyciele w poprzedniej szkole rozumieli jej problemy, mam nadzieję, że tutaj również znajdą się ludzie, którzy będą chcieli nam pomóc

– Kiedyś to ty będziesz mi czytała książki – obiecuję. – Jesteś mądrą dziewczynką i jestem z ciebie dumna.

Dziecko wkłada kciuk do buzi i opiera główkę na moim ramieniu, ale nadal milczy.

– Musimy poszukać czegoś do jedzenia – mówię, gdy kończę czytać. – Na pewno jesteś głodna.

Już późno. Szósta po południu. Zazwyczaj o siódmej Sabina jest w łóżku, dzisiaj jednak był szczególny dzień, a jutro nie ma lekcji. W brzuszku jej burczy i to przesądza sprawę. Ubieram córkę i ruszamy na dół.

Crystal wciąż jest w kuchni. Z radia płynie muzyka. Zrzuciła z nóg buty na wysokim obcasie i tańczy na bosaka.

– Jak się macie, dziewczyny!

Łapie Sabinę za ręce i kręci się z nią w kółko. Chce mi się śmiać na widok oszołomienia na twarzy mojej córeczki.

– Jestem tancerką – oświadcza Crystal.

– Baletnicą? – pytam.

– Niezupełnie. Preferuję taniec egzotyczny – wyjaśnia.

– Ładnie się poruszasz.

– Wiele osób mi to mówi. – Śmieje się głośno.

Staje na palcach i ku zachwytowi Sabiny kręci piruety jak baleri-na. Mała próbuje ją naśladować.

– Moja córeczka zawsze chciała chodzić na lekcje baletu, ale mąż się nie zgadzał.

– Teraz nic wam nie przeszkodzi – mówi Crystal. – Możecie spełniać swoje marzenia.

„To prawda, myślę. Teraz już możemy".

Na samą myśl mam łzy w oczach. Wreszcie różne rzeczy stają się realne. Mogę wyjść z domu, kiedy mam ochotę, i oglądać takie programy, które sama wybiorę. Mogę wysłać córkę na lekcje tańca.

– Muszę znaleźć pracę.

– Wszystko w swoim czasie – uspokaja mnie Crystal. – Już i tak dokonałaś niesamowicie dużo. – Patrzy na mnie ze współczuciem. – Wiem, jaki to był trudny krok. Uwierz mi. Nie staraj się zrobić wszystkiego naraz. Daj sobie trochę czasu. Wystąpiłaś o zasiłek?

– Ruth mi pomogła – potwierdzam.

– Wkrótce będziesz miała pieniądze. Nie będzie ich dużo, ale na podstawowe potrzeby wystarczy.

Crystal okręca Sabinę w tanecznym pas i moja córeczka wiruje po całej kuchni jak bąk. Tak bym chciała znowu usłyszeć jej radosny dziecięcy szczebiot, ale milczy jak zaklęta.

– Chcę ci umilić pierwszy wieczór w nowym domu, więc przy-gotuję kolację.

– Jesteś bardzo miła.

– W kuchni poczynam sobie jak karateka z czarnym pasem. Jednym ruchem stwarzam zagrożenie dla otoczenia. – Śmieje się Crystal. – A mówiąc poważnie, nie jestem najlepszą kucharką pod słońcem. Potrafię przypalić wodę na herbatę. Zaryzykujmy jednak. – Zagląda do lodówki. – Co powiesz na pizzę?

– Bardzo chętnie.

– Trudno zepsuć mrożoną pizzę. – Wyjmuje trzy placki z foliowej osłonki i wkłada je do piecyka. – Proste jak drut.

Czekamy, aż się upieką, a Crystal nie przestaje mówić. Jej słowa wpadają mi jednym uchem i wylatują drugim, choć próbuję się skoncentrować. Sabinie też opadają powieki. Moja córeczka była dziś bardzo dzielna.

– Chyba coś się przypala – przerywam nieśmiało, gdy nasza gospodyni opowiada o czymś, co widziała w telewizji.

– Do diabła. – Crystal otwiera drzwiczki piekarnika, a wtedy kuchnię wypełnia dym i włącza się alarm pożarowy.

Crystal energicznie wymachuje ścierką, jakby robiła to setki razy.

Kiedy dym się rozwiewa, wyjmuje z piecyka spalone placki.

– Może uda się to zeskrobać – proponuje, ale ma kwaśną minę.

Patrzymy na siebie i nagle parskamy śmiechem.

– Chyba nic im nie pomoże – mówię.

Crystal ze wstrętem rzuca nieszczęsne pizze na blat kuchenny.

– Mogę coś ugotować – proponuję. Głód daje mi się we znaki. Martwię się też o Sabinę, która przez cały dzień nie miała w ustach nic ciepłego. – Co jeszcze masz do jedzenia?

– Mnóstwo jajek i sporo różnych warzyw. – Otwiera szeroko lodówkę. – W szafkach znajdziesz ryż i makaron. Jakieś sugestie?

– Masz przyprawy?

– To i owo się znajdzie. Ale niewiele ich używamy. – Crystal otwiera szafkę. Znajduję mielony kumin, kolendrę i słoik suszonych papryczek chili. – Dobrze gotujesz?

– Tak mi się wydaje. – Nie chcę się chwalić, ale gotowanie to była jedyna rzecz, której mąż nie krytykował, więc chyba sobie nieźle radziłam.

– A może mnie nauczysz? Ze swoimi kuchennymi talentami nigdy nie znajdę drogi do serca mężczyzny.

– Mogę zrobić wegetariańskie *nasi goreng*, jeśli pozwolisz.

– Proszę bardzo. Pojęcia nie mam, co to, ale brzmi nieźle. Potrafię obierać warzywa. Otwierać puszki. Mów, co mam robić. – Crystal znowu zagląda do lodówki. – Mamy tu cukinię, czerwoną paprykę i cebulę.

– To nam wystarczy.

– Wyjąć wszystko?

Kiwam głową.

– Wspaniale. Szykuje się uczta. – Crystal układa jarzyny na blacie i wyjmuje ze stojaka dwa noże. Stoimy ramię w ramię i kroimy wszystko na małe kawałki. Po raz pierwszy od lat nie denerwuję się przy gotowaniu. Nie nasłuchuję, kiedy otworzą się drzwi wejściowe i nie zastanawiam się, w jakim nastroju wróci dziś mój mąż.

– Poczęstujemy wszystkich – cieszy się Crystal. – Chociaż ta potrawa może być zbyt pikantna dla Joy. Lubi tradycyjne smaki i boi się nowinek. Nie widziałam dzisiaj Haydena. Wątpię, żeby wyściubił nos ze swego pokoju i przyszedł na kolację. Czasem zakrada się do kuchni, gdy nikogo nie ma na horyzoncie, i robi sobie kilka kanapek. Potem siedzi w pokoju, aż skończy mu się taki zapas. Podejrzewam, że znowu jest w typowym dla siebie nastroju.

Po minie Crystal wnioskuję, że nie jest to nastrój radosny i przyjacielski. Ogarnia mnie niepokój. Nie chcę być skazana na łaskę i niełaskę kolejnego nieprzewidywalnego mężczyzny. Staram się o tym nie myśleć. Starannie odmierzam ryż, podgrzewam olej na patelni i czekam, aż Crystal skończy kroić warzywa.

– Dlaczego taki jest? – pytam, zbierając się na odwagę.

– Długa historia – wzdycha. – I smutna. A właściwie, tragedia. Mówiąc w skrócie, stał się ofiarą własnej sławy. Czasem go to przytłacza. Najwyższy czas, żeby zaczął na nowo żyć, ale nie potrafi. Opowiem ci kiedyś przy winie.

Nie mówię jej, że nie piję alkoholu.

Otwierają się tylne drzwi i do kuchni wchodzi starsza kobieta z krótkimi siwymi włosami. Jest przysadzista i ma na sobie praktyczny, ale źle dobrany strój. Nawet ja potrafię to dostrzec. Na kraciastą koszulę włożyła granatowy sweter, a brązowe spodnie ma pogniecione i wypchane na kolanach. Spogląda spode łba, krzywi się i bardzo dokładnie wyciera nogi w wycieraczkę, jakby podejrzewała, że poza nią nikt z domowników tego nie robi. Potem zdejmuje buty i ustawia je równiutko przy wejściu.

– Cześć, Joy – wita ją radośnie Crystal. – Poznaj naszą nową współlokatorkę.

– Nie wiedziałam, że oczekujemy kolejnej osoby. – Taksuje mnie wzrokiem i wcale nie jest zadowolona.

– Świeża sprawa. Przyjechała parę godzin temu.

– Co na to jego lordowska mość? – Joy wskazuje wzrokiem na sufit.

– Jest zadowolony, że może pomóc człowiekowi w potrzebie – zapewnia ją Crystal.

– Miło mi panią poznać. – Wycieram ręce i wyciągam dłoń do nowo przybyłej.

– Pobrudziłam się w ogrodzie – odpowiada niechętnie.

Kiedy wreszcie podaje mi rękę, nie widać na niej brudu.

– To jest Ayesha Rasheed – ciągnie Crystal – ze swoją uroczą córeczką Sabiną. Poznaj Joy Ashton.

– Mam nadzieję, że nie jest hałaśliwa. – Joy marszczy się i rzuca chmurne spojrzenie na Sabinę.

– Będzie cicho jak myszka – odpowiadam.

Moja córka z pewnością nie jest hałaśliwa.

– Dobrze. Jesteśmy wszyscy przyzwyczajeni do spokoju.

– Nie gderaj, Joy. – Śmieje się Crystal. – Miło dla odmiany mieć dziecko w domu. Wszystkim będzie weselej. Potrzebujemy w życiu trochę radości. Prawda, Ayesho?

Kiwam głową.

– Ile masz lat? – pyta Joy Sabinę i zaraz zwraca się do mnie. – Co jej się stało? Zapomniała języka w gębie?

– Ona nie mówi – wyjaśniam. – Nie chciała być nieuprzejma.

– Och. – Joy wydyma usta.

– Ma osiem lat.

– Jest mała jak na swój wiek.

– Tak – mówię.

„I stanowczo zbyt wiele widziała jak na swój wiek", myślę.

– Zjesz z nami kolację, Joy? – pyta Crystal, wymachując nożem. – Ayesha robi *nasi goreng*.

– A co to, u licha, jest?

– Ryż z warzywami.

– Nie lubię egzotycznych potraw – odmawia Joy. – Nie smakują mi.

– Mogę zrobić dla pani omlet, jeśli woli pani coś zwykłego – proponuję.

– Sama sobie poradzę – odpowiada szorstko Joy. – Jestem stara, ale z pewnością nie niedołężna.

– Och, wyluzuj, kochana – wtrąca się Crystal. – Ayesha jest po prostu miła. Znasz ją od pięciu minut, a już ją wystraszyłaś. Nawet nie zdążyła się u nas zadomowić.

– Uhm. – Joy wychodzi z kuchni.

– Nie przejmuj się – mówi Crystal. – Zawsze się tak zachowuje. Jest bardzo samotna. – Poważnieje i dodaje ciszej: – Jak my wszyscy.

Rozdział dziesiąty

Jemy kolację we trzy: Sabina, ja i Crystal. Pani Ashton już do nas nie wraca. Nie pojawia się też gospodarz, pan Hayden Daniels.

– Jesteś diabelnie dobrą kucharką – mówi Crystal. Szczypie się w fałdkę na brzuchu i marszczy brwi. – Właściwie masz fach w ręku.

– Lubię gotować – przyznaję. – To mnie uspokaja.

– Chętnie ci ustąpię miejsca przy kuchni. Odstawię naczynia do zmywarki. Przynajmniej tyle mogę zrobić.

– Dziękuję.

– Zaraz wychodzę do pracy. Jutro zastanowimy się, co powinnaś ze sobą zrobić. Potrzebujesz nowych ciuchów i pewnie jedzenia, do którego jesteś przyzwyczajona.

– Muszę znaleźć szkołę dla Sabiny.

– Wszystkim się zajmiemy. W pobliżu jest dobra podstawówka. Pracuję do późna, więc nie spodziewaj się rano mojego towarzystwa. Masz wszystko, co ci będzie potrzebne?

– Tak. Dziękuję, Crystal. Bardzo mi pomogłaś. – I nagle się rozklejam.

Nic na to nie poradzę, dopiero teraz dociera do mnie, jak wiele dziś przeżyłam: ucieczkę w środku nocy, niepewność i stres w ciągu dnia. Łzy płyną same. Moim ciałem wstrząsa spazmatyczny szloch.

– Nie płacz – mówi Crystal i głaszcze mnie po włosach. – Proszę, nie płacz. Zaczynasz nowe życie. Łzy są niepotrzebne. Pomyśl o dobrych rzeczach.

Kiwam głową, ale wciąż płaczę. Crystal podsuwa mi papierowy ręcznik, wycieram twarz. Sabina wdrapuje się na moje kolana i przytula się. Ściskam ją mocno.

– Opiekuj się mamą – mówi Crystal. – Ma za sobą trudny czas. Ale będzie dobrze.

Nie wolno mi płakać. Muszę być dzielna za nas obie.

– Już w porządku. – Pociągam nosem. – Naprawdę.

– Połóż się wcześniej – radzi Crystal. – Pewnie od wczoraj nie zmrużyłaś oka. Nic dziwnego, że jesteś zmęczona i roztrzęsiona. Rano wszystko będzie wyglądało dużo lepiej. Możesz mi wierzyć.

Sprzątamy ze stołu i zostawiamy Crystal, wkładającą brudne naczynia do zmywarki. Wchodzę z Sabiną po schodach i zastanawiam się, czy kiedykolwiek poczuję się tu jak w domu. Crystal przyjęła nas serdecznie, ale martwię się, co myślą pani Ashton i pan Daniels. Może nas nie polubią i będziemy musiały się wynieść? Ruth mnie uprzedzała, że to tymczasowe rozwiązanie. Lepiej się na to przygotować. Może Ruth znajdzie nam jakieś tańsze mieszkanie i będziemy musiały się przenieść. Mam jednak nadzieję, że uda nam się zostać, bo naprawdę mi się tu podoba.

W pokoju Sabina przebiera się w piżamę. Kładziemy się razem i włączam telewizor. Jest dopiero ósma, ale trudno mi znaleźć coś odpowiedniego dla dziecka. Nie wolno mi było oglądać oper mydlanych, o których się tyle mówi, ale jakoś mnie nie pociągają, bo w każdej widzę ludzi, którzy na siebie krzyczą, a tego miałam aż za dużo w prawdziwym życiu. W końcu znajduję program kulinarny, ale po paru minutach Sabina mocno zasypia.

Oglądam odcinek do końca, jednak nie wiem, co się dzieje na ekranie. Moje myśli krążą wokół wszystkich spraw, którymi muszę się zająć. Ze względu na córkę muszę być silna, a tymczasem boję się przyszłości. W ostatnich latach nie kochałam męża – nawet go nie lubiłam – ale tak długo kontrolował moje życie, że nie jestem pewna, czy sobie poradzę. A przecież chodzi nie tylko o moją przyszłość.

Zapada noc, włączam lampkę przy łóżku, w jej świetle pokój jest jeszcze bardziej przytulny. W łazience przebieram się w koszulę nocną, równiutko składam wysłużony *salwar kamiz*. W tym eleganckim otoczeniu wygląda jeszcze żałośniej. Zapewne i ja sprawiam takie wrażenie. Ta nocna koszula i inne, podobne do niej, też były przyczyną licznych kłótni. Zasłania ramiona i nogi do kostek. Mąż wolałby, żebym w łóżku miała na sobie coś bardziej seksownego, ale nie miałam ochoty dla niego się rozbierać. Zostałam wychowana na skromną dziewczynę i nie lubię odsłaniać ciała. Miał o to do mnie pretensje. Wiem, że nie spełniałam jego oczekiwań w małżeńskim łożu, trudno jednak być czułą kochanką dla mężczyzny, który nie całuje kobiety i nie okazuje jej miłości.

Wyglądam przez okno. Pod drzewami zaparkowanych jest kilka samochodów, ale poza tym jest pusto i cicho. Nikogo nie widać w pobliżu. Przed bramą staje taksówka, serce we mnie zamiera, ale wtedy słyszę kroki na korytarzu, a potem na schodach. Przypominam sobie, że Crystal mówiła o wyjściu do pracy. Widocznie ma nocną zmianę. Po chwili trzaskają drzwi wejściowe, widzę ją na alejce prowadzącej do bramy. Wskakuje do taksówki i odjeżdża. Zaciągam zasłony.

Leżąc obok Sabiny, rozkoszuję się ciepłem i miękkością kołdry. Jestem bardzo zmęczona, jednak sen nie przychodzi. Przyciszam telewizję, zostawiam tylko ledwo słyszalny dźwięk w tle. Może z zamętu w mojej głowie zaczną się wyłaniać jakieś sensowne myśli. Powinnam napisać do rodziców i zawiadomić ich, co zrobiłam. Przez te wszystkie lata ani razu się nie poskarżyłam, że jestem nieszczęśliwa w małżeństwie. Nie chciałam, żeby się o mnie martwili, a teraz czeka ich prawdziwy szok. Muszę ich zawiadomić, jak się sprawy mają. Jutro kupię papeterię i wyznam im, że razem z Sabiną zaczęłyśmy nowe życie. Zmartwią się, ale mam nadzieję, że zrozumieją.

Chyba się zdrzemnęłam, bo ze snu wyrwał mnie dziwny odgłos. Słyszę rytmiczne metalowe szczęknięcia. Nocna lampka wciąż się świeci. Zerkam na zegarek. Jest północ. Na szczęście Sabina słodko śpi. Nastawiam uszu, hałas dochodzi gdzieś z dołu. Serce mi wali jak szalone. Na nowym miejscu zawsze jest tyle niepokojących odgłosów. W rodzinnym domu na Sri Lance słyszałam szum morskich fal, szelest palm na wietrze i cichy pomruk wentylatorów na suficie. Po przeprowadzce do Milton Keynes musiałam się przyzwyczaić do syren policyjnych samochodów, bulgotania w rurach i pokrzykiwania pijaczków wracających do domu z okolicznych barów i pubów. Ten dom również ma swoje odgłosy. Jego skrzypnięcia i stukania są obce i niepokojące.

Nastawiam uszu i wciąż słyszę powtarzający się hałas. Czyżby Crystal nie zamknęła za sobą drzwi? Nie spytałam jej, kto sprawdza zamki przed nocą. A jeśli niebezpieczny intruz dostał się do środka? Ma złe zamiary? W ustach mi zaschło. To nie może być Suresh. Nie znalazłby mnie tak szybko. Mam serce w piętach na myśl o nim, ale nie pozwolę się zastraszyć. To raczej nie mój mąż, ale jakiś niebezpieczny człowiek mógł się tu zakraść, pomimo ogrodzenia i kamer ochrony. Pan Daniels mieszka na samej górze, nic dziwnego, że nie słyszał hałasu na dole. Boję się go obudzić. Pani Ashton jest już stara, może ma problemy ze słuchem i śpi, nieświadoma zagrożenia. Mogę liczyć tylko na siebie.

Walenie na dole nie ustaje. Nie będę się chować pod kołdrą. Jestem nową Ayeshą. Stara siedziałaby w swoim pokoju jak mysz pod miotłą. Nowa musi się wykazać odwagą. Muszę sprawdzić, co jest źródłem hałasu. Jeśli trzaskają drzwi, muszę je dobrze zamknąć.

Mimo odważnych zamiarów siedzę nieruchomo przez kolejnych kilka minut, w nadziei że zapanuje cisza i nie będę musiała opuszczać pokoju.

Ale odgłosy wciąż słychać.

Wiem, że powinnam się ubrać, jednak po namyśle zarzucam płaszcz na nocną koszulę i cicho wychodzę na korytarz. Jest ciemno, nie mam pojęcia, gdzie znajdują się włączniki światła, macam stopą drogę przed sobą. Jestem w obcym otoczeniu.

Na schodach hałas staje się głośniejszy. Bang, bang, bang. Bez chwili przerwy. Odgłosy nie przypominają stukania do drzwi, nie mam pojęcia, co to może być. Przydałaby mi się jakaś broń, gdybym wpadła na włamywacza – przynajmniej parasol lub kij golfowy – rozglądam się, ale bez skutku. Na stoliku przy drzwiach stoi statuetka. Skoro nie znalazłam niczego lepszego, musi mi wystarczyć posążek kobiety z brązu. Przyjemnie chłodzi spocone ręce.

Jestem przy kuchni na parterze, gdy uświadamiam sobie, że dźwięk dochodzi spod podłogi, z piwnicy. Pod schodami są drzwi, przez szpary widać światło. Właśnie tam dzieje się coś niepokojącego.

Ostrożnie otwieram drzwi, hałas się nasila. Zbieram się na odwagę i wołam: „Halo!". Głos mi drży, a strach ściska gardło.

Nie ma odpowiedzi. Pomału skradam się po schodach w dół. Pewnej nocy Suresh zmusił mnie do obejrzenia horroru, gdy jego rodzice położyli się już spać. Moje przerażenie sprawiało mu frajdę. Bohaterka filmu musiała zejść do piwnicy – ale była w samej bieliźnie i miała jedynie gasnącą co chwila latarkę w ręku. Moja sytuacja jest o tyle lepsza, że mam na sobie płaszcz, a piwnica jest jasno oświetlona. Gdyby jednak lampy zgasły, znalazłabym się w ciemności, bez latarki. Może kobieta z horroru, nawet w samych majtkach, miała nade mną przewagę.

W połowie schodów jeden ze stopni głośno trzeszczy pod moją stopą. Hałas nagle ustaje. Zastygam w miejscu i cała odwaga mnie opuszcza. Przez chwilę próbuję opanować nerwy, ale serce wali mi w piersi jak oszalałe. A potem podnoszę statuetkę z brązu i odważnie ruszam do przodu.

Rozdział jedenasty

W pomieszczeniu pod ścianą czai się mężczyzna z bronią uniesioną nad głową. Wrzeszczę z przerażenia i groźnie wymachuję rzeźbą.

– Aaaa! – ryczy mężczyzna z całych sił.

Na mój widok opuszcza broń, która okazuje się zwykłymi hantlami, i wybucha śmiechem.

– Śmiertelnie mnie pani wystraszyła – mówi.

Przykłada rękę do serca i wzdycha z ulgą.

Ja też oddycham głęboko. Nie zdawałam sobie sprawy, że wstrzymałam oddech. Piwnica najwyraźniej jest domową siłownią. Stoją tu różne urządzenia gimnastyczne, o których zastosowaniu nie mam najmniejszego pojęcia. Ale przynajmniej wiem, co wydawało te wszystkie odgłosy.

– Myślałam, że jest pan intruzem – przyznaję.

– A ja myślałem, że to pani jest intruzem – odpowiada, oddychając ciężko.

– Oboje się pomyliliśmy – stwierdzam śmiało. – Usłyszałam hałas. Te dźwięki najwyraźniej wydawała pańska maszyna. – Wskazuję na najbliższe urządzenie, z przewieszonym ręcznikiem. – Obawiałam się, że w domu grasuje włamywacz.

– A ja myślałem, że chce mi pani rozwalić czaszkę moim Ivorem Novello. – Wskazuje na statuetkę, którą wciąż trzymam w górze.

Opuszczam rękę. Sala jest jasno oświetlona, ma jedną ścianę z luster.

– Przykro mi, że panu przeszkodziłam. – Teraz jest mi głupio. – Pomyliłam się.

– Jest pani moją nową lokatorką. – Odkłada hantle i sięga po ręcznik, którym wyciera sobie włosy.

– Ayesha Rasheed. Bardzo mi miło pana poznać.

To musi być nasz gospodarz, pan Hayden Daniels. Próbuję się na niego nie gapić, ale muszę przyznać, że jest bardzo atrakcyjnym mężczyzną. Ma na sobie szare spodnie dresowe i głęboko wyciętą koszulkę. Przepocone ubranie nie ujmuje mu uroku. Ma bardzo jasną cerę i blond włosy, niemal białe. Mocne rysy twarzy – z wyraźnie zarysowaną szczęką i kośćmi policzkowymi. Intensywnie niebieskie oczy. Rumienię się i spuszczam wzrok. Czuję się nieswojo w towarzystwie roznegliżowanego mężczyzny. Jedynym, którego widziałam bez ubrania, był mój mąż, ale on nie miał mięśni jak pan Daniels.

Uświadamiam sobie, że jestem w płaszczu, i otulam się nim szczelnie. Pan Daniels przygląda mi się bacznie, a ja czerwienię się jeszcze bardziej.

– Przepraszam – mówi, świadomy, że się zawstydziłam. – Chętnie bym panią poznał w bardziej sprzyjających okolicznościach.

– Ja też. – Nabieram odwagi i pytam: – Czemu pan to robi w środku nocy?

– Nie śpię – odpowiada, trochę zaskoczony moim pytaniem – więc lubię sobie poćwiczyć, gdy w pobliżu nie ma nikogo.

– A ja panu przeszkodziłam.

– I tak już skończyłem. – Ogląda się na maszynę, której używał.

– Może zrobię panu herbatę? Jeśli jest rumianek, pomoże się odprężyć.

Przez chwilę się waha, jakby miał zamiar odpowiedzieć, że nie ma ochoty na herbatę. Zamiast tego uśmiecha się lekko.

– Zdecydowanie nie rumianek – mówi – ale wszystko oddam za kubek murarskiej herbaty.

– Zaraz zaparzę.

Teraz dopiero widzę, jaki jest wysoki. Nie sięgam mu głową do ramienia. Jest wyższy niż przeciętny mężczyzna. I muskularny. Zaschło mi w ustach, tym razem chyba nie ze strachu.

– Wezmę prysznic i za pięć minut do pani dołączę. – Mierzy mnie wzrokiem. – Skoro pani nigdzie nie wychodzi, może czas zdjąć płaszcz.

Wyglądam głupio, chodząc w płaszczu po domu. Dobrze, że mam długą koszulę nocną.

– Nie mam szlafroka. Wzięłam ze sobą niewiele rzeczy.

– Crystal powiedziała, że uciekła pani w obawie o życie.

– To prawda. – Wbijam wzrok w podłogę.

– Przykro mi.

– Mam nadzieję, że będziemy tu z córką bezpieczne.

– Ja też mam taką nadzieję.

– Zrobię herbatę. – Pospiesznie idę do kuchni.

Dobrze, że pan Daniels poszedł się umyć. Serce mi wali, tym razem nie ze strachu.

Dokładnie pięć minut później przychodzi do kuchni, a ja wciąż szukam w szafkach herbaty murarskiej.

Pan Daniels ma mokre włosy i zarumienione policzki. Pozbył się koszulki gimnastycznej i szybko wciągał śnieżnobiały podkoszulek. Ma na sobie teraz czarne spodnie dresowe i klapki, oraz ręcznik przewieszony na szyi. Zdążyłam zauważyć jego mięśnie na brzuchu. Nigdy czegoś takiego nie widziałam.

– Nie mogę znaleźć – usprawiedliwiam się.

– Proszę. – Pokazuje mi puszkę zwykłej czarnej herbaty Typhoo. Stoimy bardzo blisko siebie. Czuję ciepło jego ciała. – Mocną herbatę z cukrem nazywamy herbatą murarską.

– Och – chichoczę. – Nie słyszałam tego określenia. Jestem ze Sri Lanki – wyjaśniam. – Jedna rzecz, której mi stamtąd naprawdę brakuje, poza rodzicami oczywiście, to herbata, z której znany jest mój kraj. Dla nas to część narodowej tradycji.

– Piję to, co znajdę w kredensie – przyznaje pan Daniels. – Crystal uzupełnia zapasy. Zapewne wybiera gatunek, który akurat jest na wyprzedaży.

– Muszę kupić dobrą czarną herbatę. Wszyscy poczujecie niesamowitą różnicę.

Pan Daniels zdaje się nie przywiązywać wagi do tego, co pije, ale tak czy owak, przy najbliższych zakupach zadbam o dobry gatunek herbaty. Nie ma nic lepszego na zbolałą duszę niż odpowiednio zaparzona jej filiżanka.

Gospodarz siedzi przy kuchennym stole, a ja zajmuję się przygotowaniem esencji. Jest mocna i aromatyczna, pewnie by przypadła do gustu murarzom. Nalewam napój do kubka. Robię też dla siebie, ale słabszy.

Kiedy stawiam kubek przed panem Danielsem, wciąż trzyma w dłoniach posążek kobiety. Patrzę na jego mocne ramiona, pokryte włoskami w tym samym kolorze, co włosy na głowie. Mam ochotę go pogłaskać. Nigdy wcześniej mi się to nie zdarzyło.

– Jest bardzo ładna – mówię, wskazując na statuetkę.

– Moja nagroda? Tak. Dostałem ją za teksty piosenek. Kiedyś byłem w tym bardzo dobry.

– Już nie jest pan dobry?

– Nie wiem – przyznaje. Odstawia figurkę ze smutną miną. – Już się tym nie zajmuję.

– Crystal powiedziała, że jest pan bardzo popularnym piosenkarzem.

– Doprawdy? – Śmieje się. – Co jeszcze powiedziała o mnie pani Cooper?

– Uprzedziła, że lubi pan samotność.

– To prawda – przyznaje.

Chyba nie powinnam wspominać, że zdradziła mi, iż kiedyś byli kochankami.

– Podobno żywi się pan samymi kanapkami.

– Cóż – odpowiada nieco zawstydzony – nigdy nie lubiłem gotować, a pitraszenie dla jednej osoby jest przygnębiające.

– A ja uwielbiam gotować – zapewniam. – Może zasmakują panu moje potrawy.

– Może – zgadza się uprzejmie.

Nie jestem pewna, czy mówi to szczerze.

– Będę dobrą lokatorką – obiecuję. – Postaram się nie wchodzić panu w drogę. Obie z Sabiną będziemy cicho jak myszki. To miły dom. Bardzo mi zależy, żebyśmy mogły tu zostać na dłużej, panie Daniels.

– Hayden – mówi. – Darujmy sobie zbędne ceregiele.

– Hayden. – Jego imię dziwnie brzmi w moich ustach.

– Powinnaś wrócić do łóżka. Wyglądasz na zmęczoną.

– Dobrze. – Ale prawdę mówiąc, nie jestem już zmęczona.

Przewalczyłam pierwszą falę senności i teraz długo nie uda mi się zasnąć. Chętnie porozmawiałabym z gospodarzem, wyczuwam jednak, że chciałby zostać sam.

– Córka się wystraszy, jeśli nie znajdzie mamy przy sobie, gdy się obudzi… – słyszę.

– Nie będzie sprawiała kłopotów. – I wyjaśniam: – Nie może narobić hałasu. Nie mówi.

– Naprawdę? Dlaczego?

– Była świadkiem zbyt wielu złych rzeczy. – Postanawiam być szczera, nawet jeśli prawda jest bolesna.

Hayden przygryza wargi.

– W takim razie ona i ja świetnie się dogadamy.

– Dobranoc, Haydenie. – Odstawiam pusty kubek.

– Dobranoc, Ayesho.

Idę już w kierunku drzwi, ale odwracam się jeszcze.

– Czy to pomaga? – pytam. – Ćwiczenia fizyczne w środku nocy?

– Niestety – wzdycha i kręci głową. – Wcale nie.

Rozdział dwunasty

Hayden poszedł do salonu, zabierając ze sobą kubek herbaty i figurkę, którą nazywał pieszczotliwie Damą Novello. Nowa lokatorka zaparzyła niezłą herbatę, a to dobry znak. Mocny napar poprawił mu nastrój.

Uśmiechnął się do siebie. Okoliczności, w jakich się poznali, doprawdy były szczególne. Przyznał niechętnie, że początkowo się wystraszył, bo uznał, że ktoś przedostał się do środka mimo wszelkich zabezpieczeń. Zdążył zapomnieć, że w ich fortecy pojawiła się nowa mieszkanka.

Nie zamierzał przyjmować nikogo pod swój dach, ale miał miękkie serce i wzruszały go nieszczęścia bliźnich. Przez chwilę się opierał błaganiom Crystal, żeby dać schronienie maltretowanej kobiecie z dzieckiem, jednak od początku wiedział, że dopóty będzie mu wierciła dziurę w brzuchu, aż ulegnie. Crystal nie odpuszczała, gdy jej na czymś zależało. Na tyle ją już znał.

W dodatku pokoi jest tu pod dostatkiem. Czy komuś będzie przeszkadzało, że jeden z nich zajmie kolejna lokatorka? Nawet lepiej, że ktoś w nim zamieszka. Stałby pusty, a na meblach osiadałby kurz. To idiotyczne, że zdecydował się kupić taki ogromny dom. Nawet nie pamiętał, co go do tego skłoniło. Mieszkał w nim nadal, bo nie miał siły na przeprowadzkę. A skoro jest, jak jest, niechże na tym skorzysta ta zbieranina osób skrzywdzonych przez los.

Niewiele będzie miał wspólnego z nową lokatorką, bo to jest działka Crystal. Ostatnio nawet nie chciało mu się wychodzić ze swojego pokoju. Gdyby dało się żyć bez jedzenia, w jakiś inny sposób odżywiać ciało, to najchętniej ograniczyłby do zera kontakty ze światem.

Ayesha nie sprawiała wrażenia kłopotliwej lokatorki, w dodatku Crystal zapewniła go, że to krótkoterminowe rozwiązanie, gdyż chodzi tylko o to, by biedaczka miała czas stanąć na nogi. Kilka dni, w najgorszym razie tygodni. Teraz jednak, gdy już ją poznał, szczerze jej współczuł. Była nijaka. Ściskała poły swego płaszcza, jak dziecko tuli kocyk. Cicha. Wylękniona. Bała się własnego cienia. Nawet nie zauważy jej obecności.

Miękkie serce Haydena dało o sobie znać nie po raz pierwszy, w podobnych okolicznościach zamieszkały u niego Crystal, a potem Joy. Kiedy poznał Crystal, dziewczyna była w nieszczególnym okresie swojego życia. Poderwała go w nocnym klubie na West Endzie. On był na dnie czarnej depresji, zamierzał upić się do nieprzytomności w dawnej kompanii i choć na chwilę zapomnieć o bólu. Tej nocy prawie mu się to udało, choć skończyło się inaczej, niż planował. Crystal przyjechała taksówką razem z nim. Zaczęli się rozbierać jeszcze w aucie. Wciągnął ją do sypialni, bo anonimowy seks jest równie dobry jak alkohol, gdy poszukuje się chwilowego zapomnienia. Gdy jednak wylądowali w łóżku, gwałtownie wytrzeźwiał. Jego ciało, jak obiekt obdarzony własną wolą, odbywało godowy taniec, ale myśli biegły gdzie indziej. Mózg podpowiadał, że to nie seks i alkohol są panaceum na cierpienie duszy. Crystal okazała się zdumiewająco miłą dziewczyną i nie miała pretensji, że po obiecującym początku okazał się niezbyt entuzjastycznym kochankiem. Przespali się ze sobą raz i było w porządku. Więcej niż w porządku. Ale na tym się skończyło.

Następnego ranka włożyła jedną z jego koszul i została. Kiedy się obudził, zrobiła mu śniadanie. Potem wysprzątała dom, napełniła lodówkę i jakoś tak, bez zbędnych słów, nigdy się nie wyprowadziła. W tym okresie prawie nic nie jadł, wszystko było bez smaku, rosło mu w ustach, a jednak gotowała dla niego, bo uważała, że niezdrowo wygląda. Wpychała w niego odgrzewane obiady, lazanię lub zapiekankę z rybą. Posłusznie zjadał, nawet chwalił, zastanawiając się jednocześnie, czy nie przypłaci tego rozstrojem żołądka. Uważał za duży plus, jeśli potrawa nie była przypalona albo niedogotowana. Crystal nie wystawiała jego cierpliwości na próbę. Rosyjską ruletką bywało jedzenie jej obiadów. Niczego jednak od niego nie chciała. Idealna towarzyszka.

Potem dołączyła do nich Joy. Była sąsiadką i przez pół życia mieszkała w domu po drugiej stronie ulicy. Poznał ją, gdy kupił swoją posiadłość. Bardzo narzekała na kłopoty związane z remontem. Wkraczała co chwilę z nowymi pretensjami, wielce wzburzona. Udawało mu się ją udobruchać, po czym historia się powtarzała. Wreszcie remont się skończył i wprowadzili się z Laurą do nowego domu, a wtedy Joy zaczęła narzekać na paparazzich, którzy dniem i nocą koczowali przed jego bramą. Kiedyś nawet oblała całe to bractwo wodą z ogrodowego szlaucha. Kiedy czasem, ignorując fotoreporterów, wychodził rano po gazetę, kiwała mu głową na powitanie i wracała do swoich kwiatów. Nigdy się nie zaprzyjaźnili, ale to Joy, jako jedyna z sąsiadów, przyszła go odwiedzić, gdy dowiedziała się, co się stało z Laurą. Trzymała go za rękę i powtarzała, że bardzo mu współczuje, bo dobrze wie, jak bolesna jest strata bliskiej osoby.

Joy była wdową. Jej mąż zmarł po długiej i ciężkiej chorobie, co nie znaczy, że było jej łatwiej, gdyby straciła go w kwiecie wieku. Co gorsza, nie była dobrze zabezpieczona na stare lata, jak jej się wydawało. Po mężu odziedziczyła dług w tysiącach funtów. Okazało się, że utopił ich oszczędności w podejrzanych inwestycjach, a w dodatku zaciągnął pożyczkę pod hipotekę domu. Joy została na lodzie. Miała dwóch dorosłych synów – jeden mieszkał w Hongkongu, drugi w Singapurze, albo równie odległym miejscu. Nigdy ich nie odwiedzała, bo panicznie bała się podróży samolotem. Hayden wielokrotnie próbował ją zachęcić do cudownego wynalazku, jakim jest Skype, ale Joy komputerom też nie ufała.

Zanim się wprowadziła do Haydena, wielokrotnie narzekała na styl życia Crystal – na jej odjazdy i powroty taksówką w najdziwniejszych porach nocy. Jednak mimo nieustannych pretensji obie kobiety się zaprzyjaźniły. Kiedy Crystal usłyszała, że Joy może stracić swój dom, poprosiła Haydena, żeby zaoferował starszej pani wspólne mieszkanie. Skapitulował, bo Crystal walczyła o przyjaciółkę jak lwica, a on nie umiał znaleźć sensownego powodu, żeby jej odmówić. A zresztą, gdzie by się podziała Joy, gdyby jej nie przyjął pod swój dach?

Mieszkali w trójkę już osiemnaście miesięcy. Może nawet dłużej. Ostatnio przestał zwracać uwagę na upływający czas. Joy wciąż znajdowała powody do marudzenia, ale bez dawnej pasji. Taki już miała charakter.

Ludzie, którzy kupili jej dom, jeździli wielkimi range roverami z przyciemnionymi szybami. Wykarczowali wszystkie kwitnące krzewy i zamienili ogród frontowy w wyłożony kostką parking dla swoich samochodów. Z tyłu domu znajdował się ukochany sad Joy, jabłonie, o które troszczyła się latami. Został wycięty, aby zrobić miejsce na basen i ogromny taras. Za każdym razem, gdy patrzyła przez okno na swój stary dom, mruczała pod nosem: „Ci cholerni cudzoziemcy".

Ilekroć musiała przejść chodnikiem obok niego, odwracała głowę, jakby sam widok był bolesny.

Teraz Joy zajmowała się ogrodem Haydena. Zaopatrywała dom w warzywa i robiła nieustanne aluzje, jak miło jest hodować własne kury, co Hayden uporczywie starał się ignorować. Nie potrafił patrzeć obojętnie na łzy wdów i sierot, ale ptactwu domowemu umiał dać zdecydowany odpór.

Zasłony były rozsunięte, przez okna wpadało do salonu światło księżyca, odbijało się od gładkiej powierzchni fortepianu i lśniło na klawiaturze. Był to cudny instrument, który należał kiedyś do Eltona Johna. Hayden już nie pamiętał, w jaki sposób wszedł w jego posiadanie. Na początku, kiedy pieniądze płynęły strumieniem, wydawał je jak szalony, później stracił zainteresowanie do dóbr materialnych. Właściwie nie używał tych rzeczy. Stały w pokrowcach w pokojach na górze. Hayden postawił statuetkę na fortepianie i pogładził gładką powierzchnię.

Rzadko schodził do salonu. Ostatnio spędzał czas w swoim pokoju na górze i śledził wydarzenia na świecie na ekranie telewizora – jednak wszystko wydawało mu się przewidywalne albo dołujące. Kiedy miał dosyć telewizji, czytał. Kiedyś namiętnie pochłaniał kryminały, teraz nie był w stanie czytać o śmierci lub przemocy, więc wybierał biografie, choć go śmiertelnie nudziły. Najchętniej pisali o sobie celebryci, którzy byli gotowi wystawić na widok publiczny najdrobniejsze szczegóły życia prywatnego. Obnażali swe dusze, ujawniali każdą nieprzyzwoitą tajemnicę, choć w gruncie rzeczy nie mieli nic ciekawego do powiedzenia. Kilkakrotnie sugerowano mu, że powinien napisać autobiografię, ale zawsze odmawiał. To oczywiście nie powstrzymało dziennikarzy, powstało paręnaście nieautoryzowanych książek o jego życiu i w każdej autor kłamliwie wmawiał czytelnikom, że coś wie na temat bohatera. Już nawet nie chciało mu się wytaczać im procesów i prostować faktów.

Czasem słuchał muzyki. Rzadko. I nigdy własnych piosenek. Nie był w stanie słuchać radia, bo nigdy nie wiedział, czy za chwilę nie przypomną któregoś z jego wielkich hitów. Wspomnienia były zbyt bolesne.

Kiedy jeszcze wychodził na zewnątrz, czasami w sklepie lub kawiarni słyszał z głośnika swój głos. Był tak silny i pełen wiary w przyszłość, że nie mógł tego znieść. Uciekał. Dopiero w zaciszu własnego domu, bezpieczny za wysoką bramą ogrodzenia, przestawał dygotać. Zdarzyło się to tyle razy, że w końcu zrezygnował z wypadów na miasto.

Przestronny salon był kiedyś jego ulubionym pomieszczeniem – ciągnął się przez całą długość domu. Blisko wykuszowego okna trzy kremowe kanapy ustawione były w półokrąg przed kominkiem. Jedną ścianę zajmowały półki na książki – w czasach, gdy mu jeszcze na różnych rzeczach zależało, marzył o prawdziwej bibliotece w domu. Chociaż, gdyby się uważniej przyjrzeć, na półkach przeważały powieści, czytane dla zabicia czasu, papka dla niewybrednych czytelników, a brakowało solidnych tomów oprawionych w skórę. Może tylko książki czytane w dzieciństwie i latach szkolnych należały do światowej klasyki. Wciąż miał nadzieję, że któregoś dnia spełni dawne marzenie i zgromadzi księgozbiór, do którego warto powracać. Na razie wolał historie, o których zapominał zaraz po przeczytaniu; taką gumę do żucia dla mózgu. Zwykłe czytadła, które go nie poruszały i nie wymagały emocjonalnego zaangażowania.

Łzawe romanse o rozdzielonych kochankach i zawiedzionej miłości, na które trafiał na półkach, to były niegdyś ulubione lektury Laury. On wówczas kolekcjonował krwawe thrillery i kryminały – kiedyś, bo teraz tylko zbierały kurz.

Druga ściana poświęcona była nagrodom. Złote i platynowe krążki za to, tamto i owamto. Jedną z nagród dostał za światowy przebój „Moja wieczna miłość". Zyski z płyty pozwoliły mu kupić dom. Każdy artysta marzy, żeby choć raz w życiu napisać coś, co będą nucić ludzie na całym świecie. On za każdym razem trafiał w dziesiątkę i produkował hity na listy przebojów.

Nie urządzi tego pokoju. Zatrudnił dekoratora, który wszystkim się zajął, gdy Hayden był w trasie koncertowej. Ktoś przecież musiał dbać o to, by pieniądze płynęły nieprzerwanym strumieniem. Salon był trochę nijaki – w niezłym guście, ale bez wyraźnego charakteru.

A kosztował fortunę. Na przykład podłoga była z rzadkiego drewna, ale już nie pamiętał jakiego, i dlaczego miała być taka wyjątkowa. Pamiętał tylko szok, gdy zobaczył cenę, a przecież wtedy nie liczył się z pieniędzmi.

Teraz był zadowolony, że reszta domu jest ascetyczna, bez wyrazu, jak puste płótno. Salon budził w nim wspomnienia. Uświadomił sobie, że już zapomniał, jak wygląda przy dziennym świetle, bo schodził tu tylko w nocy.

Hayden podniósł klapę fortepianu i uderzył w kilka klawiszy. Dźwięk był dziwny i bardzo głośny w ciszy uśpionego domu, ale mimo to usiadł przy klawiaturze. Przez chwilę siedział nieruchomo i oddychał głęboko, walcząc z uczuciem obcości.

Księżycowe światło padało prosto na fotografię Laury. Uśmiechała się do niego z ciemności, więc odpowiedział tym samym. Tak rzadko się ostatnio uśmiechał, że poczuł, jak drętwieją mu policzki, a wargi wydają się przyklejone do zębów.

– Hej – powiedział – dawno cię nie widziałem.

Hayden zrobił to zdjęcie w parku Hampstead Heath, w pobliżu domu. Kupił nowy aparat i chciał go wypróbować. Kolejny przedmiot leżał teraz zapomniany w szufladzie. Po tym, co się stało, stracił ochotę na fotografowanie. Niech diabli wezmą wszystkie aparaty i kamery, powinno się zakazać ich używania. W niektórych kulturach ludzie wierzą, że robiąc zdjęcie, zabiera się człowiekowi duszę. Zaczął w to wierzyć. Czasem odbiera mu się coś więcej.

W każdy weekend, gdy był w domu, a nie w trasie, chodzili z Laurą na długie spacery po Heath. Paparazzi wreszcie ich wytropili i zaczęło się regularne polowanie: nie dało się spacerować, bo siedzieli za każdym krzakiem. Zamierzali z Laurą kupić sobie psa – mieli wiele planów, których nie zrealizowali.

Przesunął palcami po klawiaturze. Jak automat zagrał pierwsze takty z „Mojej wiecznej miłości", piosenki, która nieustannie rozbrzmiewała w jego głowie. Nie próbował śpiewać, wiedział, że nie uda mu się wykrztusić słowa. Gardło miał ściśnięte. Nawet rozmowy wymagały dużo wysiłku. Jego serce już nie śpiewało. Po kilku brzdęknięciach palce przestały się poruszać.

Napisał tę piosenkę dla Laury. To ona miała być jego wieczną miłością…

Rozdział trzynasty

– Czekają cię zakupy życia! – Crystal rozpościera ramiona.

Stoimy na Oxford Street przed wielkim domem towarowym. Ubrania na wystawie są tak krzykliwie jaskrawe, że aż bolą oczy. Mocno trzymam Sabinę za rękę. Nawet jeśli boi się tłumów, nie daje tego po sobie poznać.

– Primark? – pytam.

– Właśnie. – Uśmiecha się szeroko. – To pierwszy dzień reszty twojego życia! Trafiłaś do krainy cudów. – Bierze mnie pod rękę i wprowadza przez drzwi frontowe.

Trafiamy do innego świata. Otaczają nas jasne światła, które rażą w oczy. Słychać głośną muzykę, a na jednej ścianie na ekranach niezliczonych telewizorów paradują gigantyczne kobiety. Gdzie okiem sięgnąć – stojaki z ubraniami we wszystkich rozmiarach i kolorach.

– Byłaś tu kiedyś?

– Nie – przyznaję.

Trochę mnie to przerasta, ale nie chcę sprawić przykrości Crystal.

– Dobry Boże, to się nazywa żyć pod kloszem – cmoka nade mną.

– Mam niewiele pieniędzy, Crystal – przypominam jej przyciszonym głosem.

Wszystkie oszczędności są ukryte na dnie torby w naszym nowym domu. Wzięłam ze sobą sto funtów, zrolowane banknoty związane gumką. Mam poczucie, że jestem bardzo rozrzutna. Nigdy w życiu nie wydałam tak wielkiej kwoty. Dzisiaj rano uważnie przeliczyłam cały swój majątek, bo wiem, że musi mi wystarczyć na długo.

– Nie martw się o kasę. – Przyjacielsko klepie mnie po ramieniu. – Dzisiaj ja stawiam. To będzie prezent dla ciebie. Stać mnie. Miałam dobry tydzień w klubie. Mnóstwo napiwków.

Nie słyszałam, o której Crystal wróciła do domu, ale wstała dopiero o dziesiątej. Długo czekałyśmy na nią w kuchni, bo zeszłyśmy z Sabiną na śniadanie o siódmej. Joy powiedziała nam „dzień dobry", wzięła dwa tosty i poszła do ogrodu, bo dzień był słoneczny. Pan Daniels – czyli Hayden – nie pojawił się wcale.

– Muszę odłożyć pieniądze na mundurek szkolny dla Sabiny – wyjaśniam Crystal.

– Za dużo się martwisz, dziewczyno. – Macha ręką, jakby to miało odgonić kłopoty.

Może ma rację, ale muszę być odpowiedzialna. Jest wiele rzeczy, które powinnam brać pod uwagę w naszym nowym życiu.

Dziś rano, gdy Crystal skończyła jeść śniadanie, zabrała mnie do gabinetu Haydena i stamtąd zadzwoniłyśmy do pobliskiej szkoły. Crystal umówiła nas na spotkanie z dyrektorką. Już się denerwuję. W starej szkole Sabiny wszyscy znali ją jeszcze z czasów, gdy była wesołym, rozgadanym dzieckiem, a kiedy wszystko się zmieniło, starali się jej pomóc – i nauczyciele, i uczniowie. Boję się, że w nowym miejscu nie będzie lubiana, a nawet, że dzieciaki będą jej dokuczać. A co, jeśli jej nie przyjmą i skierują do szkoły specjalnej? Na samą myśl robi mi się niedobrze.

– Nic się nie martw. Wyprawka szkolna jest tak tania jak chipsy w supermarkecie – zapewnia mnie Crystal. – Sama najlepiej o tym wiesz.

Właśnie nie wiem, bo Suresh dawał swojej matce pieniądze na mundurek Sabiny. Nie mam pojęcia, ile kosztują rzeczy potrzebne do szkoły, i to mnie niepokoi.

– Zajmiemy się tym, gdy będzie wiadomo, że jest dla niej miejsce.

– Dziękuję.

– Tymczasem, moja droga, potrzebujesz całkowitej odmiany. – Wchodzimy głębiej, jakby sklep nas połykał. – Dzisiaj kupujemy dla przyjemności! Wyrzucimy te ponure szarobure ciuchy. Jesteś młodą, ładną dziewczyną, a ubierasz się jak sponiewierana przez życie staruszka. I mówię to z życzliwości.

Spoglądam na swój *salwar kamiz* i czuję, że ma rację. Nie jestem tą smętną, przegraną istotą. A przynajmniej – nie chcę nią być.

– Nie możesz wyglądać jak relikt z zamierzchłej epoki. Twoją piżamę trzeba co prędzej wyrzucić. A ktokolwiek twierdził, że w khaki ci do twarzy, chyba był ślepy.

– Jestem przyzwyczajona do skromnych strojów – tłumaczę.

Chcę zacząć nowe życie w nowym stroju, ale nie zamierzam się wyrzec swojej kultury.

– Widziałam mnóstwo kobiet, które nosiły tuniki w fantastycznych kolorach, z cekinami tu i ówdzie, i wyglądały bosko. Możemy pójść tą drogą, ale ty powinnaś całkowicie zmienić wygląd, żeby cię nikt nie rozpoznał.

– Ale chcę pozostać sobą.

– Rozumiem – mówi Crystal. – Żadnych obcisłych bluzeczek, w których widać cycki. Żadnych minispódniczek. Choć muszę ci powiedzieć, że wyglądałabyś świetnie.

Crystal, jak na swój styl, jest ubrana bardzo przyzwoicie. Ma dopasowany biały podkoszulek i dżinsy, oraz jaskrawoczerwoną torebkę, pantofle i oprawkę okularów przeciwsłonecznych. Nadal widać, że ma bardzo kobiece kształty i zabójczy seksapil. Słyszałam to określenie w reklamie i pasuje do niej jak ulał.

– Podoba mi się twój strój – mówię. – Chciałabym być taka odważna.

– W takim razie od tego zaczniemy. – Popycha mnie w kierunku półek z dżinsami.

Ustala mi właściwy rozmiar i obładowuje spodniami w różnych odcieniach – od granatowych do wyblakłego niebieskiego. Potem przez dłuższy czas krążymy wzdłuż wieszaków z ubraniami, jeździmy schodami ruchomymi z jednego piętra na drugie, a Crystal co chwila dorzuca mi jakieś bluzki, aż trzymam w ramionach całą górę ciuchów. Wreszcie dorzuca dwa rozpinane sweterki.

– Jaki masz numer obuwia?

– Trójkę – odpowiadam.

– Chryste – mruczy. – To dziecięcy rozmiar. Wracam za sekundę. Stańcie w kolejce do przebieralni.

– Fajnie jest? – pytam córkę. – Jeszcze nigdy nie byłam na takich zakupach. Zaraz będzie twoja kolej.

Sabina uśmiecha się do mnie, pierwszy raz od dawna śmieją się także jej oczy. Ściskam jej rączkę. W towarzystwie Crystal trudno być smutnym.

Nasza nowa przyjaciółka wraca z pantofelkami. Niektóre mają bardzo wysokie obcasy.

– Trzymaj, Sabinko. – Wciska je małej w ramiona i znowu znika.

Po chwili wraca z sukienką i dwoma żakietami.

– Nie potrzebuję tych wszystkich ubrań.

– Garderoba w pigułce, moja droga – mówi. – Ciocia Crystal dzisiaj cię zaopatrzy.

Kiwam głową i udaję, że rozumiem, co ma na myśli.

– Zastanów się nad obcięciem włosów – radzi. Wyrzuć tę koszmarną chustę. Obetnij się na krótko i ufarbuj. Byłoby ci do twarzy w śliwkowym odcieniu.

To przerażający pomysł. Może Crystal ma rację. Gdybym zmieniła nie tylko ubranie, ale i fryzurę, byłabym kolejny krok dalej od mojego starego życia.

Ścisza głos, aż z trudem dociera do mnie w tym hałasie.

– Myślałaś o zmianie imienia?

– Nie.

– Ja tak zrobiłam. Mam na imię Christine, ale kto by zatrudnił tancerkę na rurze o imieniu Chris? Crystal brzmi dużo bardziej egzotycznie.

– Nie wiem, jak mogłabym się nazywać.

– A może nie zmieniaj imienia, Ayesha brzmi tak miło. Mogłabyś być jednak panią Roberts albo Richardson zamiast Rasheed. Coś w tym stylu. To rozsądne. Nie musisz zmieniać dokumentów. Zostaw stare nazwisko na oficjalne okazje, do zasiłku i tym podobnych spraw. Ludziom mów, że nazywasz się Roberts.

– Naprawdę mogę?

– A komu to przeszkadza? – Crystal wzrusza ramionami. – Zawsze to jakieś dodatkowe zabezpieczenie. Na wszelki wypadek.

Na wypadek, gdy Suresh zacznie mnie szukać. Zrobi to? Miałam nadzieję, że po prostu pozwoli mi zniknąć, ale może mieć swoje plany wobec Sabiny. Nigdy nie był czułym ojcem. Wiele problemów między nami brało się stąd, że chciał mieć syna, którego mu nie urodziłam. Uważał, że zawiodłam jako żona. Sabina jest jego jedynym dzieckiem. Czy spróbuje ją odebrać, jakby była jego własnością? Mogę tylko mieć nadzieję, że nie odnajdzie nas w tym wielkim mieście, wśród milionów ludzi.

– Nasza kolej – oznajmia Crystal. I rzeczywiście, jesteśmy pierwsze. – Wejdź do kabiny i pokaż, jakie skarby ukrywasz pod tymi burymi szmatkami.

Rozdział czternasty

W przebieralni jestem sama. Zdejmuję wysłużony i przybrudzony *salwar kamiz*. Mała, wystraszona kobieta, która patrzy na mnie z lustra, sprawia tak żałosne wrażenie, że łzy cisną mi się do oczu.

Trzeba to zmienić.

Przebieram się w ubrania, które wybrała dla mnie Crystal, i decyduję się na dżinsy z podkoszulkiem oraz parę pantofli, które mają w miarę niski obcas.

Krytycznie przyglądam się swojemu odbiciu. Nigdy nie miałam na sobie ubrania, które tak wyraźnie podkreśla figurę; Suresh by mi na to nie pozwolił. Czuję się, jakbym była naga. Napis na T-shircie głosi: NIE DAM SIĘ!, małe różowe litery leżą na środku piersi. Podkoszulek nie jest obcisły, daleko mi do Crystal, ale i tak widać więcej, niż jestem gotowa pokazać. Ze wszystkich sił staram się zerwać z szarą myszką, którą byłam, i polubić swoje nowe wcielenie: kobietę nowoczesną. Muszę wiedzieć, czego chcę, i przejąć kontrolę nad swoim życiem. Taka powinnam być. Oddycham głęboko i staram się poczuć dobrze w skórze tej dziwnej osoby, na którą patrzę; zastanawiam się, czy z czasem uda mi się ją polubić.

Chwilę później, gdy się trochę opanowałam, wyglądam z bezpiecznej przebieralni i pokazuję się Crystal i Sabinie, które na to czekają. Nasza nowa przyjaciółka obejmuje ramiona Sabiny. Mam wielkie szczęście, bo przez przypadek trafiłam do domu, gdzie mieszkają mili ludzie, i gdzie znalazłam kogoś, kto chce nam pomóc.

– Co myślicie? – Wygładzam ręką T-shirt.

Crystal odwraca się do mnie i nagle zastyga.

– Ojej! – Jej oczy robią się okrągłe jak spodki. – Popatrz, popatrz!

Ludzie się obracają, a ja oblewam się pąsem.

– Wyglądasz rewelacyjnie! – woła. – Pokaż się nam lepiej.

Podnoszę ramiona i robię piruet. Daje mi żartobliwego klapsa.

– To dopiero tyłeczek. Tylko pozazdrościć.

Przypomina mi się inne uderzenie – wymierzone w twarz. Policzek, po którym chwieją się zęby, a skóra pali żywym ogniem. Cios, w którym nie było nic żartobliwego, czysta brutalna przemoc. Nie chcę tego pamiętać. Nic mi nie zepsuje dzisiejszego dnia.

– Tego musisz się pozbyć. – Crystal zdejmuje mi chustę z głowy. Zawstydzona zakrywam włosy ręką. – Nie będziesz chowała światła pod korcem. To też usuwamy. – Zdejmuje gumkę i rozplata warkocz, potem przeczesuje moje włosy palcami. W poprzednim życiu byłabym upokorzona, gdyby ktoś mnie tak potraktował. Teraz cieszę się, że mam przy sobie Crystal. Na Sri Lance została moja kochana siostra, Hinni. Bardzo za nią tęsknię. Ona też traktowałaby mnie w ten sposób. Dotyk Crystal jest serdeczny, nie kryje zagrożenia. Lubię go. Nie przychodzi jej do głowy, że mógłby mnie spłoszyć, dlatego czuję się bezpieczna.

– Sama zobacz. – Poprawia moje włosy, które opadają na ramiona i plecy. Potem ciągnie mnie przed lustro. – Musiałabym wydać fortunę u fryzjera na przedłużenia, a ty masz taką niesamowitą grzywę bez żadnych zabiegów.

Nigdy nie rozpuszczałam włosów. Nawet jako dziecko nosiłam je splecione w warkocz.

– Myślałam, że powinnaś je obciąć, ale zmieniłam zdanie. W nowych ciuchach i z rozpuszczonymi włosami wyglądasz zupełnie inaczej. Ten drań twój mąż minie cię minąć na ulicy i nie pozna.

– Naprawdę tak myślisz? – Przygładzam fryzurę.

– Ja to wiem. – Odwraca się do Sabiny. – Czy mamusia nie jest piękna?

Moja córka kiwa głową, a na jej poważnej buzi pojawia się cień uśmiechu.

– Naprawdę ci się podoba? – upewniam się.

Sabina znowu kiwa głową.

„Powiedz: tak, błagam ją w myślach. Powiedz: tak".

Ale milczy.

– Przymierz sukienkę – mówi Crystal. – Potem kolej na ciebie, mała.

Sabina wygląda na podekscytowaną.

Idę do przymierzalni i jeszcze raz patrzę na siebie w lustrze. Wzdycham ciężko. Gdybym była inną osobą, chętnie bym tak wyglądała, ale jestem, jaka jestem. Nie dam rady pokazać się publicznie w takim stroju. Co innego przebrać się na chwilę w damskiej przebieralni, a co innego wyjść na ulicę. Chcę zmienić wizerunek, ale muszę być wierna sobie.

Wracam do Crystal ze zwieszoną głową. Nie chcę odpłacić niewdzięcznością za jej życzliwość.

– Bardzo przepraszam, ale nie dam rady tego nosić – mówię. – Źle się czuję. Muszę mieć coś, co zasłania ramiona, luźne ubrania, które nie przylegają do ciała.

– Większość kobiet dałaby się pokroić za taką figurę. – Mina jej rzednie.

– To nie jestem ja.

– Co jeszcze nosiłaś, poza swoją piżamą?

– Czasem sari.

– Czy to kwestia religii?

– Nie. Niezupełnie. Chodzi o tradycję, tak to czuję.

– Ale nie ubierasz się w ten sposób, bo kazał ci mąż?

– Zostałam wychowana na skromną dziewczynę. Nie potrafię tego zmienić.

– Na skromności też się znam. – Crystal wywraca oczami. – Daj mi dwie minuty. Nie ruszaj się stąd. Nie wpuszczaj nikogo do przebieralni. W razie czego połóż się na podłodze.

Wybiega i wkrótce wraca z nowym naręczem ciuchów.

– Skromność i przyzwoitość. Będziesz wcieleniem tych cech. – Wrzuca mi do kabiny stos ubrań. – Przymierz.

Zamykam się i sprawdzam, co mi przyniosła tym razem. Na samej górze jest śliczna luźna bluzka z długimi rękawami, biała, z haftowanymi różowymi kwiatuszkami. Kolejna góra jest różowa, w niebieski kwiatowy wzorek. Do tego wybieram białe lniane spodnie z poszerzoną nogawką. Przebieram się szybko.

Teraz się uśmiecham do odbicia w lustrze. Podoba mi się. Czuję się odmieniona, nowoczesna, ale nie przebrana za kogoś obcego.

Wychodzę i czekam na ocenę Crystal.

– Bosko – orzeka. – Masz rację, kochanie. To jest dużo bardziej w twoim stylu. Teraz czas się pokazać.

Robi miny przed lustrem, wygina się jak modelka, więc nieśmiało zaczynam ją naśladować. Wychodzimy z przebieralni i defilujemy po sklepie. Crystal porywa dla nas obu różowe boa z piór i ruszamy dalej.

– Jesteśmy supermodelkami – rzuca przez ramię i kroczy przed nami jak na wybiegu. – Za mniej niż dziesięć tysięcy dziennie nie wstajemy z łóżka, moja droga.

Z głośników płynie piosenka: „Sama nie wiesz, jaka jesteś piękna", a Crystal śpiewa głośno i wskazuje na mnie. Zaczynam chichotać, kobiety oglądają się za nami, ale pierwszy raz w życiu nic mnie to nie obchodzi. Czuję się wspaniale. Jestem lekka jak piórko. Sabina zakrywa usta ręką, mam nadzieję, że z trudem powstrzymuje śmiech.

– Lepiej? – pyta Crystal przez ramię.

– Znacznie lepiej.

– Skromnie. Skromnie. I bardzo przyzwoicie – śpiewa, po czym na chwilę zostawia nas same.

Kiedy wraca, okazuje się, że znalazła letnią sukienkę do kostek i dopasowany do niej rozpinany sweterek. Bardzo mi się podoba, znowu udajemy modelki na wybiegu, a potem ciuszki lądują na stosiku do kupienia, razem z płóciennymi spodniami, bluzkami w kwiatki i białym żakietem.

– Chcesz, żeby Sabina wyglądała podobnie?

– Tak, proszę.

I nasza prywatna asystentka zakupowa znowu rusza na łowy. Wraca obładowana i popycha moją trochę oszołomioną córkę w kierunku przebieralni.

– Twoja kolej, mała.

Kiedy Sabina, której prawie nie widać zza sterty ubrań, bierze numerek do kabiny, przytrzymuję Crystal.

– Muszę coś załatwić, żeby ona nie widziała – szepczę przyjaciółce do ucha. – Jutro są jej urodziny, chcę kupić prezent.

– Jutro? Czemu nie mówiłaś wcześniej? Urządzimy przyjęcie.

– Nie trzeba.

– Jest dzieckiem. Dzieci uwielbiają przyjęcia urodzinowe.

– Nigdy go nie miała.

– Co takiego?! – Crystal aż podskakuje.

– Nie było takiego zwyczaju. – Mam ochotę zapaść się pod ziemię ze wstydu, bo pozbawiłam moją córkę drobnych życiowych przyjemności. – Do naszego domu wstęp miała tylko rodzina. Nie obchodziliśmy urodzin. – Ani Gwiazdki, ani innych okazji.

– Co za beznadziejna banda ponuraków – mówi Crystal. – Cóż, u nas też nie będzie wielkiej gali, bo jesteście nowe w sąsiedztwie, ale tak czy owak, mamy okazję do zabawy. Trzeba wznieść toast za początek twojego nowego życia.

– Będzie mi bardzo miło.

– Załatwione. Możesz się teraz urwać, a ja pomogę Sabinie. Zdążysz wrócić na wielki pokaz strojów.

Ustalone. Crystal towarzyszy mojej córce w przebieralni, a ja biegnę po prezent stosowny dla dziewięciolatki.

Znajduję go bez trudu. Kupuję plecak Hello Kitty. Nie jest to nic ekstrawaganckiego, będzie potrzebowała go do nowej szkoły, a jestem przekonana, że plecak ją uszczęśliwi. Moja córka nie mówi, ale pod każdym innym względem przypomina swoje rówieśniczki. Podoba jej się wszystko, co jest różowe i posypane brokatem.

Wracam, gdy wychodzą z przebieralni. Sabina spogląda na mnie nieśmiało. Nie ma na sobie *salwar kamiz*, w lustrach odbija się współczesna dziewczynka. Ma na sobie luźną sukienkę w kwiatki, a pod spodem białą koszulkę z długimi rękawami. Kiedy podrośnie, sama będzie decydowała, w co się ubrać. Teraz - jak dla mnie - wygląda idealnie.

Crystal zachęca ją, by udawała modelkę na wybiegu, a ja chichoczę, chociaż mam łzy w oczach.

– Podoba ci się twoja śliczna sukienka? – pytam.

Moja córka energicznie kiwa głową. Przez chwilę wydaje mi się, że zacznie krzyczeć z radości, ale to tylko złudzenie.

– Chodź, przymierzymy resztę. – Zabieram ją do kabiny, gdzie Sabina przymierza po kolei stroje wybrane przez Crystal.

Obie zaczynamy odczuwać zmęczenie i przypominamy sobie, że dawno nic nie jadłyśmy.

– Zasłużyłyśmy na kawę i ciacho – oznajmia Crystal, gdy po raz ostatni wyłaniamy się z przebieralni. – Słaniacie się na nogach.

I wcale nie przesadza.

– Płacimy i wynosimy się stąd. – Porywa całe naręcze ubrań.

– Crystal – mówię – nie stać mnie na to. Powinnyśmy wybrać po jednym stroju. Dopóki nie znajdę pracy, muszę być bardzo oszczędna.

– Mowy nie ma. Ja stawiam. – A gdy próbuję zaprotestować, dodaje: – Dziś moja okazja do zrobienia dobrego uczynku. Któregoś dnia ty zrobisz coś miłego dla mnie. Tak kręci się świat.

Z mojego doświadczenia wynika, że ta reguła niekoniecznie jest prawdziwa. Jedno jest jednak pewne, do końca życia będę wdzięczna tej przecudownej, przebojowej, hałaśliwej kobiecie za skruszenie skorupy, która opancerzyła mnie i moją bojaźliwą córeczkę.

Rozdział piętnasty

Hayden leżał na łóżku, słuchając muzyki na iPodzie, gdy usłyszał pukanie do drzwi. Nie miał ochoty na towarzystwo, zresztą ostatnio rzadko mu się zdarzało zatęsknić za obecnością ludzi.

– Do diabła, wiem, że tam jesteś, Hayd.

Crystal. Któż by inny. Joy wiedziała, że kiedy opada na niego kurtyna ciemności, należy go zostawić w spokoju, aż zasłona się podniesie. Crystal była ulepiona z innej gliny.

– Otwieraj, małpiszonie.

– Idź sobie, Crystal.

– Nie. – Załomotała. – I nie mam ochoty wrzeszczeć przez drzwi.

Z westchnieniem wyjął z uszu słuchawki. Nie zazna spokoju, dopóki nie wysłucha, co ona ma mu do powiedzenia. Na początku, kiedy się wprowadziła, chodziła wokół niego na paluszkach, ale to trwało krótko. Ostatnio stała się natarczywa w wyrażaniu opinii na temat jego izolacji od świata. Problem w tym, że im rzadziej widywał ludzi, tym mniej za nimi tęsknił. Był szczęśliwszy w swojej samotni. Rzadziej odczuwał ból. Czasem jednak nie dało się uniknąć kontaktu z innymi, a znając Crystal, wiedział, że nie odpuści, dopóki z nim nie porozmawia.

– Słucham – powiedział, niechętnie otwierając drzwi.

– Robimy przyjęcie – oznajmiła. – Mała ma jutro dziewiąte urodziny, więc będziemy świętować przy drinkach i torcie.

– Na mnie nie licz – oznajmił.

– Mowy nie ma. – Wetknęła stopę między drzwi, zanim zdążył je zamknąć. – Weźmiesz tyłek w troki, dołączysz do nas i będziesz się dobrze bawił.

Hayden skrzywił się.

– Niedługo zapomnimy, jak właściwie wyglądasz, jeśli dalej będziesz się tu barykadował i odgrywał Mae West.

– To Greta Garbo odcięła się od świata.

– Bez różnicy. *Whatever.* – I pokazała mu palcami W – na znak, że nie kupuje jego wykrętów.

Uśmiechnął się, co tylko zachęciło Crystal.

– To miłe dziewczyny – powiedziała cicho. – Miały beznadziejne życie i zasługują na odrobinę serdeczności i chwilę rozrywki. Ayesha ugotuje jakieś potrawy rodem ze Sri Lanki. Przecież lubisz curry.

– Ale nie przepadam za dziećmi.

– Jest tylko jedno dziecko. – Crystal cmoknęła z dezaprobatą. – Nawet nie mówi, biedactwo. Nie zachowuj się tak, jakby przychodziła do nas rodzina z dwunastką rozwydrzonych bachorów.

– Kiedy?

– Dziś wieczorem. O osiemnastej. Masz trzy godziny, żeby się ogarnąć. Musisz się ogolić i wziąć prysznic. Wyglądasz jak śmierć na chorągwi.

– Bardzo dziękuję.

Czasem myślał, że łatwiej by było żyć samotnie. Poprosić Crystal i Joy, żeby się wyprowadziły. Ale coś go zawsze powstrzymywało przed taka decyzją. Obiektywnie patrząc, lepiej mieć w domu kogokolwiek niż kompletną pustkę. Przez większość czasu lokatorki wcale mu nie przeszkadzały. Crystal wzięła na siebie zakupy, więc nie musiał wychodzić z domu. Joy zajmowała się ogrodem. Gdyby nie one, byłby zmuszony do zatrudnienia obcych ludzi. Alternatywa była nie do przyjęcia. Sam miałby na głowie wszystkie domowe i ogrodowe obowiązki, a o tym nie był w stanie nawet myśleć. Paparazzi przestali koczować pod jego bramą, gdy przekonali się, że rzadko wychodzi. Gdyby zwęszyli, że znowu można go przydybać, zbiegliby się jak sępy. (Dość paradoksalnie, im bardziej ograniczał kontakty ze światem zewnętrznym, tym bardziej łakomym kąskiem stawały się jego zdjęcia robione z ukrycia). I pomyśleć, że jedyne, czego chciał, to śpiewać i grać na gitarze. Nie zdawał sobie sprawy, jak niszczycielska dla jego prywatności okaże się sława. A potem było już za późno. Nie da się zawrócić przypływu.

– Proszę, zrób to dla mnie – jęczała Crystal. – A nawet dla samego siebie. Prawie nie wychodzisz. Nie siedź ciągle w zamknięciu, Hayd. Trzeba żyć dalej.

Naprawdę? A niby dlaczego?

Kiedyś był szczęśliwy. Do upojenia. To były jego złote dni. Był uwielbiany, podziwiany. Jego muzykę grano na całym świecie. Miał sławę, pieniądze i kobietę, którą kochał nad życie. Kto by nie chciał być na jego miejscu?

A wtedy objawiła się ciemna strona sławy. Gdziekolwiek się pojawiał, towarzyszył mu tłum natrętnych fotoreporterów. Przestał być panem własnego życia. Czułe, romantyczne momenty, które chciał dzielić tylko z Laurą, jak się okazywało, były zapisane cyfrowo przez podglądaczy i pojawiały się w kolorowej prasie i tabloidach. Był odzierany z intymności, w ciągu paru minut jego zdjęcia pojawiały się w internecie. Kilkoro stalkerów zaczęło go nękać, a ponieważ ich obsesyjna fascynacja mogła być niebezpieczna, musiał zatrudnić ochroniarzy, którzy pilnowali jego i Laury przez całą dobę. Ścieżka na szczyt zaprowadziła go do złotej klatki.

– Hej! – Crystal strzeliła mu przed nosem palcami. – Ziemia do Haydena.

Uświadomił sobie, że odpłynął myślami, jak mu się to często zdarzało. Gorączkowo wracał do jednego wątku: co mógł zrobić inaczej. I o ile prostsze byłoby jego życie, gdyby nie zwyciężył w „Grze o sławę".

– Powiedz, że przyjdziesz – poprosiła. – Nie bądź żałosnym sukinsynem. Musisz przecież czasem wychodzić z pokoju. A to nocne życie, Hayd? Słowo daję, zaczynasz mnie przerażać. Przecież nie zamieniłeś się w cholernego wampira.

– Przyjdę. – Podniósł ręce.

Wszelki opór był daremny.

– Nie myśl o wykręceniu się sianem w ostatniej chwili. – Uśmiechnęła się tryumfalnie. – I nie spóźnij się, bo sama tu wkroczę. Ostrzegam.

– Nie wątpię.

– Szósta. W ogrodzie. Jeśli wyjrzysz przez okno, przekonasz się, że pogoda jest bajeczna.

Trochę go zdziwiło, że tego nie zauważył. Poczuł się nieswojo.

– Jaki strój?

– Zwyczajny. Ale postaraj się trochę. Styl milionera, który udaje bezdomnego, wyszedł z mody.

– W porządku. Widzimy się później.

Crystal osiągnęła swój cel, więc odeszła zadowolona. Słyszał tylko, jak stuka obcasami idiotycznie wysokich szpilek.

Zamknął drzwi i wrócił do łóżka. Miał ochotę na powrót zanurzyć się w muzyce. Ostatnio słuchał jazzu lub hard rocka, w gruncie rzeczy wszystkiego poza muzyką pop, w której jeszcze niedawno królowały jego piosenki.

Włożył słuchawki do uszu, ale nie był w stanie się skupić. Crystal miała rację: świeciło słońce , a on już nie pamiętał, kiedy ostatnio czuł jego ciepło na skórze. Miło będzie dla odmiany wyjść do ogrodu. Ale przyjęcie? Sama myśl o tym go przerażała.

Rozdział szesnasty

Teraz, kiedy śpimy z Sabiną w jednym pokoju, trudno mi zachować coś w tajemnicy przed córką. Wykorzystuję chwilę, gdy się kąpie przed przyjęciem, i zbiegam na dół do Crystal. Znajduję ją w kuchni.

– Czy możesz napisać życzenia na kartce dla Sabiny? – Wstydziłabym się poprosić kogoś innego, ale Crystal zrozumie i nie będzie się śmiać. Ją mogę poprosić. – Chciałabym wyrazić to po angielsku, a niezbyt dobrze piszę w tym języku.

– Jasne. – Znajduje długopis w szufladzie i siada obok mnie przy stole. – Chcesz przepisać to na kartkę?

– Boję się, że to by trwało zbyt długo, a muszę zdążyć, zanim Sabina wyjdzie z łazienki.

– W porządku. Dyktuj.

– „Dla mojej pięknej Córki – mówię, a Crystal zapisuje słowa. – Życzę Ci, żeby Twoje życie było wypełnione miłością i śmiechem. Bądź silna, niezależna i szczęśliwa. Kocham Cię zawsze, Twoja Mama".

– Pięknie powiedziane.

– Te słowa płyną prosto z serca. Mam nadzieję, że kiedyś znajdzie mężczyznę, który będzie ją kochał, jak na to zasługuje, i za to, jaka jest. Nie będzie jej terroryzował i bił, żeby się stała taka, jak on sobie życzy. I nie dbam o to, jaki będzie: czarny, biały czy zielony.

Albo czy będzie niski, wysoki, chudy lub gruby. Może mieć rudą czuprynę albo lśniącą łysinę. Wszystko mi jedno, czy będzie buddystą, muzułmaninem, hinduistą czy chrześcijaninem, to wszystko nie ma znaczenia. Chodzi tylko o to, żeby była kochana.

– Daj już spokój, bo się popłaczę. – Crystal trąca mnie żartobliwie.

Kończy pisać i oddaje mi kartkę.

– Dziękuję. – Szybko zaklejam kopertę.

Biegnę na górę zapakować plecak Hello Kitty.

Po południu odwiedziłyśmy lokalną podstawówkę, zaledwie parę przecznic stąd. To miła niewielka szkoła. Dyrektorka oprowadziła nas po niej i pomogła mi wypełnić potrzebne formularze. Sabina musi czekać, aż podanie zostanie zaakceptowane przez miejscowe władze, ale dyrektorka była optymistką. Nie widziała problemu w tym, że moja córka nie mówi. Myślę, że Sabina będzie się tam dobrze czuła. Crystal – awansowana od dzisiaj na ciocię – mówi, że teraz musimy mocno trzymać kciuki.

W drodze powrotnej Crystal zabrała nas do supermarketu, gdzie znowu uparła się, by zapłacić za zakupy na wieczorne przyjęcie. Gdy tylko Sabina zacznie naukę w szkole, poszukam pracy. Jeszcze nie wiem, co mogłabym robić. Bardzo dobrze mówię po angielsku, a przynajmniej tak mi się wydaje, ale pisanie i czytanie sprawia mi trudności. Muszę się wziąć do nauki, inaczej będę zdatna tylko do prostych prac fizycznych, a przecież chcę, żeby córka była ze mnie dumna. Tak dumna, że kiedyś zawoła na cały głos: „Mamo, mamusiu, jesteś cudowna!". Takie mam skryte marzenie.

Resztę popołudnia spędziłam w kuchni, gotując tradycyjne potrawy na wieczorne przyjęcie. Mam nadzieję, że zasmakują moim nowym współmieszkańcom. Nie ryzykowałam, powstrzymałam się przed dodawaniem piekielnie ostrych przypraw, które lubią moi rodacy na Sri Lance. Zrobiłam białe curry z kurczaka, klopsiki rybne, sałatkę z bakłażana, smażone ziemniaki i ryż. Zmieniłam nawyki kulinarne po przyjeździe do Anglii, w mojej kuchni widać teraz wpływy hinduskie i europejskie, wiele przepisów zapożyczyłam od teściowej. Mam nadzieję, że wszystkim będzie smakowało.

Idziemy z Sabiną do ogrodu, Crystal już tam jest, nakrywa stół na patio. Stawia kolorowe plastikowe kubki i talerze. W słoikach są piękne kwiaty z ogrodu, nie znam ich nazw.

– Jak ładnie - mówię tylko.

Sabina w nowej sukience i bluzce patrzy na bukiety z zachwytem. Zapowiada się przyjemny wieczór, jest ciepło, więc miło będzie jeść na dworze. Tam, gdzie mieszkałam, mały i zaniedbany ogródek nie był miłym miejscem. Wszyscy sąsiedzi mogli obserwować, co się w nim dzieje. Nikt nie podlewał kwiatów ani nie kosił trawy. W rogu stała waląca się szopa; nie przewracała się, bo podpierała ją stara lodówka. Trudno było usiąść i rozkoszować się otoczeniem. Moja teściowa nie była ogrodniczką. Przyznaję, że ja też nie mam ręki do roślin.

– Świetnie wyglądasz – mówi Crystal, komplementując mój strój.

Mam na sobie białe spodnie i kwiecistą tunikę, którą dla mnie znalazła, włosy zostawiłam rozpuszczone. Miło poczuć ciepło słońca. Kość jednego mojego ramienia była trzy razy złamana w tym samym miejscu, teraz mam tam śrubę. Kiedy jest zimno lub wilgotno, dokucza mi ból.

– Jedno bym poprawiła. - mówi Crystal i idzie do kuchni, wraca z torebką i każe nam usiąść. – Klapnij sobie. – Zajmuje krzesło obok mnie. – Drobniutki retusz. – Wyjmuje kosmetyczkę.

– Lepiej nie – próbuję protestować.

– Och, zamknij się, kobieto. Zrób to dla mnie. – I nie przestaje pokrywać mnie przypadkowymi cieniami z całej palety kolorów.

– Nigdy się nie malowałam – mówię jej.

– Bo nie musisz. – Wysuwa koniuszek języka, jakby to jej pomagało się skoncentrować. – Jesteś cudna bez makijażu. Podkreślam tylko niektóre twoje atuty.

Sabina jest zachwycona.

Dłonie Crystal fruwają wokół mojej twarzy, każdy jej ruch cechuje precyzja.

– Już. Jest pięknie – orzeka w końcu.

Sabina kiwa głową.

Crystal wręcza mi lusterko. Boję się, że zobaczę w nim maskę klauna, ale niepotrzebnie. Jak powiedziała, tak zrobiła. Tu i ówdzie musnęła moją twarz. Oczy wydają się większe, na powiekach jest połyskliwy cień, rzęsy są dłuższe i grubsze. Policzki ożywił leciutki rumieniec, a usta nabrały koloru pod brązowym błyszczykiem.

– Ładnie – mówię. – Dziękuję.

– Gorąca laska z ciebie.

Uznaję to za komplement, choć nie do końca wiem, o co chodzi.

– Twoja kolej – mówi do Sabiny.

Zanim zdążę zaprotestować, że moja córka jest za mała, Crystal mruga do mnie porozumiewawczo. Muska pędzelkiem po policzkach i powiekach dziecka, maluje jej usta bezbarwnym błyszczykiem.

Sabina jest wniebowzięta, chociaż jej makijaż jest prawie niewidoczny.

– Jesteś śliczna – chwalę ją, a ona z upodobaniem przygląda się sobie w lusterku.

Crystal poprawia usta, tym razem intensywnie różową szminką. Chowa kosmetyczkę, bardzo z siebie zadowolona.

– Skoro już wyglądamy wystrzałowo, pomóż mi, Sabinko, zerwać trochę kwiatów. Mamy jeszcze dwa puste słoiki.

– A ja zajmę się kolacją. – Patrzę na zegarek. Dochodzi szósta.

– Pomóc ci?

– Poradzę sobie. Dziękuję, Crystal.

– W kuchni nie brakuje ci pewności siebie. – Śmieje się. – Nie dałabym rady przygotować tylu potraw naraz, a ty jesteś w swoim żywiole.

– Lubię gotować. – Czerwienię się.

– Nie mogę się doczekać, kiedy przyjdzie pora na jedzenie. Pachnie bosko. – Łapie Sabinę za rękę i znikają w głębi ogrodu.

W kuchni zakładam fartuszek, żeby nie poplamić mojego nowego ubrania. Wszystko będzie gotowe na czas. Mieszam curry z kurczaka i próbuję, czy *dhal* jest dobrze doprawiony.

Crystal i Sabina wracają z kwiatami, układają je w ładne bukiety. Moja córka ma na głowie wianuszek, wygląda jak mała księżniczka w koronie.

– Jak ci ładnie – zachwycam się. – Sama uplotłaś?

Sabina wskazuje na Crystal.

„Wymów jej imię", proszę w myślach. Ale tylko się uśmiecha.

Joy przychodzi pierwsza.

– Dam ci po łapach, Christine Cooper, jeśli cię jeszcze raz przyłapię na zrywaniu moich kwiatów – burczy.

– Wyluzuj, Joy – odpowiada Crystal. – Są po to, żeby cieszyć oko. Czy nie wyglądają fantastycznie?

– Śliczne – przytakuję. – Nie wiem nawet, jak się nazywają. Tam, gdzie mieszkałam, nie było żadnych kwiatów.

– Żadnych? – Joy nie jest w stanie uwierzyć.

– Naprawdę.

– To są tulipany – wyjaśnia, wskazując na różowe kielichy na najbliższej rabatce. – Musisz je znać.

Kręcę głową, a ona cmoka z dezaprobatą.

– Te fioletowe nazywają się szachownica kostkowata. Jasnożółte to żonkile, a krzew, który ma długie gałązki obsypane małymi białymi kwiatkami, to tawuła, czyli *Spirea ajuta*.

– Dużo wiesz o kwiatach.

– Trochę – mówi skromnie Joy, ale widzę, że sprawiłam jej przyjemność.

– Do dna, to ci poprawi humor. – Crystal wtyka jej do ręki kieliszek wina. – Chcesz trochę, Ayesho?

– Proszę o coś bez alkoholu.

Nalewa sok z mango dla mnie i Sabiny.

– Koktajl dla solenizantki. – Crystal podnosi swój kieliszek i stuka się z Sabiną.

– To twoje urodziny, prawda, moje dziecko? – mówi Joy.

Mała kiwa głową.

– Od dziś ma dziewięć lat – mówię.

– Nigdy się nie odezwie, jeśli zawsze będziesz za nią odpowiadać – burczy Joy, a mnie robi się przykro.

– Och, nie zrzędź, marudo – wtrąca się Crystal.

– Wychowałam dwóch synów, wiem, o czym mówię – odcina się Joy.

– Jasne. I masz pół tuzina wnuków, ale kiedy je ostatnio widziałaś?

– Mam pięcioro wnuków. Odwiedzałabym je regularnie, gdyby nie mieszkały po drugiej stronie świata.

– Wystarczy wsiąść do samolotu.

– Nie lubię latać. – Joy dużymi łykami pije wino.

Czuję przypływ paniki. Nie lubię, kiedy ludzie się kłócą. Jedno niebaczne słowo i sytuacja wymyka się spod kontroli.

– Zobacz, wystraszyłyśmy Ayeshę. To przyjęcie na cześć jej nowego życia i z okazji urodzin Sabiny. Psujemy nastrój, kłócąc się jak przekupki. Nie przejmuj się – uspokaja mnie. – Lubimy się trochę przekomarzać.

Nie wiem, co powiedzieć, i tylko kiwam głową.

– Kolacja gotowa?

– Tak sądzę. Już sprawdzam.

– Jego Lordowska Mość przyjdzie? – Joy zadziera brodę, jak zawsze, gdy mówi o naszym gospodarzu.

W tym momencie w drzwiach staje pan Hayden Daniels.

– Już przyszedł – mówi. – Mam nadzieję, że się nie spóźniłem.

Uśmiecha się do Crystal, która ma minę, jakby kamień spadł jej z serca.

– W samą porę. – Wręcza mu butelkę piwa. – Ayesha zaraz podaje do stołu.

Hayden odwraca się do mnie, robi dziwną minę i cofa się o krok, jakby ktoś go popchnął. Oczy ma okrągłe ze zdumienia. Nie wiem, gdzie się podziać, nagle się zawstydziłam.

– Wyglądasz zupełnie inaczej – mówi wreszcie.

– Mam nadzieję, że w dobrym tego słowa znaczeniu – jąkam, ale nie odpowiada, tylko gapi się na mnie.

Może Crystal za bardzo mnie umalowała i teraz wyglądam jak głupia podfruwajka, a nie matka dziewięcioletniej dziewczynki. Może ubrałam się nieodpowiednio, zbyt frywolnie.

Oblewam się rumieńcem.

– Przyniosę jedzenie – mówię i umykam do kuchni.

Rozdział siedemnasty

Noszę półmiski z kuchni do ogrodu, gdy Crystal, Joy, Sabina i Hayden sadowią się przy stole.

– Sabino, umyłaś ręce?

Kiwa głową, ale podnosi się i idzie je opłukać nad umywalką.

Kiedy już rozłożyłam talerze i miski, tłumaczę, jakie potrawy się na nich znajdują.

– Wygląda smakowicie – mówi Crystal i już nakłada sobie curry na talerz.

– Jest tu coś, co nadaje się dla mnie? – Joy marszczy nos.

– Nie bądź taką wybredną jędzą – karci ją Crystal. – Wszystko jest pyszne.

– Nie uznaję egzotycznej kuchni – upiera się.

– Nie wiesz, ile tracisz. – Crystal próbuje curry z kurczaka. – Bardzo smaczne.

– Nie dodawałam ostrych przypraw, Joy, ale jeśli nic ci nie odpowiada, chętnie zrobię coś tylko dla ciebie.

– Spróbuję. – Wzdycha z rezygnacją. – Jeśli mi nie będzie smakowało, zrobię sobie kanapkę.

– To kolejny powód, dla którego Joy nie odwiedza wnuków – mówi Crystal niby do siebie. – Nie trawi „zagranicznego" jedzenia.

– Drażni mi podniebienie – upiera się Joy.

– Najwyższy czas spróbować. Jest rewelacyjne – odpowiada Crystal. – Co myślisz, Hayd?

– Świetne. – Nasze spojrzenia się krzyżują.

Szybko spuszczam wzrok.

– I to mówi facet, który żywi się wyłącznie kanapkami – dodaje Crystal.

Kiedy podnoszę wzrok, widzę, że wrócił do jedzenia. Dzisiaj ma na sobie czarny T-shirt i dżinsy, które opadają mu na biodra. Jak rozumiem, taki jest obecnie trend w modzie. Na głowie ma czarną wełnianą czapeczkę, ściągniętą na czoło, chociaż na dworze jest ciepło. Teraz dopiero dostrzegam, jaki jest blady. Przy Sabinie, której skóra jest jak mleczna czekolada, wydaje się zupełnie biały. Chyba nie powinien wystawiać się na słońce. Mimo to jest bardzo przystojnym mężczyzną. Nie miałam podobnych myśli od czasu, gdy byłyśmy z Hinni rozchichotanymi podlotkami, które plotkują o chłopakach ze wsi.

Nie wiem, czy Haydenowi smakuje. Tak mocno ściska widelec, że aż zbielały mu kostki, wydaje mi się, że je jak automat. Jest bardzo chudy, zdaje się, że jedzenie nie sprawia mu przyjemności.

– Czy to odpowiada twoim upodobaniom? – pytam.

Zatrzymuje się nagle z widelcem w połowie drogi do ust, jakby sobie przypomniał, co właściwie robi. Przeżuwa powoli kolejny kęs.

– Tak – odpowiada. – Jest fantastyczne.

– Nie czekam na komplementy – wyjaśniam. – Zależy mi na tym, żeby utrafić w twój gust.

– Udało ci się – zapewnia mnie.

Mam wrażenie, że już nie ściska tak mocno widelca, jego mięśnie się rozluźniły.

– Zaryzykuj, Joy – namawia ją Crystal. – Nie wiesz, co tracisz.

– Za dużo przypraw. – Joy marszczy nos.

– Skąd wiesz, skoro jeszcze nie spróbowałaś?

– Curry z kurczaka jest naprawdę łagodne – zapewniam ją, ale krzywi się na słowo „curry" i widzę, że tym razem nie wygram. – Następnym razem zrobię coś ekstrałagodnego – obiecuję.

– Pójdę po kanapkę. – Joy wstaje i kieruje się do kuchni.

Jestem zawstydzona, bo nie smakuje jej to, co przygotowałam. Miałam nadzieję, że widok i zapach apetycznych potraw ją przekonają.

– Nie zwracaj na nią uwagi – szepce Crystal. – Nawet synów boi się odwiedzić, bo jest przekonana, że poza Anglią umrze z głodu. Dasz wiarę?

– Wielka szkoda.

– Uparta jak osioł, ze szkodą dla siebie. – Crystal wzrusza ramionami.

Po kolacji sprzątam ze stołu.

– Patrz, co tu mamy. – Crystal znosi do kuchni brudne talerze. Otwiera kredens i pokazuje tort urodzinowy dla Sabiny. Jest różowy, z obrazkiem małej dziewczynki i podpisem „Księżniczka" wykonanym z żółtego lukru.

– Jaki piękny. Bardzo jesteś miła. Sabina będzie szczęśliwa.

– Pomyślałam, że przyda się taka niespodzianka. Jest z supermarketu, ale sama widziałaś, co się stało, kiedy odgrzewałam pizzę. Nikt by nie chciał spróbować moich wypieków.

– Mogę cię nauczyć.

– Mój talent ogranicza się do otwierania opakowań. – Powstrzymuje mnie gestem. – Zostawię tobie całą skomplikowaną resztę. – Zniża głos. – Nie nawróciłaś Joy, ale po raz pierwszy od dwóch lat Hayden zjadł porządny gotowany posiłek. Gratuluję. To ci się udało.

Te słowa to miód na moje serce.

– Kupiłam też świeczki. Trzeba je zapalić. Gdzie są zapałki? – Grzebie w szufladach, aż je znajduje.

Starannie wbija świeczki w tort i zapala knoty.

– Gotowa? – Podaje mi paterę z tortem.

– Ty wnieś. Sabinie będzie miło – mówię.

Crystal wkracza do ogrodu ze swoją niespodzianką.

Oczy Sabiny rozświetlają się na ten widok.

– Sto lat, sto lat – śpiewa Crystal. – Niech żyje, żyje nam! Nie siedźcie jak kołki, śpiewajcie. – Daje nam znak wolną ręką. – Nie każcie mi śpiewać solo.

I zaczyna od początku.

Dołączam z wysiłkiem, pewnie strasznie fałszuję. Nie pamiętam już, kiedy ostatnio śpiewałam. Jakoś nie miałam powodu.

Joy śpiewa także, chociaż ma skrzekliwy głos.

Hayden siedzi i nie ma zamiaru nam pomóc. Crystal gromi go wzrokiem. Otwiera usta, ale nie wydobywa się z nich żaden dźwięk. Crystal przerywa i czeka.

– Sto lat, sto lat, niech żyje, żyje nam – śpiewa wreszcie.

Jego głos jest jak dzwon, czysty i donośny.

Zatyka mnie, zresztą nie tylko mnie, Crystal, Joy i Sabina również otwierają usta ze zdumienia. Nic dziwnego, że był popularnym piosenkarzem. Ma mocny głos, który płynie bez najmniejszego wysiłku i niesie się w powietrzu. Mam gęsią skórkę z wrażenia.

– Jeszcze raz, jeszcze raz, niech żyje nam Sabinka – dołącza się Crystal.

– Niech żyje nam – kończy Hayden.

Patrzymy wszystkie na niego jak zaczarowane, a on wygląda na zawstydzonego.

– Ojej – mówi wreszcie Crystal. – Nadal go masz, Hayd.

– Najwyraźniej – przytakuje trochę zawstydzony.

– Należy ci się duży kawał tortu! – Wszyscy teraz klaszczemy, a Sabina przy mojej pomocy zdmuchuje świeczki.

– Czas na mnie. – Hayden wstaje. – Zostawię was przy deserze, wracam do siebie. Trochę za dużo emocji jak na jeden dzień.

– Nie... – zaczyna Crystal, ale Hayden powstrzymuje ją ruchem dłoni.

– Dziękuję, Ayesho. Obiad był wyborny – mówi do mnie. Potem zwraca się do mojej córki: – Wszystkiego najlepszego z okazji urodzin, Sabino. – I odchodzi, machając nam na pożegnanie.

Nagle w ogrodzie robi się chłodno. Przechodzi mnie dreszcz. Obserwujemy Haydena, gdy wchodzi do domu.

– Czy wszystko w porządku? – pytam zaniepokojona.

– Tak mi się wydaje. – Crystal wzdycha i odwraca się do mnie. – Od kiedy stracił narzeczoną, nie śpiewał ani razu.

Rozdział osiemnasty

Hayden zaciągnął zasłony, choć na dworze było jeszcze jasno, i opadł na łóżko. Trząsł się w środku po tym nieplanowanym występie, choć trwał tak krótko. Dla niego to było niesamowite przeżycie, był zaszokowany i zdziwiony, słysząc własny głos po tak długim czasie. Crystal miała rację. Wciąż potrafi śpiewać.

To prawda, znalazł się w sytuacji bez wyjścia. Nie mógł przecież nie zaśpiewać „Sto lat" dla małej dziewczynki. Może Crystal to zaplanowała? Powinien jej solidnie nagadać. Ale z drugiej strony, może powinien podziękować przyjaciółce.

Crystal była przy nim w najgorszych momentach. Na początku miewał takie chwile, że nie widział dla siebie żadnej nadziei. Myślał wtedy, że życie nie ma sensu. Miał ochotę połknąć garść tabletek i popić szkocką.

Poznał Laurę, gdy mieli po szesnaście lat. Byli w przedostatniej klasie szkoły średniej, interesowali się muzyką i sztuką, a on dorabiał sobie w soboty, grając na ulicach w Oxfordzie. Od tej pory stali się nierozłączni. Laura wspierała go, gdy wdrapywał się po śliskich szczeblach muzycznej kariery. Była w pubach, gdy grał dla dwudziestu, trzydziestu, pięćdziesięciu osób. Rozdawała ulotki i zapisywała adresy e-mailowe ludzi zainteresowanych jego twórczością, budując grono wiernych słuchaczy. Kiedy musiał podjąć pracę kierowcy w hurtowni, żeby zarobić na życie, była jedyną osobą, która w niego wierzyła. Laura była jego drugą połówką, jego wielką miłością. Romeo i Julia, młodociani kochankowie. Dziennikarze rzucili się na ich historię. Fakt, że jeden z najbardziej seksownych mężczyzn na świecie – jak okrzyknęły go gazety go – był w szczęśliwym monogamicznym związku, doprowadzał pismaków do białej gorączki. Oczywiście, ile razy w jego otoczeniu pojawiała się jakaś kobieta, natychmiast puszczano plotki, że ma kochankę. Laura znosiła to ze stoickim spokojem. Uznała, że takie są koszty jego kariery, i pogodziła się z tym w większym stopniu niż on. Hayden nienawidził wścibskiego zainteresowania jego życiem prywatnym. Chciał być piosenkarzem, muzykiem, cenionym za swój talent, i tylko tyle. Tymczasem wkrótce po telewizyjnych występach w „Grze o sukces" wszyscy, czasem nawet on sam, stracili z oczu najważniejszą rzecz. Jego muzykę.

Wywiad gonił wywiad – „This Morning", „Lorraine", Jonathan Ross, Graham Norton. Był we wszystkich popularnych talk showach po kilka razy. Za każdym razem, gdy wypuszczał nowego singla, musiał brać udział w promocji, z uśmiechem przyklejonym do twarzy. „Chcesz, żeby twoje płyty się sprzedawały, nie daj ludziom o sobie zapomnieć", mówiono mu.

Agent wymusił na nim udział w reklamie płynu po goleniu. Przez parę miesięcy wszędzie widział swoje półnagie ciało – w kolorowych pismach, na billboardach, w czasie telewizyjnych przerw reklamowych – i wciskał ludziom marketingowy kit. Robiło mu się niedobrze na widok swojej kapryśnej miny i szczęki lśniącej od pynu w aerozolu. Nawet teraz, po latach, ta reklama czasem pojawiała się w przedświątecznym okresie i przyprawiała go o dreszcze. Zarobił na niej mnóstwo pieniędzy, to prawda, a Laurę bawiło, że udział w kampanii reklamowej spowodował istny zalew e-maili od fanów i fanek. Musiał zatrudnić dwie osoby do odpowiadania na listy, co wcale go nie cieszyło.

Nieskomplikowane życie, które wiedli przed „Grą o sukces" – czyli długie spacery po polach i łąkach Oxfordshire oraz miłe chwile, gdy wtuleni w siebie do późna oglądali filmy – z dnia na dzień uległo całkowitej transformacji. Musiał teraz bywać na premierach filmowych i galach wszelkiego rodzaju, otwarciach knajp, klubów i sklepów. Początkowo świetnie się bawili, ale wkrótce zaczęło ich męczyć spędzanie każdej nocy na sączeniu ciepłego szampana i pustych rozmowach z ludźmi, którzy koniecznie chcieli poznać Haydena. Laura lubiła kupować ładne sukienki, a wkrótce znani projektanci zaczęli jej przysyłać swoje kreacje, w nadziei że się w nich pokaże. To akurat była przyjemna strona popularności.

Wtedy wprowadzili się do tego domu, bo Hayden był przekonany, że przeprowadzka do Londynu posłuży jego karierze. Pożegnali się z sielskim życiem na prowincji i wpadli w wir wielkiego miasta. Renowacja domu była prowadzona pod jego nieobecność, wciąż był w trasie. Miał jednak nadzieję, że wkrótce Laura urządzi wnętrza po swojemu i zamieni je w ich własną przystań. Niektóre pokoje były gotowe, inne pozostały nietknięte, teraz nie miał motywacji, żeby je wykończyć. Zamknął drzwi na klucz i nigdy nie zaglądał do środka.

Oboje z Laurą kochali ten dom, dopóki paparazzi nie zaczęli czatować pod bramą. Nie mogli wyjść z domu, bo zaraz błyskały flesze. Nie mogli pójść na spacer, pizzę, do pubu, bez swoich prześladowców. Każde prywatne wydarzenie stawało się pożywką dla plotkarskich czasopism i forów internetowych. Teleobiektywy mogły znajdować się daleko, a i tak rejestrowały każdy szczegół. Czasem aparaty fotograficzne i mikrofony znajdowały się tuż przed ich nosem. Tak czy inaczej, naruszały ich prywatność. Teraz nie wychodził nawet po gazety. Jeśli opuszczał dom, to pod osłoną nocy. Nic dziwnego, że Elvis Presley w ostatnich latach życia prowadził dziwaczny tryb życia, śpiąc całymi dniami i przenosząc całą życiową aktywność na noce. Hayden był też tego bliski, co zauważyła Crystal.

Na rynku muzycznym miał do czynienia z ludźmi o monstrualnie rozdętym ego. Laura była jego aniołem stróżem. Pilnowała, żeby woda sodowa nie uderzyła mu do głowy, ale i nieustannie go ochraniała. Mieli po osiemnaście lat, gdy wynajęli wilgotną norę w Oxfordzie. Ledwo było ich stać na czynsz. To Laura zmusiła Haydena do przeprowadzki, gdy zauważyła na ścianie toksyczny czarny grzyb, który mógł zaszkodzić jego strunom głosowym. To Laura zawsze dodawała mu wiary w siebie. Byli biedni jak myszy kościelne; gdyby nie zaczął zarabiać jako muzyk, musiałby poszukać stałej pracy. Przez lata był o krok od podpisania kontraktu na płytę, obiecywano mu udziały i rzetelnych agentów. Wszyscy tylko coś obiecywali i jakoś nic nie dochodziło do skutku. Nigdy nie dostał prawdziwej szansy.

Trudno jest kupić dom i założyć rodzinę, jeśli się żyje z dnia na dzień. Laura zachęciła go, żeby się zgłosił do „Gry o sukces"; była to kolejna desperacka próba przebicia się w show biznesie. Początkowo nie chciał się sprzedać programowi telewizyjnemu. Widział, jak zmuszają artystów do udawania kogoś, kim nie są, by ich potem porzucić, gdy obiecywana kariera kończyła się na jednym nagraniu. A potem uświadomił sobie, że to może być ostatnia możliwość na pokazanie swojego talentu. Czas uciekał nieubłaganie, Hayden złożył podpis na cyrografie. Potem życie przestało być jego własnością. Zastanawiał się nie raz, czy byliby tak zdeterminowani, gdyby wiedzieli, czym to się zakończy.

Kiedy stał się sławny, wszystkie prywatne plany zostały odłożone na później. Wielka fala popularności wyniosła go na sam szczyt. Musiał wykorzystać swoje pięć minut. Jednak wkrótce po trzydziestych urodzinach wrócili do osobistych planów: zamierzali się pobrać, ustatkować, wycofać z życia w świetle reflektorów. Chcieli mieć dzieci, ale nie zamierzali ich narażać na zainteresowanie kolorowej prasy. Był już jednak na nie czas. Oboje to wiedzieli. Pięć lub nawet więcej lat przeżyli po wariacku, a Hayden zarobił tyle, że wystarczyłoby im do końca życia. Kilka razy robili wypady helikopterem do malowniczych zakątków w Kornwalii, hrabstwie Devon i Dorset, spędzali tam cały weekend i rozglądali się za odpowiednią posiadłością. Najbardziej podobało im się Dorset – niedostępne zatoczki i malownicze klify. Hayden w dzieciństwie spędził w tej okolicy wiele szczęśliwych wakacji i coś go tu przyciągało. Niezależnie od tego, gdzie by się w końcu osiedlili, bardzo chcieli wynieść się z Londynu i zamieszkać w spokojnym miejscu nad morzem.

Kupił dla Laury pierścionek zaręczynowy, to miała być niespodzianka. Jego asystentka zorganizowała mu dyskretną wizytę po godzinach w salonie jubilerskim Tiffany'ego. Wziął ze sobą ulubiony pierścionek Laury, do sprawdzenia rozmiaru. Miał ochotę kupić jej największy brylant w sklepie, ale Laurze by się nie spodobała taka przesada, wolałaby coś skromniejszego. Wybrał więc bardzo elegancki pierścionek z pojedynczym kamieniem o szlifie princessa. Zarezerwował miejsce w ich ulubionej restauracji – był to lokal, gdzie szanowano prywatność gości, miał pewność, że nikt niepożądany nie będzie miał dostępu do osłoniętego stolika w głębi, z dala od wścibskich klientów i fotoreporterów. Hayden nie życzył sobie, żeby go fotografowano, gdy przyklęknie i poprosi ją o rękę. Zamówił szampana i ulubione kwiaty Laury.

Powiedział jej, dokąd się wybierają, ale nie zdradził celu randki. Zwolnił ochroniarzy, powiedział, że chcą przez parę godzin być sami. Czasem miał ochotę poczuć się znowu normalnym człowiekiem i nie mieć ze sobą żadnego towarzystwa, nawet jeśli to byli ludzie przez niego zatrudnieni.

Ale sprawy potoczyły się inaczej, niż sobie zaplanował. Nie da się przewidzieć wszystkiego. Laura zostawiła go samego i nigdy nie zobaczyła pięknego pierścionka zaręczynowego, który dla niej kupił.

Rozdział dziewiętnasty

Sabina jest zmęczona, gdy kończę sprzątać i zabieram ją do łóżka. Otulam ją kołdrą i cicho śpiewam „Sto lat", jakby to była kołysanka. Zasypia prawie natychmiast.

Trochę kłopotliwe jest to, że śpimy w tym samym pokoju. Nie chcę jej budzić, więc nie włączam telewizora. Miło by było poczytać, ale mam tylko książeczki Sabiny, które przeczytałam jej setki razy.

Wcale nie jestem zmęczona, w przeciwieństwie do mojej córki. Wręcz przeciwnie, jestem „nabuzowana", jak powiedziałaby Crystal. Może to z powodu mojego nowego wyglądu? Trochę czasu minie, zanim się do niego przyzwyczaję. Może mam w organizmie za dużo cukru z urodzinowego tortu Sabiny? A może wciąż słyszę piękny głos Haydena, śpiewającego dla mojej córki?

Siedzę przez chwilę w ciemności i napawam się ciszą uśpionego domu. Jak miło wiedzieć, że nikt nie przyjdzie w środku nocy, gotowy puścić pięści w ruch lub domagać się spełnienia obowiązków małżeńskich. Odpycham od siebie te myśli. Niech nic nie psuje mi dzisiejszego wieczoru.

Słyszałam, że ludzie w podobnej sytuacji idą na terapię, ale nie potrafiłabym rozmawiać z obcym człowiekiem na temat swoich przeżyć. Z nikim nie umiem na ten temat rozmawiać. Nawet z Crystal, która ma w sobie coś takiego, że budzi zaufanie. Muszę zamknąć swoje wspomnienia i myśli na cztery spusty, zataić je przed wszystkimi i mieć nadzieję, że kiedyś staną mi się obojętne, jakby to zdarzyło się komuś innemu. Nie chcę, żeby moja przeszłość kładła się cieniem na przyszłości Sabiny.

Słyszę stukanie szpilek Crystal na schodach, spoglądam na zegarek. Już dziewiąta. Jak ten czas leci. Chwilę potem słychać delikatne pukanie do drzwi. Otwieram.

– Siedzisz po ciemku?

– Sabina już śpi – odpowiadam szeptem. – Nie chcę jej obudzić.

– Przenieś się do salonu. Nikt nigdy go nie używa. Jest tam wielki telewizor, iPod i mnóstwo książek. A Sabinie nic nie będzie.

– Może tak zrobię. – Zastrzygłam uszami, gdy powiedziała o książkach.

– Wychodzę do pracy. – Wskazuje na drzwi. – Do zobaczenia rano. Chciałam ci tylko podziękować za wspaniałą ucztę. – Głaszcze się po brzuchu. – Chyba muszę zacząć biegać.

– To ja dziękuję – odpowiadam. – Miło z twojej strony, że urządziłaś przyjęcie dla Sabiny.

– Biedaczka potrzebuje atrakcji, przynajmniej takie odniosłam wrażenie.

– To prawda. – Nie chcę, żeby o mojej córce mówiono „biedaczka", ale brakowało jej w życiu radości na co dzień. Teraz wszystko się zmieni. Zadbam o to, żeby miała beztroskie, szczęśliwe dzieciństwo. Każdego dnia będę jej mówiła, jak bardzo ją kocham.

– Na razie, kochana. – Crystal całuje mnie w policzek. – Baw się dobrze, cokolwiek będziesz jeszcze robiła.

Zbiega po schodach, słyszę jeszcze trzaśnięcie drzwi. Joy pewnie już jest w swoim pokoju, nie spotkam też Haydena, chyba że zdecyduje się poćwiczyć o północy w siłowni. Sprawiał wrażenie człowieka, który nie może się doczekać, żeby być sam ze sobą, jakby towarzystwo ludzi było do zniesienia tylko przez krótki czas. Teraz rozumiem, co Crystal miała na myśli, mówiąc, że nasz gospodarz jest skomplikowanym człowiekiem z problemami.

Sabina twardo śpi, więc wychodzę z pokoju i cicho zamykam za sobą drzwi. Zastanawiam się, czy kiedykolwiek przywyknę do tego, że mieszkam teraz w wytwornym, luksusowym domu. Mam nadzieję, że zostaniemy tu na długo. Wiem, że potrzeba mi czasu, bo wciąż czuję się jak intruz.

Schodzę na dół, otwieram drzwi do salonu. Włączam światło, ale ściemniam je, żeby mnie nie raziło. W pokoju jest chłodno, jednak nie włączam kominka, żeby go ogrzał. Zanim to zrobię, powinnam poprosić o pozwolenie, a w tej chwili nie mam kogo.

Na ścianie znajduje się wielki płaski ekran, na półeczce pod nim leży pilot. Nie mam ochoty na oglądanie telewizji. Są książki, całe mnóstwo. Jestem oszołomiona. Czy jeden człowiek potrzebuje ich aż tylu? Mogłabym co tydzień przez całą resztę życia czytać jedną książkę, a nie przeczytałabym całej tej biblioteki. Oglądam grzbiety, próbuję czytać tytuły, ale nie wiem, od czego zacząć. Niektóre mają słowa, które są zbyt trudne, nie rozumiem ich; źle się czuję, gdy uświadamiam sobie własną ignorancję. Oczy mi się świecą na widok paru rzędów ładnych okładek – różowych, żółtych, jasnoniebieskich. Są przyjazne i zachęcające. Chciałabym przeczytać coś zabawnego, nie książkę o morderstwach lub innych przestępstwach. Jedna ma tytuł „Dziennik Bridget Jones". Mam nadzieję, że dowiem się z niej, jak być nowoczesną kobietą. Biorę książkę z półki i przytulam ją do siebie, chyba nikt się nie pogniewa.

Jest tu kanapa, przy której stoi lampa do czytania, ciepły krąg światła pada na poduszki. Zanim się jednak tu usadowię z powieścią, rozglądam się po salonie. Jedna ściana pokryta jest złotymi i srebrnymi płytami w ramkach, przypomina galerię obrazów. Przyglądam się uważniej i odkrywam, że to nagrody Haydena Danielsa za piosenki i inne osiągnięcia. Są tu jego zdjęcia w towarzystwie sławnych ludzi – nawet ja rozpoznaję niektórych, a niewiele wiem o świecie.

Na fortepianie stoi fotografia pięknej dziewczyny z długimi jasnymi włosami rozwianymi na wietrze. Ma skórę białą jak śmietanka. Zastanawiam się, czy to właśnie jest narzeczona, którą stracił? Musiał ją bardzo kochać, skoro tak bardzo przeżył jej odejście. Szkoda, że Hayden już nie śpiewa. Słyszałam go tylko raz, ale jestem przekonana, że zasługuje na wszystkie te dowody uznania.

Do odtwarzacza wetknięty jest iPod, miło będzie posłuchać muzyki. Bez córki czuję się osamotniona. Przeglądam spis utworów, w domu nie miałam prawa wyboru, więc sama nie wiem, co lubię.

Przesuwam listę, ale nazwiska wykonawców nic mi nie mówią. A wtedy natykam się na spis piosenek Haydena. „Moja wieczna miłość", „Lata tęsknoty", „Wszystko o tobie". Żadnej z nich nigdy nie słyszałam.

Przyciskam ekran i wybieram. Z głośnika płynie „Moja wieczna miłość". To piosenka, która z miejsca zapada w pamięć, tęskna ballada. Nastawiam cichutko, żeby nikomu nie przeszkadzać.

Hayden ma niesamowity głos, chwyta człowieka za serce. Łzy napływają mi do oczu, gdy słyszę słowa, słodkie i gorzkie zarazem. Zaczynam się kołysać w rytm piosenki. Jako mała dziewczynka lubiłam tańczyć, ale już nie pamiętam, kiedy to robiłam ostatni raz. Moje członki są zesztywniałe. Ciało walczy z muzyką, nie pozwala jej swobodnie przepływać. Moje mięśnie, tak jak cała dusza, są niczym zaciśnięta pięść. Chciałabym poczuć melodię płynącą w żyłach, ale nie umiem się odblokować. Odkładam książkę i próbuję poruszać ramionami. Zamykam oczy, odchylam głowę i próbuję zanurzyć się w dźwiękach. Potem obracam się nieśmiało, jeszcze raz i wreszcie zaczynam się rozluźniać, sztywne ruchy stają się płynne, nadążają za muzyką. Czuję się świetnie. Naprawdę świetnie. Muszę dodać do swojej listy rzeczy do zrobienia w nowym życiu: częściej tańczyć.

Rozdział dwudziesty

Wyciągnął rękę, próbując objąć Laurę, ale jak zawsze jej strona łóżka była pusta. To wystarczyło, żeby się gwałtownie obudził. Hayden usiadł i przejechał ręką po rozczochranych włosach. Miał sucho w ustach, ale poduszka była mokra. Widocznie płakał przez sen. Nie pamiętał, co mu się śniło, ale kiedy się obudził, wciąż myślał o Laurze.

Za każdym razem, gdy zamykał oczy, powtarzał się ten sam scenariusz. Minęło tyle czasu, a on nie nauczył się blokować wspomnień. Bez żadnego wysiłku odtwarzał wydarzenia tamtego fatalnego dnia, minuta po minucie, jakby działy się teraz.

Byli szczęśliwi, gdy trzymając się za ręce, wyszli z domu. Wiatr muskał jej jasne włosy, śmiała się. Uparła się, że będzie prowadzić, jak zwykle stawiając jego wygodę na pierwszym miejscu. Poprzedniego dnia Hayden do późnej nocy pracował w studiu nagrań, Laura uważała, że wygląda na zmęczonego. Wcale tego nie czuł. Wręcz przeciwnie, szczęście aż go rozpierało, miał wrażenie, że unosi się w powietrzu. Miał zamiar poprosić ukochaną kobietę, aby za niego wyszła, i nie mógł się doczekać tej chwili. Do restauracji nie było daleko, dziesięć minut jazdy, więc ustąpił i zajął miejsce dla pasażera.

Oboje założyli okulary przeciwsłoneczne, a Hayden naciągnął wełnianą czapkę, którą ostatnio nosił dla kamuflażu. W kieszeni miał pudełeczko z pierścionkiem. Był ciekawy, jaką minę zrobi Laura. Spodoba jej się, że potrafił zachować wszystko w sekrecie. Nikt mu nie pstryknął fotki przy wyjściu od Tiffany'ego, choć byłoby to proste. Uśmiechnął się do siebie.

– Coś zabawnego? – spytała, ściskając go za kolano.

– Zobaczysz – odparł zadowolony z siebie.

Ale nie zobaczyła. Kiedy wyjechali przez bramę i skręcili w kierunku Hampstead, dwaj paparazzi wskoczyli na skuter i zaczęli ich gonić. Siedzieli im na ogonie. Tak blisko, że Hayden widział białka ich oczu.

– Idioci! – rozzłościła się Laura. – Jeśli mocniej zahamuję, przekoziołkują nad nami i wpadną nam pod koła.

Chwilę później zajechali z lewej strony, wyjątkowo ryzykownie, a facet z tyłu podniósł aparat i wycelował w okno pasażera.

– Nie mogę ich zgubić – narzekała Laura.

Przed nimi było przewężenie drogi i ograniczenie prędkości. Laura zwolniła. Skuter wystrzelił do przodu i zahamował tuż przed nimi. Pasażer odwrócił się z aparatem w garści.

– Co za dupki – syknęła.

Musiała gwałtownie skręcić, bo skuter tańczył im przed maską.

– Uważaj! – krzyknął Hayden.

Czasem nadal wołał to przez sen.

Starał się złapać kierownicę. Zamiast potrącić skuter, Laura całym impetem uderzyła w słup na poboczu. Zanim zdążył pomyśleć, samochód wpadł w poślizg i wjechał bokiem na środek drogi. Przednia szyba rozprysła się na milion kawałków i zasypała ich okruchami szkła. Słychać było potworny zgrzyt metalu i rozpaczliwe trąbienie klaksonu. Hayden skulił się i schował głowę w ramionach. Prosto na nich pędziła furgonetka, która także skręciła, żeby ominąć skuter. Dostrzegł jeszcze twarz kierowcy, rozpaczliwie próbującego wykonać kolejny manewr, i panikę w jego oczach. Widział to jak na zwolnionym filmie. Było za późno, kierowca nie miał gdzie uciec przed zderzeniem czołowym, wjechał więc prosto w nich.

Huk był przeraźliwy, jakby wybuchła bomba. Haydenowi zadzwoniło w uszach i nagle poczuł uderzenie w piersi, gdy wyskoczyła poduszka powietrzna. Na chwilę stracił oddech.

Laura nie miała tyle szczęścia. Jej poduszka powietrzna nie zadziałała. Usłyszał mrożący w żyłach krzyk, gdy uderzyła w kierownicę. Kiedy ucichło zgrzytanie metalu o metal, zapanowała cisza. Upiorna, niesamowita cisza.

Wtedy tego nie wiedział, ale fotoreporterzy uciekli z miejsca wypadku. Zostawili zszokowanego kierowcę furgonetki, który zadzwonił po pogotowie, gdy Hayden trzymał Laurę w ramionach. Krew płynęła z otwartej rany w jej klatce piersiowej. Pokrywała jego ręce, plamiła jej sukienkę, kapała na podłogę auta. Wydawało się, że karetka jedzie całe wieki. Ile razy pytał, kierowca odpowiadał, że pomoc jest w drodze. Hayden kurczowo tulił Laurę i nie przestawał do niej mówić.

– Wytrzymaj jeszcze trochę, kochanie – mruczał. – Już niedługo. – Gładził jej twarz, włosy, ocierał łzy.

– Umieram – wyszeptała.

– Nie, nie – protestował. – Wyzdrowiejesz. Wszystko będzie dobrze.

Desperacko podtrzymywał ją na duchu, starał się, żeby pozostała przytomna, ale stawała się coraz bledsza i bledsza. Jej oczy straciły blask, pokryły się mgłą. Przy każdym oddechu w płucach słychać było rzężenie, wargi jej zsiniały.

– Kocham cię – powtarzał. – Nie zostawiaj mnie. Mamy przed sobą długie i szczęśliwe życie.

Na odgłos syreny pogotowia Laura zwróciła głowę ku Haydenowi. Jej oczy znowu błyszczały. Usta się rozchyliły, ale nie wydobył się już żaden dźwięk, choć starała się coś powiedzieć. Przytulił do niej twarz.

– Przepraszam – wyszeptała prawie niedosłyszalnie. – Z wysiłkiem dotknęła ręką jego policzka. – Kocham cię.

A potem mu się wymknęła. Bezsilnie patrzył, jak iskierka życia gaśnie w jego ukochanej. Nie mógł nic na to poradzić. Wszystkie pieniądze świata nie mogły jej ocalić. Każdego dnia przypominał sobie tę chwilę i wiedział jedno – oddałby cały majątek, całą sławę, za jedną godzinę spędzoną razem z nią. Bez Laury nic już nie miało znaczenia.

Z trudem wyrwał się spod władzy wspomnień, raz jeszcze boleśnie doświadczył swojej samotności. Zakrył dłońmi twarz, zrobiły się wilgotne od łez. Ból tamtej chwili nigdy go nie opuszczał. Toczył jego serce jak żarłoczny pasożyt. Tego dnia życie Haydena pogrążyło się w wiecznym mroku. Zgasło światło jego oczu. Zerwał z przemysłem muzycznym, nie zagrał więcej ani jednej nuty. Laura odeszła. Nigdy nie wróci i nic nie może tego zmienić.

Pewnego nieprzyzwoicie słonecznego dnia w czarnym grobie pochował swoją wieczną miłość, jedyny powód wszelkich ziemskich starań. Na zimny palec narzeczonej założył pierścionek z brylantem, którego nie miała okazji zobaczyć.

Sprawcom wypadku prawie się upiekło. Kiedy policja ustaliła ich tożsamość, fotograf siedzący z tyłu nie został o nic oskarżony. Kierujący skuterem był sądzony za nieumyślne spowodowanie śmierci na drodze. Przyznał się do winy i dostał marne dwanaście miesięcy pozbawienia wolności i dwuletni zakaz prowadzenia pojazdów mechanicznych. Wyszedł po pół roku i wrócił do zawodu – utrudniania życia celebrytom. Niewielka kara za pozbawienie Laury życia jeszcze pogłębiła cierpienie Haydena. Zastanawiał się czasem, czy któryś ze sprawców budzi się w nocy zlany zimnym potem, przeżywając wypadek w snach, jak to się zdarzało jemu.

Dręczyły go pytania, co by było, gdyby… Gdyby wybrali się w inne miejsce? Gdyby to on prowadził? Czy wtedy Laura by ocalała? A gdyby nie zwolnił ochrony? Może ich auto wzięłoby na siebie główny impet zderzenia? Czy – gdyby dało się cofnąć czas – można było uniknąć wypadku?

Wygramolił się z łóżka i poszedł opłukać twarz zimną wodą. Och, gdyby tylko zapłakane serce dało się obmyć równie łatwo jak twarz.

Z lustra patrzyła na niego chuda, blada twarz. Laura by się gniewała, że tak się poddał. Chciałaby, żeby korzystał z życia. Wiedział o tym, ale nie potrafił się przemóc. Właściwie do dzisiejszego wieczoru był przekonany, że mógłby już do śmierci nie wychodzić z pokoju. Co się dziś stało? Coś się w nim zmieniło, a on nie był pewien co.

Czy zaśpiewanie prostej melodii mogło spowodować, że na horyzoncie pojawiła się nieśmiała zapowiedź nadziei na życie? Ile razy próbował śpiewać, słowa zamierały mu w gardle. A jednak dzisiaj wydobył z siebie dźwięki, które uważał za dawno stracone. Poczuł, że akordy rezonują w jego krwi, mięśniach, sercu. A to było tylko kilka wersów tekstu i najbardziej banalna na świecie melodyjka. Spróbował sobie wyobrazić, jak by to było, gdyby zaśpiewał pełną piersią którąś ze swoich ulubionych piosenek. Jedną z własnych. Czy będzie go na to stać? Odwykł nawet od mówienia. Tak rzadko znajdował okazję do rozmowy, że wypowiedzenie paru zdań okazywało się męczące. Jak będzie z tekstem długiej ballady? Trochę go to przerażało i ekscytowało jednocześnie.

A nowa lokatorka? Ayesha Rasheed. Wczoraj właściwie nie zwrócił na nią uwagi. Zapytany, odpowiedziałby, że to szara myszka. Ale dzisiaj… Co jej się stało? Wyglądała zupełnie inaczej. Jakby z poczwarki wykluł się piękny kolorowy motyl.

Spojrzał na nią i zaschło mu w gardle, a serce zaczęło mocniej bić. Nie mógł od niej oderwać wzroku. I nie dlatego, że się ładnie ubrała i umalowała. Miał wrażenie, że ktoś zaczął ścierać z jej twarzy całe lata bólu. Potrafił sobie wyobrazić, jakie to uczucie.

Kiedy na niego patrzyła, wydawała się wystraszona. Z tego, co mówiła Crystal, wynikało, że kobieta przeszła piekło w domu. Miała ze sobą dziecko po ciężkiej traumie. Wszyscy w tym domu byli ludźmi po przejściach i lepiej o tym pamiętać.

Rozdział dwudziesty pierwszy

Zaczynam bardziej spontanicznie odbierać muzykę, skurcz mięśni ustąpił, moje ciało porusza się swobodnie. Obracam się i czuję się niemal beztroska. Wtedy kątem oka dostrzegam sylwetkę mężczyzny w drzwiach.

Serce mi zamiera. Przez moment mam wrażenie, że to Suresh przyszedł po mnie i truchleję ze strachu. Ale mężczyzna wchodzi w krąg światła i dociera do mnie, że to Hayden Daniels. Jego twarz ma groźny wyraz, jest wściekły; znowu zaczynam się bać.

– Co ty sobie myślisz? – cedzi.

– Chyba się nie gniewasz, że przyszłam do salonu? – udaje mi się wykrztusić. – Crystal powiedziała, że mogę.

– Chodzi o muzykę. – Wskazuje na iPod. – Dlaczego słuchasz mojej muzyki?

– Było cicho – wyjaśniam. – Czułam się samotna. – Serce bije mi mocno, w ustach mi zaschło. Rozgniewałam go, choć nie wiem czym. – To piękna piosenka.

W paru krokach przemierza salon, dopada do mnie. Boję się, że mnie uderzy, więc instynktownie rzucam się na podłogę, podkurczam nogi i osłaniam głowę. Tak będzie lepiej, pierwsze uderzenie trafi na kość, a nie w miękkie ciało. Wstydzę się własnej słabości, więc usiłuję się ukryć za nogą fortepianu. Najchętniej wczołgałabym się pod instrument.

Jednak cios nie pada, nikt mnie nie kopie, tylko muzyka milknie i w pokoju zapada cisza.

Hayden stoi nade mną. Jego oczy błyszczą w półmroku, a ja kryję twarz.

– Dlaczego leżysz na podłodze? – pyta oszołomiony. Wyciąga do mnie rękę, więc odsuwam się jak najdalej.

– Ayesho – mówi teraz bardzo spokojnie. – Ayesho, wstań. Nic ci nie zrobię.

Ile razy słyszałam takie zapewnienia? Zostaję na swoim miejscu.

– Proszę. – Siada koło mnie na podłodze i opiera się o taboret. Słyszę jego ciężkie westchnienie. – Przepraszam. Bardzo mi przykro.

Powoli opuszczam ręce i zerkam na niego. Wygląda na nieszczęśliwego.

– Nie zamierzałem na ciebie krzyczeć ani cię przestraszyć – wyjaśnia. – Byłem zaszokowany. – Kolejne westchnienie. – Nie słucham swoich piosenek. Nie jestem w stanie. Od czasu… od dłuższego czasu.

– Od kiedy odeszła twoja dziewczyna.

– Tak. – Na jego twarzy maluje się ból. – To już ponad dwa lata. – Widzę łzę płynącą po policzku. – Ale czas niczego nie leczy.

Nieśmiało podnoszę się i siadam obok niego, obejmując ramionami kolana. Hayden nie wygląda na gwałtownika. Raczej na smutnego i zrezygnowanego człowieka. Musiał ją bardzo kochać.

– Przykro mi, że jesteś taki smutny.

– „Smutny". – Śmieje się głucho. – To nawet w części nie oddaje tego, jak się czuję. Każdego dnia na nowo mam wrażenie, że się topię, i znikąd nie nadchodzi ratunek.

– Przecież masz tyle rzeczy, dla których warto żyć. – Wskazuję ręką naokoło. – I twoja wspaniała muzyka. Jest piękna. Słyszałam ją po raz pierwszy.

– Chyba jako jedyna na całej kuli ziemskiej. – Śmieje się znowu, ale już naprawdę.

– Nie wolno mi było słuchać muzyki – wyjaśniam. – Brakowało mi tego.

– Dla mnie śpiewanie było naturalne jak oddychanie. A potem nie byłem w stanie ani wydobyć głosu, ani siebie słuchać. Włożyłem w swoje utwory za dużo emocji. Dziś wieczorem zaśpiewałem po raz pierwszy od momentu, gdy zabrakło Laury.

– Crystal mi o tym powiedziała.

– Poczciwa Crystal. – Uśmiecha się.

Siedzimy w milczeniu, słychać tylko nasze oddechy.

– Masz niesamowity głos – mówię wreszcie. – Jaka szkoda, że coś ci przeszkadza śpiewać.

– Może udało mi się pokonać tę barierę? Dziś śpiew sprawił mi przyjemność – przyznaje. Ma urywany oddech, jakby mówił z dużym wysiłkiem. – Najpierw, gdy Laura odeszła, nie chciałem już śpiewać, nie chciałem tworzyć muzyki. Potem z czasem zacząłem się obawiać, że już nie potrafię, a to jest jeszcze gorsze.

– To musi być przerażające.

– Tak. – Znowu bije od niego smutek.

– Zastanawiam się, czy to czuje moja córka.

– Wyobrażam sobie, że to, że ona nie mówi, spędza ci sen z powiek.

– Bardzo bym chciała usłyszeć jej głos. Dałabym za to skarby świata.

– Wszystko jest możliwe. Jeśli cud się zdarzył takiemu staremu głupcowi jak ja, tym bardziej może się przytrafić twojej przemiłej córeczce.

– Obyś miał rację. – Uśmiecham się.

– A więc, Ayesho Rasheed, czy będziemy przez całą noc siedzieć na podłodze, czy jedno z nas wstanie i zrobi herbatę? Właściwie po to przyszedłem na dół.

– Ja zrobię. – Chcę okazać temu niesamowicie smutnemu człowiekowi trochę serca.

Wstaje pierwszy i podaje mi rękę, pomaga się podnieść. Przez chwilę ściska ją mocno.

– Dopóki mieszkasz pod moim dachem, ty i Sabina nie macie się czego bać, obiecuję ci to.

– Dziękuję – mówię.

Chciałabym w to wierzyć. Naprawdę, bardzo bym chciała.

Rozdział dwudziesty drugi

Parzę herbatę w imbryku, przynoszę ją do salonu razem z dwoma kubkami. Nakrywam stolik przed Haydenem, nalewam ją ceremonialnie. Niezręcznie się czuję sam na sam z mężczyzną, w poprzednim życiu nigdy by mi na to nie pozwolono, z trudem pokonuję opory.

„Nie jestem tamtą kobietą, powtarzam sobie, mam rozpuszczone włosy, zachodnie ubranie, a teraz swobodnie rozmawiam z Haydenem".

Jestem z siebie dumna, ale i trochę niepewna. W moim wypadku zmiana oznacza dobre rzeczy, ale może chciałabym za dużo, za szybko.

– „Bridget Jones"? – Hayden podnosi książkę, którą zostawiłam na kanapie.

– Mam nadzieję, że mogę ją pożyczyć?

– Laura ją bardzo lubiła – odpowiada, kartkując. – Czytała i nie przestawała się zaśmiewać.

– To śmieszna książka?

– Nie czytałaś jej? – Patrzy z niedowierzaniem.

– Nie. – Spuszczam głowę. – Niezbyt dobrze czytam i piszę. Staram się uczyć z Sabiną. Z łatwością radzę sobie z książeczkami dla dzieci. Pomagamy sobie wzajemnie.

– Czeka cię wiele niespodzianek. – Obraca w rękach „Dziennik Bridget Jones".

– Chciałam się dowiedzieć, jakie są nowoczesne kobiety.

Hayden się śmieje, ale bez złośliwości.

– Nie wiem, czy można polecać Bridget jako wzór do naśladowania, ale lektura z pewnością cię rozbawi.

– Mam nadzieję. – Dobrze by było dla odmiany mieć jakiś powód do śmiechu.

– Chciałbym ci pomóc – mówi z namysłem, jakby ważył, czy go stać na taką deklarację. – Moglibyśmy wieczorami czytać na głos. Jeśli masz ochotę, oczywiście.

Ta propozycja powoduje, że serce bije mi mocniej. Sama nie wiem, czy ze strachu, czy z podniecenia.

– Bardzo chętnie. Ale jest mi wstyd, że mam takie braki w edukacji.

– Jeśli popracujemy nad czytaniem i pisaniem, powód do wstydu zniknie.

– Bardzo dobrze czytam i piszę w ojczystym języku – zapewniam go, żeby mnie nie uznał za półanalfabetkę.

– Z pewnością nie będę na ciebie patrzył z góry – mówi ze smutkiem w oczach. – Uważam cię za bardzo dzielną kobietę. Wzięłaś się z życiem za bary.

– Jestem zdeterminowana – przyznaję – ale też bardzo wystraszona.

– Znalazłaś się wśród przyjaciół, Ayesho. Mam nadzieję, że to wiesz.

– Joy chyba mnie nie lubi.

– Joy nikogo nie lubi – mówi sucho. – Życie jej nie oszczędzało, przemieliło i wypluło, jak nas wszystkich.

– To dom złamanych serc.

– Ale możemy sobie nawzajem pomagać je posklejać i na nowo stanąć na nogi.

Kiwam głową.

– Było ci ciężko z mężem? – Hayden bierze kubek. – Powiedz mi, żebym się nie wtrącał, jeśli nie chcesz o tym mówić.

– To nie był szczęśliwy okres w moim życiu – odpowiadam. – Odeszłam ze względu na córkę.

– Dla was obu to były traumatyczne przeżycia.

Nie mam nigdzie siniaków, ale odruchowo zerkam, czy moje ramiona są zakryte, nawykłam do sprawdzania.

– Może teraz, gdy Sabina jest w bezpiecznym miejscu, na nowo zacznie mówić.

– Byłaś z nią u specjalisty?

– Tak. Jeden raz. Powiedziano mi, że to mutyzm wybiórczy, takie zaburzenie lękowe, i potrzebna jest terapia. Mój mąż się nie zgodził. Orzekł, że jaka matka, taka córka, Sabina jest po prostu uparta i nieposłuszna.

– Jeśli chcesz, możemy poszukać terapeuty.

– Zbyt wiele przeszła. – Kręcę głową. – Na razie nie chcę, żeby lekarze ją oglądali, kłuli i zaglądali jej do gardła. Niech się poczuje bezpieczna i szczęśliwa. Wierzę, że to wystarczy. – Ocieram łzy. – Z mojej córeczki była prawdziwa szczebiotka. Gadała jak nakręcona. Była zabawna i bystra. Mąż wprawdzie jej nie bił, a wypłoszył z niej życie.

– To już przeszłość. Położyłaś temu kres – przypomina Hayden.

– Zrobiłam to. – Pozwalam sobie na uśmiech.

– A co o tym sądzi twoja rodzina?

– Jeszcze nic nie wiedzą – przyznaję. – Mama i tata zostali w domu, na Sri Lance, nie widziałam ich od wielu lat. Regularnie do nich piszę, ale nie byłam z nimi szczera. Myślą, że jestem szczęśliwą mężatką, zakochaną w mężu, którego dla mnie wybrali.

– Niełatwo jest zachować tajemnicę.

– Nie wiedzieli, że Suresh okaże się niedobrym człowiekiem. Kiedy zaaranżowali moje małżeństwo i wyjazd do Anglii, byli pewni, że zapewnili mi szczęśliwe życie. Rodzina męża wydawała się przyzwoita i życzliwa. Ja też spodziewałam się, że Suresh będzie dobrym mężem. W mojej wiosce brakowało kandydatów. Groziło mi, że zostanę starą panną. Rodzice chcieli zapewnić mi dobrą przyszłość. I początkowo ich marzenia się spełniły. Pisałam, że moje małżeństwo jest cudowne i jestem im bardzo wdzięczna. Wstydziłam się przyznać, że jestem nieszczęśliwa i mamy problemy. Zresztą, co mogli zrobić na odległość? Zawiodłam ich i bardzo mi z tego powodu przykro. Potem Suresh ograniczył korespondencję do jednego listu na miesiąc. Musiał go wcześniej przeczytać i zaaprobować. Nie chciałam tracić rzadkiej okazji do kontaktu na narzekania. Rodzina na Sri Lance nie ma pojęcia, że przez wiele lat bałam się o życie, a ich wnuczka ze strachu straciła mowę.

– Mogłabyś do nich wrócić? Uciec stąd jak najdalej?

– Nie mam pieniędzy. Nie mam paszportu. – Przed ucieczką przeszukałam wszystkie kąty, ale Suresh gdzieś go ukrył. – I chyba nie powinnam do nich wracać.

– Dlaczego? Przecież cię zrozumieją.

– Byłabym dla nich kłopotem. Rodzice mają mało pieniędzy, mieszkają w biednej rybackiej wiosce. Czy mogłabym tam wrócić? Są już starzy. Byliby upokorzeni, że ich plany zawiodły, choć przecież to nie ich wina. Gdybym miała starszych braci, zaopiekowaliby się mną, ale mam tylko siostry, które są zależne od mężów. Żaden ze szwagrów nie weźmie sobie na głowę dodatkowych osób do wykarmienia. Chcę także, żeby Sabina mogła się uczyć, może któregoś dnia pójdzie na uniwersytet, kto wie, nawet Oksford czy Cambridge. Tego dla niej chcę. Na takie życie będzie miała szansę, jeśli zostaniemy w Anglii.

– I co teraz, Ayesho Rasheed?

Odpycham od siebie niespokojne myśli i uśmiecham się do Haydena.

– Teraz chciałabym się nauczyć czytać na „Dzienniku Bridget Jones", żebym mogła znaleźć dobrą pracę i zatroszczyć się o swoje dziecko.

– Świetny plan. – Hayden otwiera książkę i klepie kanapę obok siebie.

Patrzę na niego. Czy mogę mu zaufać? Czy jest mi życzliwy? Dopiero co wyrwałam się z łap okrutnego tyrana, a tego mężczyzny zupełnie nie znam. A jednak czuję, że ma dobre serce. Jest pokiereszowany przez życie tak jak ja.

Poza tym nie mam innego planu.

Rozdział dwudziesty trzeci

Następnego dnia rano robię śniadanie w kuchni dla siebie i Sabiny. Nagle wchodzi Hayden.

– Cześć. – Macha do nas. – Mogę się dosiąść?

– To twój dom – odpowiadam. – To my się dosiadłyśmy.

Siada więc naprzeciwko Sabiny i wyciąga do niej otwartą dłoń.

– Przybij piątkę, jubilatko.

Mała zerka na mnie niepewnie, ale zachęcam ją skinieniem głowy. Wtedy odwraca się do Haydena i nieśmiało przykłada łapkę do jego ręki. Widzę cień uśmiechu na jej poważnej buzi i serce we mnie śpiewa.

– Co ci zrobić na śniadanie?

– Nie jadam tak wcześnie.

Zdaje się, że nie jada o żadnej porze.

– To najważniejszy posiłek dnia – upieram się. – Łatwiej sobie poradzić z wyzwaniami, gdy człowiek ma pełny brzuch.

– Pewnie masz rację.

– Robię jajecznicę dla Sabiny. Masz ochotę?

Waha się przez chwilę. Gdy już myślę, że odmówi, prosi z nieśmiałą miną:

– Wystarczy mi kawa i tost.

Wkładam pieczywo do tostera. Kolejną osobą, która wchodzi do kuchni, jest Joy, zaskoczona, że zastaje tu tyle osób, ale głupio jej się wycofać.

– Co tu robisz tak wcześnie, Haydenie? – pyta.

– Wyspałem się w nocy – odpowiada, sam trochę zdziwiony tym faktem. – Poczułem nagły przypływ energii.

– To miło.

Ja też tak myślę, ale zachowuję to dla siebie. Zamiast tego mówię:

– Usiądź, Joy. Co ci podać?

– Nagle zamiast samoobsługi mamy kawiarnię? – mruczy. – Rano jadam jogurt i owoce. Bez problemu wezmę je sama. – A jednak siada obok Haydena, co przyjmuję za sygnał, że pozwoli się obsłużyć.

Sabina spogląda na nią nieśmiało spod pięknych długich rzęs.

– Jak się miewasz? – pyta ją Joy.

Sabina podnosi rękę do przybicia piątki, co starsza pani robi po chwilowej konfuzji. Rzucam spojrzenie na Haydena, wdzięczna, że wpadł na taki pomysł komunikacji z moją córką. To oczywiste, że Sabinie bardzo się spodobało, mam nadzieję, że w ten sposób wzrośnie jej pewność siebie i chęć komunikowania się z otoczeniem.

Tost Haydena jest gotowy. Smaruję go masłem, nalewam kawę i podaję na stół.

– Dziękuję. – Uśmiecha się i zaczyna jeść. – Już doceniam twoją obecność w tym domu, Ayesho.

Rumienię się i pospiesznie wyjmuję jogurt i owoce dla Joy.

Wczoraj w nocy spędziliśmy całą godzinę na czytaniu „Dziennika Bridget Jones". Myślę, że ją polubię. Jest bardzo zabawną osobą, a czytanie nie sprawia mi dużo trudu. Choć przyznaję, że poznałam kilka nowych, soczystych angielskich słówek.

Uczę się powoli, ale Hayden jest cierpliwym nauczycielem i pomaga mi w opanowaniu wymowy nieznanych słów, tak jak robię to z Sabiną. Sprawia wrażenie, że uważa sytuację za zabawną, a jednocześnie nie czuję się przy nim głupią, niewykształconą osobą. Mam nadzieję, że dzisiaj znowu poczytamy, choć nic na ten temat nie powiedział, więc nie poruszam tematu pierwsza. Nie chcę domagać się przysługi.

– W lodówce jest trochę duszonego rabarbaru – mówi Joy. – Dodam go do jogurtu. – Cmoka z niezadowoleniem. – Nie jestem inwalidką, zawsze sobie radzę sama.

– Mogę zrobić dla ciebie coś miłego – wyjaśniam. – Jestem ci wdzięczna za serdeczne przyjęcie mnie i córki.

Nadyma wargi, a Hayden kryje uśmiech.

– Humph – burczy Joy.

Podgrzewam rabarbarową papkę na patelni. Powstrzymuję się przed dodaniem cynamonu albo imbiru, dla ożywienia mdłego smaku.

– Z ogrodu? – pytam, gdy stawiam przed nią rabarbar.

– Mam specjalne grządki i uprawiam warzywa przez większość roku.

– Byłabym wdzięczna, gdybyś mnie oprowadziła po ogrodzie – proponuję. Oszałamia mnie bujna zieleń za oknem. Przypominam sobie niewielkie poletko moich rodziców, na którym wszelkie warzywa i owoce rosły zawsze jak szalone. – Nie jestem ogrodniczką, ale bardzo lubię gotowanie. Moglibyśmy razem znaleźć najlepszy użytek dla tego, co uprawiasz. Jeśli tylko masz ochotę.

– Często zbieram z grządek aż za dużo warzyw, więc muszę je rozdawać, żeby się nie zmarnowały. Dzięki temu jestem bardzo popularna w stowarzyszeniu kobiet i ośrodku dziennego pobytu, gdzie regularnie bywam – mówi z dumą Joy. Ale, o dziwo, wygląda na zainteresowaną moją propozycją. – Będzie mi naprawdę przyjemnie, jeśli więcej plonów z ogrodu przyda się w domu.

Widocznie spragniona jest uznania, podobnie jak ja.

– Postanowione - podkreślam.

– Tyle że Hayden żywi się powietrzem, a Crystal uważa, że czekolada Cadbury's jest produktem roślinnym – dodaje zgryźliwie.

Chichoczę.

– Słyszę, że ktoś plotkuje na mój temat. – Crystal wchodzi do kuchni, ziewając.

Jest bosa i ma na sobie kusy szlafroczek. Pod nim chyba tylko skąpą bieliznę. Żadnej koszuli nocnej. Myślę, że dla Haydena może to być interesujący widok, ale nawet nie patrzy w jej kierunku. Tymczasem ja nie potrafię oderwać oczu. Jak ona to robi, że tak dobrze się czuje we własnym ciele? Ma bujne kształty, ubranie niewiele zakrywa. W porównaniu z nią wyglądam jak młody chłopak, moje piersi prawie nie istnieją, a ona ma zmysłowe arbuzy.

– Czekoladę produkuje się z ziarna kakaowca. Produkt roślinny. Trudno z tym dyskutować.

Joy przewraca oczami.

Sabina po raz trzeci wyciąga rękę do przybicia piątki.

– Siema, mała – mówi Crystal i przybija. – Wszystko dobrze?

Sabina kiwa głową. Może widzę to, co chciałabym widzieć, ale jej buzia wydaje się ożywiona, a w oczach pojawiło się światło, od dawna nieobecne.

– Po śniadaniu przejdziemy się po ogrodzie – sugeruje Joy. – Zobaczysz, co nadaje się do gotowania. O tej porze roku jeszcze niewiele.

– Chciałabym dziś ugotować obiad dla wszystkich – mówię – jeśli wam to odpowiada. – W domu kuchnia była moim jedynym schronieniem. Mąż aprobował, gdy spędzałam czas na gotowaniu dla niego. – Nie chcę się jednak narzucać.

– Ja chętnie skorzystam – odpowiada Crystal. – Możesz się narzucać, ile chcesz, choć pewnie niedługo będę gruba jak szafa. – Przy stole jest wiele pustych krzeseł, ale podnosi moją córkę, która zajęła jej miejsce, siada i bierze dziecko na kolana. Przytula ją. – Kochamy kulinarne wyczyny twojej mamy, prawda, Sabinko?

Mała energicznie kiwa głową.

– Obawiam się, że naprawdę nie smakuje mi azjatycka kuchnia – mówi Joy. – Mam delikatne podniebienie.

– Tere-fere kuku – odpowiada Crystal. – Po prostu jesteś zacofana.

– Mogę ugotować danie zupełnie bez przypraw, specjalnie dla ciebie.

– Wystarczy, że nie będzie za ostre. – Joy patrzy wyzywająco na Crystal.

– Odrobina pieprzu jej nie zawadzi – wtrąca się Crystal. – Krew płynie szybciej i humor się poprawia.

– Człowiek ma prawo do swoich gustów. – Próbuję udobruchać starszą panią.

Chyba mi się udaje, bo wygląda na zadowoloną.

– Ułam dla mnie kawałek tostu od Haydena – zwraca się Crystal teatralnym szeptem do Sabiny. – Hayden, spojrzyj, tam, w ogrodzie…

Posłusznie odwraca głowę, a wtedy Sabina podkrada mu jeden tost z talerza. Crystal gryzie, a Hayden udaje zaskoczonego. Moja córka zasłania usta rękami i przez chwilę mam nadzieję, że usłyszę jej radosny chichot. Niestety. Wszyscy jednak śmieją się z udanej psoty i czuję, że Sabina jest w życzliwym otoczeniu. To dla niej dobre. Nikt nie patrzy na nią z góry, jak na „dziecko specjalnej troski". Traktują ją jak normalną małą dziewczynkę, a to miód na moje serce.

– Co powiesz na odrobinę urodzinowych łaskotek? – proponuje Crystal, a zapowiedzi towarzyszą czyny.

Sabina kręci się i szeroko otwiera buzię, ale nie wydaje głosu. Jest uszczęśliwiona. Od wielu miesięcy miała smutną, nieruchomą twarz, a teraz na moich oczach wraca na nią mimika i życie.

Hayden mruga do mnie porozumiewawczo. On także widzi, że moja córka jest tu szczęśliwa.

Jesteśmy obie w dobrym dla nas miejscu, myślę.

W bardzo dobrym miejscu.

Rozdział dwudziesty czwarty

Kiedy posprzątałam po śniadaniu, Joy składa gazetę i chrząka, dając mi znać, że jest gotowa na zapowiadany spacer po ogrodzie. Szybko wycieram ręce.

– Chodź z nami, córeczko.

Sabina kręci głową i przytula do Crystal. Nie ma ochoty ruszać się z miejsca. I w porządku.

Joy prowadzi w głąb ogrodu, a ja podążam za nią. To jest jej królestwo, zamierzam to uszanować.

– Lubię wiosnę – mówi przez ramię. – Kiedy natura pogrążona jest w zimowym śnie, próbując przetrwać srogą zimę, łatwo zapomnieć, że nasionka kolorowych kwiatów są gdzieś tam, pod powierzchnią, gotowe zaskoczyć nas swoim pięknem.

– Sama czuję się wtedy jak roślina, która budzi się do życia po zimie – odpowiadam. – Wegetowałam w mroku i zimnie, a teraz rozwijam płatki i wystawiam je na słońce.

– Och, biedactwo – mówi Joy ze współczuciem. – To musiało być dla ciebie koszmarne.

– Mam nadzieję, że w naszym życiu już nie będzie zimy – wzdycham. – Marzę o cieple i słońcu.

– Tego ci życzę. – Poklepuje mnie po ramieniu. I trochę zdławionym głosem wyznaje: – Znam z doświadczenia domowe problemy.

Inne niż twoje – dodaje – ale moje małżeństwo też nie było kaszką z mlekiem.

– Przykro mi.

Macha ręką. Wydawało mi się, że tak silna osoba jak Joy nie dałaby sobie wejść na głowę. Nie ciągnie tematu, a ja nie mam odwagi dopytywać.

Z tarasu patrzymy na rozciągający się przed nami trawnik i ogród.

– Pięknie tu – mówię. – I wszystko to twoja zasługa.

Milczy, jakby błądziła gdzieś myślami, więc się rozglądam. W głębi stare drzewa zasłaniają widok na okoliczne wille. Jest altana, która sprawia wrażenie opuszczonej. Trawniki i rabatki wyglądają na nienagannie utrzymane. Trudno nie dostrzec, że Joy przelewa na ogród wszystkie swoje uczucia.

– Na patio jest mnóstwo różnych ziół – mówi i idziemy obejrzeć donice i doniczki ustawione wzdłuż ściany domu. – Zrywaj, gdy tylko coś ci będzie potrzebne. Jest pietruszka, majeranek, szałwia, trzy gatunki tymianku łącznie z cytrynowym, mięta i rozmaryn. Szczypiorek rozrasta się tak szybko jak chwasty, ale jego kwiaty przypominają fioletowe pompony i wyglądają naprawdę ładnie.

Znam te wszystkie zioła. Myślę o ojcu, nachylonym nad grządką w przydomowym ogródku. Nie do wiary, ile rzeczy potrafił wyhodować na niewielkim spłachetku ziemi. Dziadkowie także mieli bardzo urodzajne poletko. Miło by było, gdybym odziedziczyła po nich talent do ogrodnictwa, ale nie mam o tym zielonego pojęcia.

– Jako dziecko, jeszcze na Sri Lance, co roku jeździłam do wujka. Mieszka w Matale, miejscowości wysoko w górach, i ma gospodarstwo, w którym uprawia różne rośliny. Dzięki temu ma cynamon, pieprz, gałkę muszkatołową i goździki. To piękne miejsce. – Przymykam oczy. Wracają do mnie zapachy i widoki, intensywna woń wilgotnej ziemi i mokrych liści, gęstwina zieleni, Hinni i ja biegamy wśród drzew i krzewów. Tęsknię za domem. – Mama nauczyła mnie, jak stosować przyprawy w tradycyjnych potrawach, których przepisy przekazywano z pokolenia na pokolenie.

– Kiedyś też lubiłam gotować – mówi Joy. – A szczególnie piec ciasta. Chłopcy przepadali za tortami i ciasteczkami. Teraz tego nie robię. Nie ma sensu piec dla jednej osoby.

– Nauczysz mnie piec ciasta, Joy? – proszę. – Dobrze gotuję, szczególnie azjatyckie potrawy, ale ciasta mi nie wychodzą.

– Czemu nie – zgadza się niechętnie. – Choć sama nie wiem, kiedy znaleźć na to czas. Przejdziemy się dalej?

Spacerujemy wśród grządek, a Joy wskazuje na kolejne rośliny.

– Przebiśniegi już dawno przekwitły, ale krokusy wciąż tworzą kolorowe plamy. – Wskazuje na żółte i niebieskie kwiaty. – Tamten krzew to forsycja. – Obsypana jest żółtymi kwiatuszkami. – Kolory wiosny są takie wyraziste, radosne.

– Przyroda wie, że potrzebujemy intensywnych bodźców, żeby się przebudzić po zimowej szarzyźnie.

– To wszystko moje dzieło – zwierza się Joy. – Hayden nawet palcem nie kiwnie. Jaka szkoda.

– Myślę, że docenia twoje wysiłki.

– Nawet nie wiem, czy je zauważa – odpowiada. – Bardzo rzadko wychodzi ze swojego pokoju, a jeszcze rzadziej schodzi do ogrodu. – Potrząsa głową z niedowierzaniem. – Wiosną w ogrodzie jest mnóstwo roboty. Jeśli się zaniedba przygotowania, nie będzie plonów latem. – Przez alejkę obsadzoną drzewkami idziemy w kierunku warzywniaka.

– Kwitnące wiśnie. – Joy delikatnie zrywa jeden różowy kwiatuszek. – Piękne, ale wystarczy silniejszy powiew wiatru i płatki się osypią na trawę.

– Jak długo twoje dzieci mieszkają na innym kontynencie? – pytam, choć mam świadomość, że dość bezceremonialnie wtykam nos w jej sprawy. Nie patrzy na mnie, ale odpowiada.

– Malcolm, mój starszy syn, od dziesięciu lat mieszka w Hongkongu. Ma żonę Angielkę, Pat, i dwie śliczne córki, Kerry i Emmę. Mają teraz szesnaście i czternaście lat.

– Nigdy u nich nie byłaś?

– Nie… nie. – Czerwieni się. – Zapraszają mnie. Regularnie. Ale to nie dla mnie. – Przygląda się krzewom, jakby coś z nimi było nie w porządku. – Kto by się zajmował ogrodem, gdybym latała po świecie? Zarósłby chwastami, zanim bym zdążyła wrócić.

Nie mówię, że przecież Haydena stać na zatrudnienie ogrodnika, zwłaszcza na zastępstwo.

Idziemy do szklarni. Wewnątrz jest bardzo ciepło, pachnie ziemia i rośliny.

– Pomidory – wskazuje na sadzonki. – Trzy różne odmiany. San Marzano, Costoluto Fiorentino i koktajlowe. Za parę miesięcy, gdy zaczną dojrzewać, będziemy ich mieć po dziurki w nosie.

– Mogłabym zrobić curry pomidorowe i podawać je z *pol mallun*, chutneyem kokosowym i kluseczkami z mąki ryżowej.

Moja towarzyszka wygląda na zaniepokojoną.

– Zupa – mówi. – Będzie z nich świetna zupa pomidorowa. Na chutney nadają się takie, które zostają zielone. Jest też bazylia. Nie wiem, czy jej używacie w swoich potrawach?

– Chętnie spróbuję.

– Bazylia pasuje raczej do włoskiej kuchni.

– Jadasz spaghetti?

– Och, nie! – wzdryga się Joy. – Za dużo czosnku. To mi szkodzi na trawienie. – Wychodzi ze szklarni, teraz kierujemy się ku kolejnym uprawom.

– Mam tu ziemniaki. – Wskazuje na warzywa, które akurat wymienia. – Szpinak. Kapustę. Po lewej kilka kalafiorów i buraczki. Niedługo będzie można wyrywać marchewkę. Fasolka szparagowa jest jeszcze w cieplarni, przesadzę ją w swoim czasie.

– Robię dobrą hinduską przystawkę ze smażonej zielonej fasolki przyprawionej chili.

– Cukinie. – Joy krzywi się na samą wzmiankę o ostrych papryczkach. – Ich także będziemy mieć pod dostatkiem. Zdążą się wszystkim znudzić.

Zastanawiam się, jak można je przyrządzić, żeby wszystkim smakowały. Może w curry albo zamarynowane?

– Bardzo się cieszę, że będę miała okazję gotować z takich wspaniałych warzyw uprawianych w ogrodzie.

– Jeszcze nie widziałaś najlepszego. Zaraz przejdziemy do owoców.

Przez przerwę w żywopłocie przechodzimy do dalszej części ogrodu. Tu znowu widzę skrzynie, rabatki i klatki ogrodowe. Wiem już, skąd pochodzi rabarbar.

– Te drzewa to jabłonie. Niektóre gatunki jabłek są dobre do pieczenia, inne do jedzenia. Śliwy i grusze ostatnio kiepsko obrodziły. Dobre są z kruszonką. Mogę cię nauczyć, jak robić dobry placek z kruszonką. Stephen za nim przepadał. – Uśmiecha się smutno. – Zawsze wspomina go w listach.

– To twój drugi syn?

– Młodszy, ale mieszka za granicą jeszcze dłużej. Odpowiada mu tamta pogoda i styl życia. W Anglii mamy mało słońca. Dużo podróżował, czasem trudno było za nim nadążyć. Teraz mieszka w Singapurze, ożenił się z tamtejszą dziewczyną.

– Mają dzieci?

– Trójkę. Dwie dziewczynki, cztero- i dwuletnią. Najmłodszy jest chłopczyk, Jay. Ma pół roku. – Odwraca się do mnie. – I zanim zapytasz, ich także nigdy nie odwiedziłam.

– Nie chciałabyś zobaczyć swojego najmłodszego wnuka?

– Oczywiście, że bym chciała – prycha Joy. – Ale to wykluczone. Nie latam samolotami. Nie jadam egzotycznych potraw. Nie mam pieniędzy na podróż. Muszę cierpliwie czekać, aż przyjadą do mnie.

– Wszystko jest możliwe, Joy – mówię cicho. – Kilka dni temu byłam osobą, która bała się własnego cienia. Znalazłam sposób, żeby to zmienić.

– Jesteś młoda – wytyka mi Joy. – Masz przed sobą całe życie.

– Jestem młoda, ale zmarnowałam wiele lat, żyjąc w strachu.

– Wszystko rozumiem, nie musisz mi tłumaczyć. – Wzrusza ramionami. – Było, minęło. Nie uczy się starego psa nowych sztuczek. Mam siedemdziesiąt pięć lat. Jestem stara. Niewiele mi już zostało.

Biorę ją pod rękę i zawracamy do domu.

– Tym bardziej powinnaś cieszyć się każdym dniem i próbować nowych rzeczy.

Rozdział dwudziesty piąty

Hayden poczuł nietypowy dla siebie przypływ energii. Krew szybciej krążyła mu w żyłach. Dawno nie miał takiego wrażenia. Każdy nerw w jego ciele niecierpliwie wibrował. Zupełnie jak wtedy, gdy schodził ze sceny w hali Wembley Arena, upojony ekstazą, do jakiej doprowadził tłumy; wciąż pełen adrenaliny.

Jeśli taki efekt dają nocny sen, mocna kawa i świeży tost na śniadanie, to zdecydowanie należy je wprowadzić do życia na stałe.

Dobrze było siedzieć dziś rano przy stole kuchennym z tą całą dziwną zbieraniną, która zamieszkała w jego domu. Z pewnością Crystal – i każda z pozostałych pań – byłaby lekko urażona tym określeniem. Trudno o bardziej niedobrane towarzystwo, a jednak wszyscy jakoś się zgrali. One akceptowały jego ekscentryczne obyczaje, a on przyzwyczaił się do lokatorek.

Miał ochotę zrobić dzisiaj coś fajnego – cokolwiek, nie wiedział jeszcze co. Skakać po górach, przeskakiwać pagórki. Jeśli nie rozładuje tej skumulowanej energii, przez całą noc będzie się tłukł po domu. Joy i Ayesha spacerowały po ogrodzie. Mógł im towarzyszyć, ale nigdy nie interesował się uprawami, zresztą czuł, że Ayesha chce spędzić trochę czasu ze starszą panią, żeby się z nią zbliżyć. To dobry znak.

Crystal wzięła pismo kobiece i przeglądała je, trzymając małą na kolanach. Do twarzy jej było z dzieckiem. Po raz pierwszy pomyślał, że byłaby świetną mamą. Obie czytały jakieś najnowsze ploteczki. On nie znosił kolorowych gazet, chociaż już dawno przestał być ich ulubionym bohaterem.

Wstał od stołu.

– Wszystko w porządku? – upewniła się Crystal.

– Znakomicie – odparł i we własnym głosie usłyszał zaskoczenie tą konstatacją.

Uśmiechnęła się do niego nad głową Sabiny.

Nie chciało mu się schodzić do siłowni i zaczynać wyczerpujących ćwiczeń. W piękny wiosenny dzień powinien odetchnąć świeżym powietrzem.

Nie wiedząc, czego właściwie chce, poszedł do salonu. Tu wczoraj siedzieli z Ayeshą, czytając na głos „Dziennik Bridget Jones". Radziła sobie dużo lepiej, niż się spodziewał, i szybko robiła postępy. Początkowo miał opory, bo książka była jedną z ulubionych lektur Laury. Wtedy nie rozumiał, dlaczego wciąż śmieje się, choć czyta książkę kolejny raz. Odpowiadała żartobliwie, że Bridget nieustająco ją zaskakuje i zachwyca, zupełnie jak on.

W pokoju było ciemno, odsłonił okna. Światło słoneczne wpadło do wnętrza, zawirowały drobinki kurzu. Otworzył szeroko drzwi do ogrodu, wpuszczając świeże powietrze. W oddali widział Ayeshę i Joy, kierujące się w stronę królestwa starszej pani, warzywnika.

Powinienem jeść więcej witamin, pomyślał, przyda mi się więcej energii. Trzeba też częściej wychodzić do ogrodu.

Już nie pamiętał, kiedy ostatni raz wybrał się na przechadzkę. Joy nieustannie się krząta wokół swoich rabatek, warto czasem sprawdzić, jak sobie radzi. To prawda, że ostatnio niewiele rzeczy go interesowało.

Ayesha jest miłą kobietą, pomyślał.

Na pozór cicha i niepewna siebie, ma jednak ukrytą wewnętrzną siłę, i za to ją podziwiał. Jak na osobę, która się boi własnego cienia, ma w sobie nieoczekiwaną odwagę i zadziorność. Kilka jej pytań zaskoczyło go swoją prostolinijnością. Miał nadzieję, że Ayesha tu rozkwitnie i pozbędzie się prześladującego ją lęku. Doznał szoku, gdy się okazało, że boi się agresji z jego strony. Jakim koszmarnym draniem musiał być jej mąż? Jeśli ona potrafi się otrząsnąć po takich przeżyciach, to może on także weźmie się w garść?

Gdy stracił z oczu Ayeshę i Joy, odwrócił się twarzą do salonu i jego wzrok padł na fortepian, oświetlony przez słońce. Usiadł na taborecie, jak zeszłej nocy. Ale tym razem miał inne emocje. Wibracje, które odczuwał, nie oznaczały strachu, lecz nadzieję. Nie mógł się doczekać.

Pozwolił palcom zatańczyć na klawiaturze. Najpierw nieśmiało spróbował kilku klasycznych kompozycji, nic emocjonalnego, nic obciążonego wspomnieniami. Było parę potknięć, parę pomyłek, ale i tak nieźle, jak na tak długą przerwę. Nie był w stanie zaśpiewać, głos zamierał mu w krtani. To go przerastało. Próbował parę razy, ale gardło mu się zaciskało, struny głosowe sztywniały, a język rósł w ustach.

Trudno. W porządku. Przekonał się już, że nie stracił głosu, że on wciąż gdzieś tam jest. Kto czeka, to się doczeka. Potrzeba mu cierpliwości. Każdy dzień to krok na drodze do ozdrowienia.

Może kolejną próbą powinno być zagranie własnych melodii. Spróbował ścieżki dźwiękowej jednego ze swoich albumów. Tak dawno nie grał tych piosenek, że nie wszystko pamiętał. Próbował nucić, ale nie bardzo mu szło. W ustach mu zaschło, brakowało pewności siebie.

Próbował grać swoje najbardziej znane kawałki, gdy kątem oka zarejestrował jakiś ruch. Przy fortepianie nieruchomo tkwiła Sabina. Patrzyła na niego w skupieniu.

– Długo to jesteś? – spytał.

Kiwnęła głową.

– Dawno nie grałem. Wyszedłem z wprawy.

Wzruszyła ramionami.

– Muszę poćwiczyć. Bez pracy nie ma kołaczy. – Brzdąknął w klawisze, a dziewczynka się rozpromieniła. – Umiesz grać?

Pokręciła głową.

– Chcesz spróbować?

Kiwnęła głową, ale nie ruszyła się z miejsca.

– Chodź tu, moja panno. – Zrobił jej miejsce obok siebie.

Sabina podeszła nieśmiało. Udzielił mu się jej łagodny spokój.

– Ta melodia nazywa się „Pałeczki" – Zagrał prostą wprawkę, której nauczył się w dzieciństwie. Pierwsze kroki wiodące do świata muzyki. – Chcesz spróbować?

Popatrzyła na niego z szeroko otwartymi oczami.

– Zaczynamy. Klawiatura fortepianu zaczyna się od A i kończy na G. – Uderzył w klawisze. – Przypomina alfabet. Tyle że krótszy. A potem się powtarza, ale za każdym razem dźwięki są wyższe.

Miał nadzieję, że jego wyjaśnienia nie są zbyt skomplikowane, zresztą dziewczynka zdawała się wszystko rozumieć.

– Użyj palców wskazujących obu rąk. – Pokazał, które to są, i ku jego uldze Sabina powtórzyła jego gest. – Połóż je na F i G. – Uderzył w klawisze. – I powtórz to sześć razy.

Mała z zapałem stukała w klawiaturę.

– Lewy palec przenieś na klawisz E. Właśnie tak.

Krok po kroku przećwiczył z nią całą melodyjkę. Sabina nie pomyliła się ani razu. Jak na dziecko, miała zdumiewającą zdolność skupienia uwagi. Bardzo szybko opanowała całą lekcję.

– Teraz spróbujemy razem – zaproponował.

Zaczęli bardzo powoli i kilka razy powtórzyli wszystkie nuty.

– Teraz szybciej – polecił, zmieniając tempo. – Szybko. I nie przerywaj, graj to, co wcześniej.

A gdy Sabina powtarzała melodię, dodał do niej drugą część, kilka fantazyjnych ozdobników muzycznych, i zakończył efektownym finałem.

Dziewczynka uśmiechnęła się do niego nieśmiało.

– Piątka! – Podniósł rękę. Klepnęła w nią. – Dobra robota. Świetnie nam poszło.

Z uśmiechem pełnym satysfakcji, choć bez słowa, Sabina wyszła z pokoju. Hayden został sam, on też szczerzył się od ucha do ucha, choć wycierał niespodziewaną łzę.

Rozdział dwudziesty szósty

W kuchni zastaję Crystal, wciąż czyta swoje czasopismo. Opiera się stopami o sąsiednie krzesło, szlafroczek jej się rozchylił i odsłania bardzo dużo ciała. Odwracam wzrok.

– Czas na mnie – mówi Joy. – Moi staruszkowie zaczną się dziwić, co się ze mną dzieje.

Wychodzi z kuchni i wkrótce trzaskają za nią drzwi wejściowe.

– Miała lekki udar – mówi Crystal o naszej współlokatorce. – Krótko po tym, gdy się wprowadziła. W szpitalu była tylko przez tydzień, potem doglądałam ją w domu. Była koszmarną pacjentką.

Uśmiecham się. Mogę to sobie wyobrazić.

– Doszła do siebie w rewelacyjnym tempie. Nadal ma nieznacznie porażoną prawą stronę i lekko utyka, zwłaszcza gdy jest zmęczona. Spędza dużo czasu w ośrodku dziennego pobytu, gdzie ją skierowano na różne zabiegi rehabilitacyjne. Mówiąc szczerze, nie wiem, czy jeszcze z nich korzysta. Mam wrażenie, że lubi tam spędzać czas, bo ma kim rządzić.

A może po prostu brakuje jej towarzystwa rówieśników. Coś o tym wiem, bo sama przez wiele lat tęskniłam za przyjaciółmi. Teraz nareszcie mam Crystal. I wciąż mnie to cieszy.

– Joy powiedziała, że miała problemy małżeńskie.

– Nie takie, o jakich myślisz. O ile wiem, jej mąż długo chorował. Nie jestem pewna, co mu było, ale przez wiele lat był przykuty do łóżka. Joy sama się nim opiekowała. Najtrudniej było chłopakom, matka nie mogła poświęcać im należytej uwagi, bo wciąż była zajęta ojcem. Musieli się wcześnie usamodzielnić. A mąż Joy fatalnie znosił niepełnosprawność. Z tego, co słyszałam, był zgryźliwym starym zrzędą. Może dlatego Joy stała się taka złośliwa. Synowie skończyli studia i natychmiast się wynieśli. Nie odwiedzali rodziców, mieli dosyć domowego szpitala. Przynajmniej tak twierdzi Joy. Nie poznałam jej synów. Widziałam tylko fotografie. Przystojne chłopaki. Dobrze sobie poradzili w życiu. Joy się nie chwali, ale jest z nich naprawdę dumna.

– Pewnie za nimi tęskni.

– Kiedy ich zabrakło, jej świat się skurczył – kontynuuje Crystal. – Wszystko kręciło się wokół męża. Rzadko wychodziła z domu, nie miała znajomych. Była ciągle przy nim. Trzeba przyznać, że do końca opiekowała się nim z oddaniem. Szkoda tylko, że wyparowała z niej cała radość życia i ciekawość świata.

– Jak to się stało, że została bez pieniędzy?

– Jej mąż bardzo lekkomyślnie inwestował. Podobno choroba wpłynęła fatalnie na jego sprawność intelektualną. Zresztą, może to tylko plotki. Nie znam faktów. Wiesz, jaka jest Joy, zamyka się w sobie, gdy człowiek próbuje pociągnąć ją za język. Prawda jest taka, że po pracowitym życiu poświęconym opiece nad bliskimi została z ręką w nocniku.

– To musi być dla niej straszne.

– Prawdziwy koszmar – przyznaje Crystal. – Nie wiem, co by ze sobą zrobiła, gdyby Hayden nie pozwolił jej tu zamieszkać. Chcąc nie chcąc, musiałaby się przenieść do jednego z synów.

– Smutne.

– Staramy się nią opiekować, ale to wyjątkowo trudna starsza pani. Zgorzkniała, czemu trudno się dziwić. I zdecydowanie przeczulona na punkcie własnej niezależności.

– Może właśnie to daje jej napęd do życia – komentuję.

– Racja, racja. – Crystal się otrząsa. – Zmieńmy temat. Ponure strony życia przyprawiają mnie o migrenę. Joy sobie poradzi. Jest nie do zdarcia.

– Gdzie Sabina? – Zauważam nieobecność córki.

– Poszła na górę po książkę.

– Muszę znaleźć pracę. – Wykorzystuję okazję do szczerej rozmowy z przyjaciółką. – Im prędzej, tym lepiej. Mam bardzo mało oszczędności, a przecież muszę zapewnić byt Sabinie. Czy tam, gdzie pracujesz, są jakieś wolne etaty?

– W klubie? – Crystal parska śmiechem. – Chcesz być tancerką?

– Mogę robić wszystko. Mam problemy z czytaniem i pisaniem po angielsku, ale potrafię tańczyć. – Chociaż to prawda, że od dawna tego nie robiłam. Wczoraj wieczorem przekonałam się, że trochę zardzewiałam. – Oczywiście, w tradycyjnym stylu mojego kraju.

– Nie masz pojęcia, czym naprawdę się zajmuję. – Crystal nagle poważnieje. – Potrząsam cyckami w tańcu erotycznym, a moja widownia to spoceni i napaleni faceci.

– Och! – Nie umiem ukryć zaskoczenia. – Naprawdę? – Wyobrażałam ją sobie w jakimś kabarecie, w wytwornej połyskliwej sukni, z piórami we włosach.

– Naprawdę. – Widzę, że nie żartuje. – Ten klub to speluna, knajpa dla szemranych biznesmenów.

A ja myślałam, że Crystal pracuje w miejscu przyjemnym i eleganckim. Zdaje się, że się pomyliłam.

– To klub go-go, słonko. – Robi żałosną minę. – Teraz rozumiesz, dlaczego tam nie pasujesz?

– Rozumiem.

– Nie martw się. – Klepie mnie po ręce. – Znajdziemy ci coś innego.

Chyba widzi zawód na mojej twarzy, bo dodaje:

– Pokaż mi, jak tańczysz. Nic nie wiem o twojej kulturze, a chętnie bym ją poznała.

– Brakuje mi muzyki.

– Chodźmy do salonu, na iPodzie jest „Jai Ho", piosenka ze „Slumdoga". Nada się?

– To hinduski taniec, ale spróbuję. W szkole Sabiny ćwiczyli taniec w stylu Bollywood. To była jej ulubiona piosenka. Kiedy mojego męża nie było w domu, nastawiałyśmy ją sobie i Sabina śpiewała na cały głos.

Ogarnia mnie smutek.

– Jeszcze kiedyś zaśpiewa, nie martw się – pociesza mnie przyjaciółka. – Nie trać wiary.

Ciągnie mnie za rękę do salonu. Na szczęście nikogo w nim nie ma. Drzwi do ogrodu są otwarte, wpada stamtąd ożywcza bryza. Crystal nastawia muzykę.

– Zrobione – mówi po chwili.

Staję pośrodku, a Crystal sadowi się na kanapie. Moja publiczność.

– Trochę się krępuję. Dawno nie ćwiczyłam. – Przypominam sobie, jak wczoraj zaskoczyło mnie wejście Haydena. Jest mi wstyd, że się go wystraszyłam. Naprawdę myślałam, że mnie uderzy. Powinnam się pozbyć uprzedzeń z przeszłości.

– Robimy to dla zabawy – zachęca mnie Crystal. – To nie konkurs, a ja nie jestem jurorem.

Tuż przed moim występem do pokoju wchodzi Sabina i przytula się na kanapie do swojej nowej cioci.

Crystal wciska guzik pilota i z głośników płynie melodia.

Na Sri Lance mamy wiele tradycyjnych tańców: są tańce Kandyan z górzystej Prowincji Centralnej, Pahatharata Natum z południowych nizin, oraz tańce Sabaragamuwa, które są po trosze mieszanką obu stylów. Każdy styl tańca ma charakterystyczne dla siebie ruchy ciała, rytm i znaczenie, w każdym używany jest inny zestaw bębenków. Po wyjściu za mąż nie miałam okazji i powodu do uczenia się tańców ludowych. Ćwiczyłam je w dzieciństwie. Smutno mi, że moja córka nic nie wie o kulturze, w jakiej wzrastałam. Urodziła się w Anglii, nigdy nie była w kraju naszych przodków. Jeśli będę ciężko pracować i zacznę dobrze zarabiać, może kiedyś uda mi się zabrać Sabinę na Sri Lankę, w odwiedziny do dziadków. Są coraz starsi, serce mnie boli, że do tej pory nie poznali wnuczki.

Napisałam do rodziców, opisując im, jak zmieniła się nasza sytuacja. Ze smutkiem myślę o chwili, gdy przeczytają mój list. Ich przekonanie, że córka wiedzie szczęśliwe życie, na zawsze legnie w gruzach. Mam nadzieję, że udało mi się ich przekonać, iż niezależnie od zagrożeń, jestem teraz dużo szczęśliwsza, niż przez ostatnich kilka lat.

Wracam myślami do chwil, gdy byłam małą dziewczynką. Rodzice zabierali nas do Świątyni Zęba, pokazywali ruiny starożytnego miasta Sigirija, teraz ja chciałabym tam zabrać córkę. Powinna zobaczyć zielone plantacje herbaty na wzgórzach, przejechać się na słoniu i napić wody prosto ze skorupy orzecha kokosowego. Chciałabym, żeby zobaczyła mój rodzinny dom, poczuła pod stopami gorącą piaszczystą plażę i usłyszała szum błękitnego Oceanu Indyjskiego.

Rozbrzmiewa radosna muzyka, ale w moim sercu gości melancholia. Zaczynam tańczyć, układam ręce do prostych, pełnych gracji gestów. Dziwnie się czuję w tym nowym europejskim ubraniu. Sukienka ogranicza ruchy, *salwar kamiz* jest dużo wygodniejszy. Kiedyś, gdy znowu poczuję się bezpiecznie, z przyjemnością wrócę do tradycyjnego stroju. Jednak nigdy nie kupię ubrań w kolorze khaki. Będę wybierała czyste, piękne kolory.

Muzyka wypełnia moje ciało, wraca dobry nastrój. Ruchy rąk są bardzo ważne w tradycyjnym ludowym tańcu na Sri Lance, prostuję je i wykręcam, starając się robić to poprawnie. Piosenka się kończy, a ja słyszę, że Crystal i Sabina klaszczą entuzjastycznie.

– Nie będę tak siedzieć. – Crystal się podrywa. – Naucz mnie niektórych figur. Ruszaj się, mała. – Pociąga za sobą moją córkę i ponownie przyciska guzik na pilocie. Rozbrzmiewa „Jai Ho".

Obie ustawiają się obok i naśladują moje ruchy.

– Niech cię diabli, kobieto – narzeka Crystal. – Dlaczego ty przypominasz wdzięcznego egzotycznego ptaka, a ja sępa, machającego skrzydłami?

– Rób dokładnie to co ja.

– Przecież się staram!

Włączamy muzykę jeszcze raz, a choć Sabinie nieźle idzie, wszystkie zwijamy się ze śmiechu. Moja córka chichocze, ale nie wydaje z siebie głosu.

– Każda z nas będzie się wyginała po swojemu – decyduje Crystal. – Jestem beznadziejna w te klocki. – Podkręca muzykę, łapiemy się za ręce i tańczymy wokół salonu, tworząc kółeczka i wydzierając się na cały głos (przynajmniej jeśli chodzi o mnie i Crystal).

I nawet nie zauważamy, że z ogrodu obserwuje nas Hayden z uśmiechem na ustach.

Rozdział dwudziesty siódmy

Mam nadzieję, że dziś wieczorem znowu zjemy razem kolację. Dostałam błogosławieństwo Joy, więc zbieram warzywa w ogrodzie, wybierając najbardziej dojrzałe. Joy dała mi niewielką wiklinową kobiałkę, jest teraz pełna świeżych, dorodnych jarzyn. Mam buraczki, cebulę, kalafiora i kilka ziemniaków. Zerwałam też parę listków mięty. Wszystko pachnie świeżością i ziemią.

Crystal prowadzi mnie do garażu, gdzie w wielkiej zamrażarce znajdują się zapasy mięsa. Wybieram jagnięcinę. Przyda się na jutro, na pieczeń *rogan josh* w klarowanym maśle.

Rozglądam się i dostrzegam trzy samochody przykryte plandekami.

– Nikt nimi nie jeździ? – pytam szeptem, bo nie mam odwagi mówić głośniej.

– Hayden od paru lat nie opuszcza domu. Kiedyś miał kierowcę, ale rzadko z niego korzystał. Teraz nie potrzebuje samochodu.

– Od odejścia Laury? – Zdaje się, że to był najgorszy moment w jego życiu.

– Tak.

– Musiał ją bardzo kochać.

– Uwielbiał ją. Bez wątpienia.

– Nigdy jej nie spotkałaś?

– Nie. Poznałam Hayda później.

– Była piękna.

– Oszałamiająco piękna – przytakuje Crystal. – Powinnaś zobaczyć jej zdjęcia w pismach kolorowych. Gorąca babka. – Cmoka znacząco. – Na początku Hayden próbował się zapić na śmierć. Na szczęście wybił sobie z głowy ten pomysł. Możesz mi nie wierzyć, ale jest teraz w dużo lepszej formie. Chociaż wciąż nie jest człowiekiem, którym był kiedyś.

Chciałabym zapytać Crystal, czemu Laura opuściła Haydena, ale nie powinnam być wścibska. Hayden sam by mi powiedział, gdyby miał ochotę rozmawiać na ten temat.

– Auta kisną w naftalinie. – Crystal macha ręką. – Masz prawo jazdy?

– Chciałabym zrobić. Może kiedyś.

– W Londynie jazda samochodem to koszmar. Gigantyczne korki, a ubezpieczenie kosztuje fortunę. Zresztą wszędzie można dojechać metrem lub autobusem.

Sporo czasu minie, zanim pomyślę o prowadzeniu samochodu. To nie mój problem. Ale jak można trzymać tyle nieużywanych aut?

– Masz na niego dobry wpływ, Ayesho – mówi Crystal. – Jeszcze zrobimy z niego normalnie funkcjonującego człowieka.

Bardzo bym chciała.

– Zacznij gotować, bo umieram z głodu.

W kuchni przygotowuję warzywne pierożki i smażę kalafiora w cieście. Podam go z pikantnym sosem jogurtowym *kadhi*. Dla Joy zrobię łagodny dip *raita* z odrobiną mięty. Przygotuję też *saag baji*, przystawkę ze szpinaku, i obsmażę kilka ziemniaków.

W szafkach znajduję różne przyprawy, ale brakuje świeżych papryczek chili i zielonej kolendry.

– Chętnie wyskoczę do spożywczego na rogu – proponuje Crystal. – Z zakupami nie mam problemu. Chcesz pójść ze mną? – zwraca się do Sabiny.

– Wolę, żeby została. – Na myśl o spuszczeniu córki z oczu ogarnia mnie panika. – Nie masz pretensji?

– Oczywiście, że nie. Ale potrafię się nią zaopiekować, Ayesho. Już ją kocham. – Ściska małą i bierze klucze. Sabina ma taką minę, jakby rozpaczliwie chciała z nią pójść, ale milczy. – Wrócę za chwilę.

Sabina z główką podpartą na rękach obserwuje, jak robię chlebek puri z mąki i kminku. Usmażę go w głębokim oleju, żeby był świeży i ciepły. Potem wracam do warzyw.

– Dobry Boże! – To wraca Crystal z zakupami. Patrzy z przerażeniem na jedzenie ustawione na blacie. – Nie słyszałaś o tym, że trzeba ograniczać węglowodany?

– Nie – odpowiadam zgodnie z prawdą.

– Muszę zacząć ćwiczyć razem z Haydenem – stwierdza.

– Ktoś mnie wzywał? – Pan domu we własnej osobie wkracza do kuchni. Patrzy na wystawę warzyw. – Zapowiada się niezła uczta. Co mamy w menu?

Opowiadam mu, co zamierzam przyrządzić. Unosi brew, jakby aprobował mój wybór.

– Zechcesz do nas dołączyć?

– No właśnie, detektywie – włącza się Crystal. – To byłby drugi wieczór z kolei, gdy nie kryjesz się w swojej pustelni.

– Skoro prosisz tak ładnie – uśmiecha się Hayden – jakże mógłbym odmówić?

– Popatrz tylko – Crystal zachwala moje dzieło. – To lepsze niż tosty. Trafiła nam się jak ślepej kurze ziarno ta Ayeshę. – Wychodzi z kuchni w podskokach.

– To prawda – przyznaje cicho Hayden.

Nasze spojrzenia się spotykają, choć nie miałam takiego zamiaru.

– Nie mam czasu do stracenia. – Rumienię się gwałtownie.

– Wyszedłem do ogrodu. – Hayden staje za mną, jakby zamierzał skubnąć coś do jedzenia, ale rezygnuje. Może po ugotowaniu będzie mu smakowało. – Wiosna w rozkwicie.

– Powinieneś powiedzieć to Joy. Będzie zadowolona.

– Zrobię tak – obiecuje. A potem dodaje niespodziewanie: – Widziałem, jak tańczycie. Przez otwarte okno.

Czerwienię się jeszcze bardziej.

– Świetnie się bawiłyście.

– To prawda.

Łatwo weszłam w nowe życie. W tych czterech ścianach czuję się bezpieczna, nie muszę się oglądać przez ramię. Mogę udawać, że to, co przeżyłam, wcale się nie wydarzyło. Rzadko myślę o mężu, nie zastanawiam się, co czuje. Być może jestem małostkowa. Jednak wierzę, że jeśli nie kochasz, nie możesz się spodziewać miłości w zamian. Staram się zmienić, być silniejsza i bardziej asertywna. Mój mąż też musi się zmienić – inaczej już zawsze będzie sam. Mam nadzieję, że znalazłam bezpieczną kryjówkę. Jakim cudem Suresh miałby mnie tu znaleźć? To niemożliwe. Jeśli będę prowadziła cichą, anonimową egzystencję, może pozbędę się go już na zawsze?

– Masz ochotę poczytać na głos wieczorem? – pyta Hayden.

– Bardzo. Gdy Sabina uśnie? – proponuję, a on się zgadza.

– Uczyłem ją dzisiaj grać na fortepianie. Ćwiczyliśmy „Pałeczki".

Zaskoczył mnie, ale przecież nie miałam od kogo się dowiedzieć.

– Jak sobie radziła?

– Świetnie. To bystra dziewczynka. Szybko się uczy.

– Dziękuję. To miło, że poświęciłeś jej czas.

– Świetny dzieciak – powtarza. Teraz on się zarumienił. – Mogę jakoś pomóc? Nakryć do stołu? – pyta szybko.

– Byłabym wdzięczna. – Wracam do skrobania i obierania.

– Nie musisz gotować codziennie – mówi Hayden. – Nikt tego nie oczekuje. Przed twoim przyjazdem wystarczał nam suchy prowiant lub odgrzewane mrożonki.

– A macie szafki pełne przeróżnych przypraw, a w ogrodzie wielki wybór jarzyn.

– Do tej pory się marnowały.

– Prowadziłam dom – wyjaśniam. – Sprzątaniem i gotowaniem wypełniałam sobie dni. Starałam się robić to najlepiej, jak potrafię.

– Nie wychodziłaś z przyjaciółmi?

– Nigdy. Mąż mi nie pozwalał.

– Było ci ciężko.

– Do wszystkiego można się przyzwyczaić.

Brak nam tematów do rozmowy, więc wracam do swojego zajęcia.

– Jeśli sobie nie życzysz, żebym gotowała, powiedz – proszę. – Nie chcę nikogo irytować.

– Ayesho – oznajmia. – Pasujesz do nas. Mam wrażenie, że jesteś tu od tygodni.

– Dziękuję.

– Mam też nadzieję, że zostaniesz z nami dłużej.

– I ja też. – Teraz się uśmiecham.

W domu strzeżonym przez kamery, za wysokim ogrodzeniem, w towarzystwie nowych znajomych, niczego się nie boję.

Rozdział dwudziesty ósmy

W innym domu i w innym mieście Suresh nalał whisky do szklanek. Był to podły gatunek sprzedawany w supermarketach, jedyny, na jaki obecnie było go stać. Ale to się wkrótce zmieni. Trzej mężczyźni siedzący wraz z nim przy stole wlali sobie do gardeł mocny trunek, a on natychmiast napełnił ich szklanki.

– A więc nikt jej nie widział? – Suresh oparł ręce na kuchennym stole.

Pokręcili głowami.

Głośno wypuścił powietrze. Jego rodzice uparcie zapewniali, że o niczym nie mają pojęcia. Był pewien, że kłamią. Nie miał pomysłu, co robić. Pobić ich, aż się przyznają? Czasem miał na to ochotę. Wściekała go własna bezsilność. Ayesha musi gdzieś być. Przecież nie zapadła się pod ziemię.

– Smith, gadałeś z naszymi ludźmi w mieście. Nikt nie widział jej ani dzieciaka?

– Nie ma jej w Milton Keynes, Suresh. Jestem pewien – odparł tamten.

Miał czterdzieści kilka lat, był biały i umięśniony jak byk. Po twarzy można było poznać, że kiedyś uprawiał boks. Suresh chodził z nim na robotę wiele razy. W swoim czasie okradli wiele domów i buchnęli niejedną sportową brykę na zamówienie. Jego kumple stanowili niezłą kompanię, gdy trzeba było odebrać kasę od niesolidnego dłużnika albo kogoś postraszyć. Smith był szczególnie użyteczny, gdy sprawy przybierały nieciekawy obrót. Świetnie wiedział, jak dać człowiekowi nauczkę, której prędko nie zapomni.

Wszystko to jednak były małe skoki. Najwyższy czas zacząć poważniejsze operacje. Jeśli chcą zarobić prawdziwą kasę, muszą przejść do pierwszej ligi. Nadszedł ich czas. Wtedy właśnie ta idiotka Ayesha musiała dać nogę i pokrzyżować mu plany. Miał wystarczająco dużo na głowie bez konieczności tropienia jej i córki.

Suresh zacisnął pięści. Jakim cudem potulna do tej pory żona zniknęła z ich córką? Próbował przekupić lub zastraszyć ludzi, ale nikt nic nie wiedział.

– A ty? – zwrócił się do drugiego mężczyzny.

Ten pchnął w jego stronę zdjęcie Ayeshy. Na sam widok ogarnęła go wściekłość. Flynn także był znajomkiem z dawnych czasów. Potrafił skombinować każdy towar, nieważne, jak trudny do zdobycia.

– Przepytałem ludzi na dworcu kolejowym – burknął. – I nic. Nikt jej tam nie widział.

– Nie powinieneś się dawać wodzić za nos kobiecie – powiedział uszczypliwie Arunja, młodszy brat Suresha. – Chyba sflaczałeś na stare lata.

Suresh się zezłościł. To on zawsze był samcem alfa, a teraz szczeniak kpi z niego w żywe oczy. Własna żona wystawiła go na pośmiewisko przed całym miastem. Takich rzeczy się nie przebacza. Kiedy sprowadzi ją z powrotem – a prędzej czy później to się stanie – zamieni jej nędzne życie w piekło.

– Na dworcu autobusowym miałem więcej szczęścia – oznajmił Flynn. – Jeden z pracowników ją sobie przypomniał. Nie był pewien, czy to ta sama osoba, ale wydawało mu się, że pojechała rannym kursem na dworzec Victoria.

– Londyn? – Suresh uniósł brwi. – Nie zna tam nikogo.

– Mówię, co usłyszałem. – Kumpel wzruszył ramionami. – Wyglądała na śmiertelnie wystraszoną. Niewiele jest kobiet podróżujących z dzieckiem o wpół do piątej rano.

Suresh obgryzł paznokieć. Możliwe, że istotnie wypuściła się aż do Londynu.

– Co teraz mamy robić, Suresh?

– Czekaj, niech pomyślę.

– Możemy powęszyć i tam. Wysłać paru chłopaków na przeszpiegi. – Smith nalał sobie whisky i podał butelkę Flynnowi.

– Ciężko będzie. – Flynn skrzywił się. – Niech idzie do diabła.

– Nigdy. – Teraz Suresh wypił haust.

Trunek palił go w przełyku, ale jeszcze bardziej paliła go nienawiść do żony, która ośmieliła się okazać mu nieposłuszeństwo.

– Idziemy w straszne koszty, Suresh. Musiałem odpalić dwadzieścia funtów gościowi na Coachway, zanim coś z niego wyciągnąłem.

Ludzie znają wartość informacji. Suresh wyjął portfel, wyciągnął banknot i przesunął po stole w kierunku Flynna.

– Nie zubożejesz.

– Dzięki, koleś. – Flynn schował banknot do kieszeni. – Nie chodzi tylko o pieniądze. Jeśli chcesz ją odnaleźć, przygotuj się na kłopoty.

– Znajdę sposób – odparł Suresh.

– Londyn to wielkie miasto. – Arunja odchylił się na krześle i założył ręce za głową.

– Niewystarczająco wielkie. – Oczy Suresha zwęziły się.

Rozdział dwudziesty dziewiąty

– Co to jest dildo? – Podnoszę głowę znad książki.

– Dobry Boże! – jęczy Hayden. – Mnie o to nie pytaj. Na której stronie jesteśmy?

Siedzimy z Haydenem na kanapie w salonie. Sabina już zasnęła opatulona w łóżku, zapada noc. Podaję mu numer strony.

– Och. – Jest dziwnie blady. – Sporo jeszcze przed nami. – Pociera palcami brodę i teraz dostrzegam różowe plamy na jego policzkach.

– Zawstydziłeś się.

– Nie. Tak. – Śmieje się. – To dziewczyńskie sprawy. Spytaj Crystal.

– Albo Joy.

– Nie! Zdecydowanie nie Joy. – Energicznie kręci głową. – Czytaj dalej.

– To brzydkie słowo?

– Myślę, a raczej mam nadzieję, że nigdy ci się nie przyda.

Jego uniki są takie zabawne.

– Nie śmiej się – droczy się ze mną. – Kolejna książka, za którą się weźmiemy, będzie należała do klasyki. Jane Austin lub coś w tym stylu. Z nią będziemy na bezpiecznym gruncie. Jestem pewny, że nie znała… podobnych rzeczy.

Cieszę się, że Hayden już planuje „następną" książkę.

– Ominiemy ten akapit. Zacznij tutaj. – Wskazuje mi linijkę, a ja posłusznie kontynuuję czytanie.

Czytam powoli, ale z przyjemnością. Bridget jest zabawna. Chyba rozumiem, dlaczego dziewczyna Haydena lubiła do niej wracać.

Staram się bardzo wyraźnie wymawiać słowa, tak jak robiłam to z Sabiną. Teraz sama czyta po cichu, a ja nie wiem, co się dzieje w jej głowie i jak się rozwija. W poprzedniej szkole nauczyciele zapewniali mnie, że jej postępy w nauce są nie mniejsze, niż były. Mam nadzieję, że mieli rację. Po raz stutysięczny modlę się w myślach, żeby moja kochana córeczka wróciła do mnie.

Crystal wyszła już do nocnej pracy, a Joy poszła do siebie. Wcześnie oddala się na spoczynek i w swojej sypialni ogląda telewizję. Chyba czuje się samotna, mimo ogrodniczego hobby i wypraw do ośrodka dziennego pobytu. Jestem pewna, że nie zrzędziłaby tyle, gdyby rodzina mieszkała nieopodal i wnosiła w jej życie miłość.

Wieczór wciąż jest ciepły, więc drzwi do ogrodu są otwarte. Najmniejszy przeciąg nie porusza zwiewnych firanek. Odgarniam z karku ciężkie włosy i myślę, że warkocz to doprawdy bardzo praktyczna fryzura.

– Ładnie ci w rozpuszczonych włosach – mówi Hayden.

– Dziękuję. – Wbijam wzrok w książkę.

– Teraz ja zawstydziłem ciebie. Przepraszam, nie miałem zamiaru.

– Nie przywykłam do komplementów.

– A szkoda. – Wzdycha. – Laura miała długie blond włosy. Była bardzo piękna. Mówiłem jej to tak często, jak tylko mogłem.

– To jej fotografia stoi na fortepianie?

– Jedyna, na którą mogę patrzeć. Przy innych ogarnia mnie smutek. Mam ich setki w komputerze w gabinecie. Setki wizerunków moich i Laury schowanych gdzieś między rzeczywistością a cyberprzestrzenią.

– Przyjdzie taki dzień, gdy będziesz je oglądał z przyjemnością.

– Mam nadzieję. – W jego oczach jest ciemność, ale nie patrzy aż tak ponuro jak wtedy, gdy tu przyjechałam.

– Miło mieć w domu dziecko – mówi, jakby czytał mi w myślach. – Sabina nic nie mówi, ale sama jej obecność rozświetla to miejsce.

– Miło mi to słyszeć.

– Chcieliśmy z Laurą mieć dzieci – wyznaje.

– Przykro mi, że nie było wam to dane. – Chętnie położyłabym mu rękę na ramieniu, ale boję się go dotknąć.

– Wracamy do przygód naszej Bridget? – pyta szorstko. – Późno się robi.

Czytanie sprawia mi coraz większą przyjemność. Im częściej to robię, tym lepiej mi idzie. Rozdziały są krótkie, przewracam kartkę za kartką, aż wreszcie potykam się na słowie. – Tego nie rozumiem.

– *Fuckwittage* – Hayden chrząka. – Możesz sobie darować znaczenie. Nie używaj go, gdy pastor wpadnie na herbatkę. – Wyjmuje mi książkę z rąk i zamyka. – Zdaje się, że powinniśmy byli zacząć od czegoś mniej frywolnego.

– A ja uważam, że jest zabawna – chichoczę.

– Nie dziwię się.

– Bridget przypomina Crystal. Niczym się nie przejmuje. Chciałabym taka być.

– Lubię cię taką, jaka jesteś – odpowiada Hayden. I dodaje ze śmiechem: – Przepraszam, to mógłby powiedzieć Daniel Cleaver.

– Mam wrażenie, że ten facet to same kłopoty. Bridget powinna się umawiać z tym miłym Markiem Darcym.

– Kobiety nie zawsze wybierają miłych facetów. Często wolą drani.

– Naprawdę? Więc nie wiedzą, co to znaczy być z… z draniem.

– Nie. Zapewne masz rację. Przepraszam za mój komentarz. Nie chciałem budzić złych wspomnień.

– Nie wybrałam sobie złego człowieka – wyjaśniam. – Małżeństwo zaaranżowali mama i tata. Byli przekonani, że zapewnią mi dobrą przyszłość. Rodzice Suresha są naszymi bardzo dalekimi kuzynami. Cała rodzina twierdziła, że są świetnie sytuowani.

– A nie byli?

– Nie. – Wzdycham. – Przedstawili w zbyt jasnych barwach swoje bogactwo i status społeczny. Oczywiście, mają wiele w porównaniu z przeciętnym mieszkańcem Sri Lanki, ale według europejskich standardów wcale nie są zamożni.

– Nieprzyjemne odkrycie.

– Nie, to nie miało dla mnie znaczenia – mówię. – Nie jestem osobą, która czci pieniądze.

– Ja też – zapewnia Hayden i rzuca spojrzenie na boki. – Choć mieszkam w pałacu. Mów dalej. Co się właściwie stało?

– Teściowie nie zdradzili, że Suresh ma ciemną stronę. – Wstyd mi spojrzeć Haydenowi w oczy. – Na Sri Lance wydawał mi się bardzo miły. Miałam nadzieję, że okaże się dobrym mężem. Nie znałam się na mężczyznach, skąd miałam wiedzieć? Mama i tata uważali, że nowa rodzina zadba o mnie, przyjmie mnie serdecznie, jak córkę. Niestety, teściowie niewiele mieli do powiedzenia. Na początku się starali. Potem tylko udawali, że nic złego się nie dzieje. – Znowu wzdycham. Może się za bardzo rozgadałam, ale teraz trudno się zatrzymać. Nigdy nikomu nie opowiadałam o swoim małżeństwie, teraz słowa same cisnęły się na usta. – Ale było już za późno. Wyszłam za mąż, mieszkałam w Anglii. Nie mogłam zdradzić rodzicom, że popełnili… że wszyscy popełniliśmy straszliwy błąd. Przecież by się zapłakali. Chcieli mojego szczęścia, a tymczasem mnie zawiedli. Ja też siebie zawiodłam. Byłam zbyt naiwna, zbyt ufna. Nieznajomy zawrócił mi w głowie pięknymi słówkami.

– Jak długo mieszkasz w Anglii?

– Dziesięć lat. Przeleciały jakoś.

– Za czym tęsknisz najbardziej?

– Za morzem – mówię rozmarzonym głosem. – Nasz dom stał tuż przy plaży. Piękny biały piasek, kołyszące się palmy, Ocean Indyjski. – Spuszczam oczy. – Myślę o tym, gdy jest mi smutno. Nie przestaję marzyć, że jeszcze kiedyś to wszystko zobaczę.

– Angielskie wybrzeże jest zupełnie inne. – Hayden się śmieje.

– Nigdy nie byłam nad morzem w Anglii.

– Nigdy? – Aż podskakuje.

– Nie. – Kręcę głową. Nie chcę się przyznawać, że moje życie toczyło się w domu, a jedyną rozrywką były nieliczne wycieczki do centrum handlowego. Ani razu nie wyjechaliśmy na wakacje. – Chciałabym, żeby Sabina miała okazję je zobaczyć

– Zobaczymy, co się da zrobić. – Uśmiecha się do mnie.

Rozdział trzydziesty

Mija tydzień i mam dobre wiadomości. Sabina została przyjęta do pobliskiej podstawówki. Crystal i ja zabieramy ją do supermarketu po wyprawkę szkolną.

Wieczorem, po kolacji, Sabina przebiera się w mundurek i paraduje w nim po kuchni. Łzy stają mi w oczach, gdy dumna jak paw demonstruje nową spódniczkę. Moje dziecko zmienia się w dużą dziewczynkę, nic tego nie powstrzyma. Widzę, że Joy i Crystal też się wzruszyły. Kiedy Sabina wykonuje ostatni obrót, entuzjastycznie bijemy jej brawo. Trochę zawstydzona umyka do naszego pokoju.

Idę za nią i tam, na osobności, mocno ją przytulam.

– Mam nadzieję, że ci się podoba nasze nowe życie, córeczko.

W jej nieśmiałym spojrzeniu wyczytuję obawę przed pierwszym dniem w nowej szkole. Wcale się nie dziwię.

– Nauczyciele już wiedzą o twoim problemie, będą się starali pomóc, ale najlepiej by było, gdybyś pomogła sobie sama i spróbowała mówić. Nie ma się czego bać. Teraz jesteśmy bezpieczne. Kłopoty pozostawiłyśmy daleko za sobą. – Nie dodaję, że zostawiłyśmy za sobą jej tatę i mam nadzieję, że na zawsze. Oby już nigdy nie stanął nam na drodze. Smutno mi, bo każde dziecko powinno mieć kochającego tatusia, ale ojciec Sabiny taki nie jest. – Trafiłyśmy do miłego domu. Hayden, ciocia Crystal i pani Joy bardzo, bardzo cię lubią. Powinnaś się cieszyć. – Odsuwam córkę i przyglądam jej się uważnie. – Jesteś już taka duża.

Przytula się do mnie, więc głaszczę ją po plecach. Najchętniej nie spuszczałabym mojej małej dziewczynki z oka i siedziała przy niej na lekcjach. Niezależnie jednak od tego, jak bardzo chciałabym ją chronić, Sabina musi się przystosować do nowej szkoły, jeśli ma znowu zacząć mówić. Będzie jej trudno, ale uwierzy we własne siły i nauczy się radzić sobie z problemami.

– Bardzo mi przykro, że tak długo zwlekałam z odejściem – mówię jej. – Obiecuję ci, że zawsze będę się kierowała twoim dobrem. Jesteś moim jedynym dzieckiem i kocham cię nad życie.

Wpatruję się w jej twarz i próbuję zapamiętać każdy rys. Serce mi się ściska. Głaszczę ją po policzkach, powiekach i niemych ustach. Zalewa mnie fala miłości, którą znają tylko matki. Cokolwiek się zdarzy w przyszłości, Sabina będzie dla mnie najważniejsza.

– Zdejmij mundurek – mówię. – Czas na kąpiel i do łóżka. Jutro musisz być wypoczęta.

Córka odsuwa się ode mnie, zdejmuję z niej białą bluzkę i plisowaną szarą spódniczkę. Ma na sobie też białe skarpetki i nowe czarne buciki. Jutro kupię jej bluzę z emblematem szkoły, w ładnym niebieskim kolorze.

Siedzę w łazience, gdy ona się kąpie. Namydlam gąbkę i myję jej szczupłe plecy, patrząc, jak spływają po nich strużki białej piany. Potem myję jej włosy. Są czarne i długie jak moje, ale dużo bardziej niesforne. Jutro zaplotę jej warkocz, żeby nie wyglądała jak rozczochraniec. I pomyśleć, że niedługo stanie się podlotkiem i nie będzie chciała mojej pomocy.

– Zależy mi, żebyś się przykładała do nauki – mówię łagodnie. – Pracuj, bądź coraz mądrzejsza. Wtedy osiągniesz w życiu wszystko, czego zapragniesz.

Nie będziesz zależna od żadnego mężczyzny, nie będziesz musiała prosić o jedzenie i ubranie. A on nie będzie mógł ci dyktować, co masz zrobić z własnym życiem.

Delikatnie osuszam ją miękkim ręcznikiem, po czym mała wskakuje w piżamkę. Układam się przy niej w naszym ogromnym łożu i przychodzi pora na lekturę jej ulubionych książeczek na dobranoc. Ja czytam na głos, a Sabina wodzi po linijkach paluszkiem. Crystal pokazała nam, gdzie w pobliżu jest biblioteka. Zapisałyśmy się do niej obydwie. Sabina ma teraz górę książek do wyboru.

Codziennie wieczorem czytamy z Haydenem „Dziennik Bridget Jones". Martwię się o Bridget. Zachowuje się czasem niemądrze i zdecydowanie za dużo pije i pali, ale i tak chciałabym, żeby jej się udało zdobyć ukochanego mężczyznę. W końcu Bridget, jak każdej kobiecie, zależy tylko na tym, żeby być kochaną.

Następnego ranka Crystal i ja odprowadzamy Sabinę do szkoły. Dzień jest piękny i ciepły. Po niebie płyną pierzaste obłoczki. Mamy przedsmak nadchodzącego lata.

Moja córka milczy, ale mocno trzyma nasze dłonie, gdy we trzy idziemy ulicą.

Do tej pory prawie nie wychodziłam. Może to głupie, ale wciąż bojaźliwie zerkam za siebie. Mam nadzieję, że kiedyś mi to przejdzie.

W szkole przedstawiam się wychowawczyni i zostawiam z nią Sabinę. Wygląda na miłą osobę, więc jestem spokojna, że córka jest w dobrych rękach. Wychodzę na korytarz.

– Sabinka sobie poradzi – zapewnia mnie Crystal, gdy ramię w ramię maszerujemy do wyjścia.

A jednak tulimy się do siebie i mamy łzy w oczach.

– Nie wiedziałam, że tak to przeżyję – wyznaje Crystal. – Popatrz, rozmazałam sobie makijaż. Było mi trudno ją tu zostawić. Wyobrażam sobie, co ty czujesz.

– Martwię się trochę – mówię, choć serce mi się kraje.

– A ja jestem na skraju histerii. Musimy napić się kawy. I koniecznie zjeść coś czekoladowego. – Bierze mnie pod rękę i kierujemy się na High Street w poszukiwaniu najbliższej kawiarni.

– Powinnaś częściej wychodzić – orzeka Crystal. – Nie masz powodu, by ukrywać się całymi dniami w czterech ścianach.

– Przyzwyczajenie drugą naturą człowieka. Do tej pory musiałam prosić o zgodę na każde wyjście z domu. Dziwnie się czuję, gdy nie muszę się nikomu tłumaczyć.

– Możesz robić, co ci się podoba. Ciesz się wolnością.

Dobra rada. Zamierzam rozkoszować się chwilą, pijąc kawę w towarzystwie przyjaciółki.

Crystal idzie złożyć zamówienie, a ja zajmuję stolik. Wybieram skórzaną sofkę przy oknie frontowym. Możemy stąd obserwować miejski ruch za oknem. Podoba mi się ta okolica. Na High Street zawsze się dużo dzieje, a jednocześnie przypomina małe miasteczko wpisane w pejzaż metropolii. Sklepy mają śliczne wystawy, nie byłoby mnie stać na żadną ze sprzedawanych tam rzeczy. Prawdę mówiąc, nawet na dom towarowy Primark mnie nie stać. Mam niesamowite szczęście, że mogę tu mieszkać. Muszę zadzwonić do Ruth i podziękować jej za to, że dzięki niej poznałam Crystal. Domy w tej dzielnicy warte są miliony funtów, doprawdy nie wiem kogo, poza sławnym piosenkarzem, stać na podobny wydatek. Jestem niesamowicie wdzięczna Haydenowi, że przyjął pod swój dach mnie i Sabinę. Crystal twierdzi, że Hampstead jest ulubioną dzielnicą celebrytów i gwiazd telewizyjnych. Jak dotąd, nikogo takiego nie widziałam. Może dlatego, że nie rozpoznałabym nikogo sławnego. Crystal obiecała, że mi ich pokaże. Wtedy przychodzi mi na myśl, że z tego właśnie powodu Hayden nienawidzi pojawiać się w miejscach publicznych, i robi mi się wstyd. Postanawiam od tej pory ignorować sławnych i popularnych ludzi, żeby ich nie wprawiać w zakłopotanie.

Crystal wraca, przynosząc nam kawę i muffiny czekoladowe. Rozsiada się na kanapie obok mnie i zabiera do pałaszowania swojego ciastka. Wygląda wspaniale - w obcisłych dżinsach i kolorowym żakiecie w kwiaty przypomina barwną papugę. Włosy ma wysoko upięte, a w jej uszach kołyszą się ciężkie kolczyki. Pomarańczowa szminka pasuje do butów. Nie zdjęła okularów przeciwsłonecznych, choć siedzimy w kawiarni. Ja mam na sobie ładną bluzkę i płócienne spodnie, zestaw, który wybrała dla mnie Crystal i zaraz stał się moim ulubionym strojem. Jest nowoczesny, a zarazem skromny.

– Musisz wybrać się ze mną któregoś wieczoru do klubu – zachęca mnie Crystal. – Opowiedziałam o tobie dziewczynom. Umierają z ciekawości, jaka jesteś. Jest też praca. Nie tancerki, to jasne, ale brakuje nam barmanki i szatniarki.

– Lepiej mi będzie w szatni.

– Przyjdź, wtedy zdecydujesz.

– Co mam zrobić z Sabiną? Nie mogę jej zostawić samej na noc.

– Joy przy niej posiedzi. Na pewno się zgodzi. Nie ma nic innego do roboty.

– Poproszę ją. Chciałabym zobaczyć miejsce, w którym pracujesz. I popatrzeć na twój taniec.

– Czeka cię niespodzianka, skarbie – mówi Crystal, rzucając mi spojrzenie znad okularów. – Masz to jak w banku.

Rozdział trzydziesty pierwszy

Następnego dnia wieczorem przygotowuję dla nas posiłek trochę wcześniej niż zwykle. Jestem pewna, że Sabina będzie zmęczona po szkole. Zrobiłam kolejną wyprawę do warzywnika Joy i dzięki temu mamy kurczaka duszonego w gęstym sosie cebulowo-pomidorowym, a do niego smażoną kapustę z marchewką (przepis z Indii, ze stanu Gudźarat), oczywiście doprawioną chili. Dla Joy robię potrawkę z kurczaka bez ostrych przypraw, a kapustę rozgotowuję w wodzie, aż przypomina gąbczastą papkę – tak jak lubi.

Wczoraj Sabina wyglądała na zmęczoną. Czekałam na nią po lekcjach. Miałam ochotę porwać ją w ramiona. Nauczycielka powiedziała, że dobrze sobie radziła, ale dzieci uznały, że jest dziwna, bo nie mówi. Rozgniewałam się. Gdyby wiedzieli, przez co przeszła, nikt by jej nie uważał za dziwaczkę.

Siedzi teraz przy stole i patrzy w przestrzeń, choć powinna odrabiać pracę domową. Nie mam serca jej strofować.

Nie widziałam Haydena przez cały dzień. Crystal poszła gdzieś po wypiciu kawy, sama wracałam do domu. Kiedy weszłam, Hayden siedział zamknięty w swoim gabinecie. Słyszałam, jak rozmawia przez telefon, ale nie pojawił się na lunchu, choć zapukałam i powiedziałam, że zostawiam dla niego na stole pierożki samosa i sałatę.

Po lunchu sprzątnęłam kuchnię, a potem tę część domu, do której mam dostęp. Na końcu wysprzątałam nasz pokój. Usiadłam na łóżku, rozejrzałam się i poczułam, że spotkało mnie szczególne błogosławieństwo. Bogowie, którzy nas tu sprowadzili, okazali mi swą łaskę. Po południu nie miałam nic do roboty. Czekałam, aż przyjdzie pora na odebranie Sabiny ze szkoły i przygotowanie kolacji. Mogłam poczytać książkę, ale przyzwyczaiłam się do głośnej lektury z Haydenem. Zabrałam się więc do kolejnego listu do rodziców, żeby im opowiedzieć, o ile lepiej układa się teraz nasze życie. Wyjaśniłam im, że zaczynam być samodzielna i jestem szczęśliwa jako samotna kobieta. Wiem, że przeżyli zawód z powodu katastrofy, jaką się okazało moje małżeństwo, ale z pewnością będą dumni, bo ich córka dzielnie sobie radzi.

Joy wyrywa mnie z zamyślenia, gdy schodzi na dół.

– Pomóc ci w pracy domowej, Sabino? – pyta.

Moja córka kiwa głową, więc Joy siada obok niej i razem sprawdzają coś w podręczniku.

Następną osobą, która do nas dołącza, jest Crystal. Jestem niemal pewna, że dziś wieczorem to już wszyscy, ale gdy podaję do stołu, do kuchni wchodzi Hayden.

– Przepraszam – mówi. – Byłem dosyć zajęty.

– Co robiłeś? – dopytuje się Crystal.

– To i tamto. – Wzrusza ramionami.

– Hayden Daniels, człowiek pełen sekretów – żartuje Crystal.

– Joy – mówię – oto danie specjalnie dla ciebie. – Stawiam przed nią potrawkę z kurczaka. – Bez przypraw.

– Dziękuję, Ayesho. – Rumieni się lekko i wygląda na skrępowaną. – Nie musiałaś robić sobie kłopotu.

– To żaden kłopot – zapewniam ją. – Jest też gotowana kapusta.

– Chętnie spróbowałabym twoich potraw, jeśli pozwolisz – mówi. – Boję się tylko, że nie będą mi smakować.

– Sos do kurczaka jest całkiem łagodny – odpowiadam. – Ale nie obrażę się, jeśli zostawisz danie na talerzu.

– Nie wybrzydzaj, tylko pałaszuj – wtrąca się Crystal. – To pierwszorzędne żarcie.

Podaję Joy półmisek, nakłada sobie trochę.

– Dziękuję, wezmę tylko na skosztowanie. Zrobiłaś przecież potrawkę specjalnie dla mnie. Nie chcę, żeby się zmarnowała.

Niezwykle ostrożnie wkłada do ust odrobinę kurczaka curry. Muszę odwrócić wzrok, żeby nie parsknąć śmiechem. Krzywi się, wydyma usta. Popija wodą.

– Niezłe – mówi i zaczyna kaszleć.

Wszyscy się śmiejemy. Crystal klepie ją po plecach.

– Naprawdę smaczne – mruczy Joy. – Nie róbcie tyle hałasu o nic.

Moja przyjaciółka przewraca oczami i robi do mnie porozumiewawcze miny. Kiedy już wszyscy są obsłużeni, siadam przy stole i pomagam Sabinie pokroić kurczaka.

– Dostałam dziś list od Stephena – mówi Joy. – Zamierzali mnie odwiedzić całą rodziną w tym roku, ale wygląda na to, że im się nie uda. Jest bardzo zapracowany, zresztą przy trójce dzieci… – zawiesza głos.

– Pewnie jesteś zawiedziona. – Kładę rękę na jej dłoni.

Ma przesuszoną, zwiotczałą skórę. To dłoń nawykła do ciężkiej pracy. Jeśli się przyjrzeć uważniej, widać odciski i drobne skaleczenia. To nie jest ręka osoby, którą los rozpieszczał. Muszę znaleźć dla niej ajurwedyjski krem rumiankowy albo nagietkowy. Powinien nawilżyć skórę i złagodzić podrażnienia.

– Tak, moja droga. Nawet bardzo – odpowiada starsza pani z wysiłkiem.

– Najwyższy czas, żebyś to ty ich odwiedziła – sugeruję.

– Och, nie – broni się Joy. – Przecież wiedzą, że podróże nie są dla mnie.

– Dzisiaj spróbowałaś mojego curry i posmakowało ci – zauważam. – A w zeszłym tygodniu byłaś pewna, że nigdy nie weźmiesz go do ust.

– Wejście na pokład samolotu i podróż przez pół świata to inna para kaloszy.

– Może wszyscy powinniśmy się wybrać do Azji – rzuca Crystal. – Hayd, byłeś w Singapurze?

– Byłem na tournée – odpowiada. – Spodobałoby ci się, Joy. Jest tam bardzo czysto.

Ale ona tylko burczy coś pod nosem. Zmieniam więc temat.

– Chciałabym cię poprosić o przysługę, Joy. Zamierzam znaleźć pracę, a w klubie Crystal poszukują szatniarki. Czy mogłabyś posiedzieć z Sabiną, gdy wyjdę dziś wieczorem? Będę ci bardzo wdzięczna.

– Chyba nie mówisz serio, że wybierzesz się do takiego lokalu? – Joy aż podskakuje.

– Nie ma w tym nic złego. – Crystal wyraźnie czuje się zaatakowana.

– Nie wolno ci zabierać tam Ayeshy.

– Dziewczyny w klubie chcą ją poznać – odpowiada ostro Crystal. – A poza tym żadna praca nie hańbi.

– Ayesha może robić milion innych rzeczy – sarka Joy.

– Nie mam żadnych kwalifikacji – zauważam cicho. – Na niczym się nie znam.

– Brak doświadczenia to jedyne, czym można wytłumaczyć taki głupi pomysł – irytuje się Joy. – Trzeba być szalonym, żeby szukać pracy w takim miejscu.

– Wszyscy czasem musimy robić rzeczy, których nie lubimy – mamrocze Crystal.

– Ayesha przez ostatnich dziesięć lat musiała robić wystarczająco dużo rzeczy, których nie lubiła, bo ktoś jej kazał – przerywa nam Hayden i zwraca się do mnie: – Jeśli chcesz usłyszeć moją opinię, stanowczo ci odradzam. To nie dla ciebie. Jednak masz prawo wyrobić sobie opinię.

– Nie mogę uwierzyć, że Crystal zaproponowała jej coś podobnego – oburza się Joy.

– Nie wstydzę się tego, co robię. – Crystal najeża się jeszcze bardziej.

Nie mogę się nagle wycofać i zostawić jej samej na placu boju, ale perspektywa nocnej wyprawy zaczyna mnie niepokoić.

– Może powinnaś - dorzuca Joy.

– Chciałabym pójść – mówię, choć w środku trzęsę się ze zdenerwowania.

– Zajmę się Sabiną – proponuje Hayden. Spogląda przez stół na moją córkę. – Zostaniesz ze mną?

– Ja ją popilnuję – wtrąca Joy.

Kłócą się o nią, a ja zupełnie tracę ochotę na eskapadę.

– Umiesz szydełkować, moja panno? – pyta Joy.

Sabina kręci głową.

– Nauczę cię.

Moja córka się uśmiecha.

– Świetnie. Postanowione – mówi Crystal. – Przebierz się, Ayesho. Włóż długą sukienkę. Wyglądasz trochę jak Pollyanna.

Hayden raptownie podnosi głowę i stwierdza niespodziewanie ostrym tonem:

– Wygląda pięknie i nic nie musi zmieniać.

Wszystkie patrzymy na niego z otwartymi ustami, a on rumieni się aż po nasadę włosów.

– Cóż, taka jest prawda – dodaje.

Rozdział trzydziesty drugi

Suresh gapił się przez okno. Niewiele tam było do oglądania, bo czarny jaguar Flynna posuwał się w ślimaczym tempie między dwoma tirami.

Czterej mężczyźni wyruszyli do Londynu, ale jeszcze przed końcowym zjazdem z autostrady M1 utknęli w korku spowodowanym przez roboty drogowe na jednym z pasów ruchu. Flynn prowadził, w radiu spiker plótł trzy po trzy, a Suresh czuł, jak narasta w nim złość. Wyjechali później, niż planował, a teraz groziło im, że przyjadą na miejsce pod wieczór, gdy wszystko będzie już zamknięte.

– Jaki właściwie mamy plan? – spytał Arunja z tylnego siedzenia.

– Chcę się upewnić, że Ayesha i Sabina wysiadły z autobusu w Londynie, tak jak podejrzewamy – odparł Suresh krótko. – Sprawdzimy w sklepach i knajpach w okolicy Victoria Station, czy ktoś je zauważył.

W lusterku dostrzegł, jak Arunja i Smith wymieniają mało entuzjastyczne spojrzenia.

– Mogły pojechać dalej – powiedział brat zniechęcony. – Wystarczy, że na dworcu przesiadły się do innego autobusu, do Bristolu albo Bournemouth.

– Spróbujemy ustalić, czy tak się stało – warknął w odpowiedzi. – Chcesz, żebym jej pozwolił zabrać moje jedyne dziecko?

Arunja tylko wzruszył ramionami.

– Dobrze ci płacę. Nie narzekaj.

Jego brat to kawał lenia, co dodatkowo złościło Suresha. Pozwalał, by żona wychodziła i wracała, kiedy jej się podobało. Arunja przez większość czasu nie miał pojęcia, gdzie ona jest. Dzieci także łaziły samopas, a brat zdawał się nie przywiązywać do tego wagi. Zupełnie o to nie dbał. Suresh miał inne zasady.

Ucieczka Ayeshy przepełniała go gniewem, żrącym od środka jak kwas. Nie spocznie, dopóki jej nie odnajdzie.

Samochody wreszcie ruszyły, a w nim narastała irytacja. Nieważne, co sobie myśli Arunja – albo nawet Smith czy Flynn – nie zaprzestanie poszukiwań. Ktoś musi wiedzieć, gdzie jest Ayesha, znajdzie ją w końcu.

– Powinniśmy przy okazji urządzić sobie imprezę – zaproponował Flynn, oparty na kierownicy. – Znam jednego gościa, nazywa się Vinny Alessi. Przed laty pracowaliśmy razem na bramce. Teraz prowadzi klub go-go gdzieś na Finchley Road. Nazywa się „Pragnienia" albo coś w tym stylu. Możemy się tam wybrać wieczorem. Poderwać jakieś dziewczynki.

– Wchodzę w to – odparł Arunja.

– Ty nie przepuścisz żadnej chętnej cipce – rzucił Suresh przez ramię.

– Chyba nie masz z tym problemu? – Brat roześmiał się niefrasobliwie, bez urazy.

Suresh musiał przyznać, że to nie jest zły pomysł. Zabawią się trochę i rozładują nadmiar adrenaliny.

– Zadzwonię do niego – oznajmił Flynn. – Zapowiem, że wpadniemy.

Dopiero po godzinie jazdy znaleźli się w pobliżu dworca autobusowego Victoria Station, gdzie Flynn znalazł miejsce na parkingu. Wygramolili się z auta. Suresh wręczył im komputerowe wydruki zdjęć Ayeshy i Sabiny. Nie pamiętał, przy jakiej okazji zostały zrobione, ale żona i córka patrzyły ponuro w obiektyw.

Korona by jej z głowy nie spadła, gdyby się czasem uśmiechnęła, pomyślał ze złością.

– Wy dwaj pójdziecie na dworzec – polecił Flynnowi i Arunji. – Pytajcie w kasach, kioskach, sklepach. Może ktoś zwrócił na nie uwagę. My popytamy w kawiarniach i sklepikach na sąsiednich ulicach – zwrócił się do Smitha. – Jesteśmy w kontakcie. Dajcie znać, gdyby któryś wpadł na jakiś trop.

Dwaj mężczyźni przeszli na drugą stronę ulicy i skierowali się na dworzec. Smith i Suresh ruszyli w przeciwnym kierunku.

– Ja powęszę tutaj, a ty sprawdź sąsiednią ulicę – powiedział Suresh.

Smith bez protestu wykonał polecenie.

Byłoby dobrze, gdyby Arunja umiał trzymać język za zębami, jak ten gość, pomyślał Suresh.

Wszedł do pierwszego z brzegu sklepu. Podał zdjęcie ekspedientce za ladą.

– Dzień dobry. – Uśmiechnął się uprzejmie. – Jestem policjantem. Mam nadzieję, że mi pani pomoże. Czy nie widziała pani tej kobiety? Zaginęła. Rodzina bardzo się o nią niepokoi.

– Nie. – Sklepikarka ledwo rzuciła okiem na fotografię.

Miała nieruchomą twarz, nie przestała żuć gumy. Znał dobrze ten typ ludzi.

– Dziękuję. – Skłonił się, choć pięści same mu się zacisnęły. – Była pani bardzo pomocna.

Wyszedł na ulicę i skierował się do sąsiedniego lokalu. I następnego. I kolejnego. Nikt nie widział Ayeshy. Może chłopcy na dworcu będą mieli więcej szczęścia. Cierpliwie wchodził do kolejnych barów i sklepików. Bez powodzenia. Niechętnie przyznał, że może brat miał rację. To szukanie wiatru w polu.

Na sąsiedniej ulicy sprawdził niewielki sklep samoobsługowy, dwie kawiarnie i delikatesy. Wszędzie reakcją było wzruszenie ramionami i zaprzeczenie. Kolejna kafejka, do której wszedł, była ciepła i przytulna. Zapach świeżej kawy nasunął mu myśl, że najwyższy czas zaproponować kompanom chwilę przerwy na odświeżenie się. Musi dbać o ich dobry nastrój, będą bardziej użyteczni.

– Proszę o małe espresso – powiedział do starszego człowieka za kontuarem.

Mężczyzna wziął filiżankę i uruchomił ekspres.

– Jestem policjantem – wyrecytował Suresh swój wypróbowany tekst. – Szukamy zaginionej kobiety z dzieckiem. – Wyjął zdjęcie. – Widział je pan?

Człowiek za ladą podniósł wzrok. Jego źrenice rozszerzyły się, zaskoczony kiwnął głową.

– Jasne – powiedział. – Widziałem je.

– Ostatnio? – Suresh poczuł, że jego serce przyspieszyło.

– Kilka tygodni temu. Może wcześniej. Zapamiętałem dziewczynkę. Śliczny dzieciak. Matka powiedziała, że jest niemową.

Sureshowi zaschło w ustach. To musiały być one. Bo któżby inny? Starał się, by jego twarz nie wyrażała gwałtownych emocji.

– Powiedziała, dokąd idą?

– Kobieta pokazała mi adres. – Mężczyzna wydął wargi. – Chyba w okolicy Euston. Drummond Street? Nie jestem pewny na sto procent. Minęło sporo czasu.

Dokąd się wybierały, do diabła?

– Coś jeszcze?

– Nie, dziękuję. Bardzo nam pan pomógł. – Suresh zapłacił za kawę i odsunął się od kontuaru. Już przy stoliku wyjął komórkę i zadzwonił do Smitha. – Jestem na dobrym tropie – powiedział. –

Zwołaj chłopaków. – Podał namiary lokalu. – Stawiam wszystkim dobrą kawę.

Skończył rozmowę i uśmiechnął się pod nosem. Udało ci się prysnąć, droga Ayesho, ale nie uda ci się ukryć przede mną.

Rozdział trzydziesty trzeci

– Bądź grzeczna – mówię córce. – Słuchaj, Joy. Nie kładź się zbyt późno. Wrócę najwcześniej, jak się da. – Nie lubię, gdy Sabina zostaje pod opieką obcych ludzi, ale muszę się przyzwyczaić, skoro mam zostać pracującą mamą. Całuję ją w czubek głowy, wdychając słodki zapach.

– Będziemy się dobrze bawić – obiecuje Joy. Dotyka mojego ramienia z niepewną miną. – Czy jesteś pewna, że chcesz to zrobić?

Joy i Hayden wymieniają niespokojne spojrzenia.

– Tak – zapewniam ją. – Muszę. – Obiecałam Crystal, że dzisiaj pójdę z nią do klubu, i nie chcę jej zawieść.

– Uważaj na tę dziewczynę. – Joy zwraca się do Crystal. – Inaczej będziesz miała ze mną do czynienia.

– Napij się zimnej wody, Joy – cmoka Crystal. – To ma być praca w szatni, nic więcej. – Poprawia fryzurę ostatni raz. – Chodźmy, Aysho. Taksówka czeka. Jeśli się spóźnię, obie będziemy bezrobotne.

Niechętnie zostawiam Sabinę pod opieką Joy i pędzę za moją przyjaciółką. Ma na sobie minisukienkę, której wzorek przypomina skórę lamparta, rajstopy kabaretki i nieprawdopodobnie wysokie szpilki. Nie wiem, jak można w czymś takim chodzić. Na wierzch zarzuciła prochowiec, który mocno związała paskiem.

Ja dla odmiany włożyłam długą sukienkę, a na nią dopasowany żakiecik, który kupiła mi Crystal.

– W porównaniu z tobą wyglądam jak kopciuszek – mówię, gdy wsiadamy do samochodu.

– Wyglądasz bardzo ładnie – zapewnia mnie.

– Dziękuję.

– Gdybyś szukała posady tancerki, to inna sprawa. Wtedy chcieliby zobaczyć trochę ciała.

– Och.

Crystal zrobiła mi makijaż. Tym razem trochę mocniejszy. O dziwo, czuję się w nim bardziej pewnie, jakbym miała na twarzy maskę, za którą mogę się schować. Będę dzisiaj potrzebowała wszystkiego, co mi pomoże przetrwać wieczór. Hayden i Joy sprawiali wrażenie szczerze zaniepokojonych, więc ja też jestem pełna obaw.

Taksówka wlecze się powoli, tu i ówdzie tkwimy w korku. Nie wiem, dokąd jedziemy, ale nie zadaję Crystal zbędnych pytań. Odpowiedź i tak niewiele by mi wyjaśniła. Siedzę więc i wyglądam przez okno, a Crystal żuje gumę i wysyła esemesy.

Powinnam kupić telefony komórkowe. Jeden dla mnie i jeden dla mojej córki. Mogłaby się ze mną skontaktować w każdej chwili, gdyby miała taką potrzebę. Myślę o aparacie, który wyrzuciłam do kosza po przyjeździe do Londynu. Ciekawe, czy Suresh wciąż dzwoni na tamten numer, próbując mnie znaleźć. A może dał za wygraną. Uciekłam od niego nie tak dawno temu, a czasem wydaje mi się, że to cała wieczność. Jestem innym człowiekiem, żyję od nowa. Wciąż jednak czuję się jak uciekinier z więzienia i wciąż mi się wydaje, że pościg jest na moim tropie.

– Myślisz, że Suresh mnie znajdzie? – pytam niespokojnie Crystal.

– Coś ty. Każdy może skutecznie zniknąć. – Przerywa wysyłanie esemesów. – No, chyba że się jest Haydenem Danielsem, oczywiście.

– Bardzo sobie ceni prywatność.

– Ma powody. Trudno dojść do siebie po takim ciosie.

– Bardzo mu współczuję.

– Ja też – mówi Crystal. – Z relacji ludzi wiem, że jest zaledwie cieniem człowieka, którym był przedtem. Kiedyś brylował na każdym przyjęciu, był duszą towarzystwa. Skupiał na sobie całą uwagę otoczenia.

Myślę, że wolę samotnika Haydena, jakiego znam. „Dusza towarzystwa" to dla mnie człowiek pokroju Daniela Cleavera.

– Przy tobie bardzo się zmienił – dodaje Crystal. – Przedtem prawie nie wychodził z pokoju. Teraz wywabia go z nory twoje pitraszenie. – Trąca mnie i chichocze. – Mówią, że droga do serca mężczyzny prowadzi przez żołądek. Ja nie umiem nawet otworzyć konserwy bez wypadku. Może dlatego nie mam szczęścia w sprawach sercowych.

Robi mi się miło na myśl, że Hayden czuje się lepiej od chwili, gdy Sabina i ja sprowadziłyśmy się do jego domu, i że nie jest to jedynie moje pobożne życzenie.

Taksówka się zatrzymuje.

– Wysiadamy – mówi Crystal. – Jesteśmy na miejscu.

Idę za nią. Rozglądam się, gdy ona płaci za kurs.

Jesteśmy na ruchliwej, dużej ulicy. Myślę, że bliżej centrum Londynu, ale nie mam dobrej orientacji w terenie. Pełno tu wysokich biurowców i restauracji. Zatrzymujemy się przed wejściem z krzykliwym neonem PRAGNIENIA KLUB DŻENTELMENÓW. Przed drzwiami stoją dwaj wielcy zapaśnicy w marynarkach. Mówiąc szczerze, nie tak wyobrażałam sobie wejście do klubu odwiedzanego przez dżentelmenów. Zaczynam żałować, że nie posłuchałam Haydena i Joy i nie zostałam w domu.

– No, dobrze – wzdycha Crystal. – Nie bądź zszokowana. Okej?

– Nie będę – obiecuję.

Wygląda, jakby już żałowała, że mnie ze sobą wzięła. Ale potem łapie mnie za rękę i wciąga do środka.

Rozdział trzydziesty czwarty

Hayden siedział przy fortepianie i grał. Wydawało mu się, że otworzył wewnętrzne śluzy, bo muzyka płynęła przez niego wartkim strumieniem. Palce aż go świerzbiły, żeby tańczyć po klawiszach, przepełniała go dobra energia. Zupełnie znikąd pojawił się w jego duszy okruch szczęścia. Czuł się wspaniale.

Po drugiej stronie pokoju siedziała Joy z przytuloną do niej Sabiną. Dziewczynka miała różową piżamkę i wyglądała słodko. Wyciągnęła z warkocza długi kosmyk ciemnych włosów i trzymała go w jednej rączce, ssąc kciuk drugiej. Hayden grał cicho, żeby słyszeć, co Joy mówi do dziecka.

– Teraz weź wełnę w ten sposób. – Pochyliła się nad małą, żeby Sabina mogła lepiej widzieć. – Owiń koniec wokół palca i zrób pętelkę. Wsuń w nią szydełko i zaciśnij włóczkę. Zawsze zaczynamy od ściegu łańcuszkowego. – Joy pokazywała, co robi, krok po kroku, a dziewczynka ją naśladowała.

Bystry dzieciak, pomyślał Hayden.

Bez dwóch zdań. Słucha uważnie instrukcji Joy i w lot łapie, o co chodzi. Uczy się z zapałem, aż miło patrzeć. Ayesha musi się bardzo martwić niemotą Sabiny. Może, kiedy już się oswoją z nowym otoczeniem, zabierze córkę do specjalisty i odważy się na terapię. Choć Sabina nie szczebiotała, jak to robi większość dzieci w jej wieku, nadal była jak promyk światła w ciemnym pokoju. Udało jej się nawet zmiękczyć serce Joy, gderliwej z natury i nieustannie krytycznej wobec wszystkich i wszystkiego.

Haydenowi nie podobało się, że Ayesha poszła do klubu, w którym pracowała Crystal. On nigdy tam nie był. Widział wystarczająco wiele podobnych miejsc, żeby na zawsze je sobie obrzydzić. Wiedział też, że Crystal od pewnego czasu nie pracuje już na West Endzie. Niewiele mówiła o nowym lokalu, ale był pewien, że nie przypominał modnych i wytwornych klubów, raczej ich tandetne i kiczowate odpowiedniki. Nie było to miejsce, gdzie Ayesha poczuje się swobodnie. Jednak dorosła kobieta ma prawo decydować o swoim życiu.

Wielokrotnie proponował Crystal, że znajdzie dla niej inną pracę, ale duma nie pozwalała jej przyjąć oferty. Miała długi, które chciał za nią spłacić, na co też się nie zgodziła. Powiedziała, że już i tak zbyt wiele od niego bierze. Co za nonsens. W ciągu ostatnich lat Crystal była jego kołem ratunkowym. To on miał wobec niej dług wdzięczności, nie odwrotnie.

– Teraz narzucasz nitkę na szydełko i przeciągasz przez oczko – kontynuowała Joy, a Sabina pilnie ją naśladowała. – Powtarzasz to, aż powstanie łańcuszek.

Dziewczynka skupiła się na swojej robótce.

– Mam kilkoro wnuków – pochwaliła się Joy, a szydełko migało w jej ręce. – Kiedy dwie najstarsze dziewczynki mieszkały w Anglii, uczyłam je szydełkować i robić na drutach. – Przerwała i oceniła pracę Sabiny. – Bardzo ładnie. Pilnuj, żeby oczka były jednakowe. Nie za luźne. Nie za ciasne. Wkrótce będziesz miała wyczucie.

– Teraz ich nie widuję – dodała Joy po chwili. – Moje dzieci i wnuki mieszkają bardzo daleko. – W oczach miała smutek. – Nigdy nie widziałam najmłodszego wnuka. Wiesz, jakie to przykre?

Sabina zrobiła minę, jakby świetnie to rozumiała.

– Ty też nigdy nie odwiedziłaś dziadków, którzy mieszkają na Sri Lance?

Dziewczynka pokiwała głową.

– Chciałabyś ich poznać?

Znowu kiwanie głową.

– Życie bywa trudne – powiedziała Joy z ponurą miną. – Rozdziela nas z najbliższymi. Chciałabym kiedyś usiąść, otoczona wnukami, i uczyć je robótek ręcznych. Po to się ma babcię.

Joy jakby się nagle postarzała, przybyło jej z dziesięć lat, w oczach pojawiły się łzy. Hayden zauważył, że Sabina przytuliła się do niej.

– Rozkleiłam się. – Joy usiadła prosto. – Teraz robimy ścieg zwrotny. Tu dodajesz oczko, a tu wbijasz szydełko. – Pokazała dziewczynce na swojej robótce. – Nakładasz włóczkę, przeciągasz przez oczko, nakładasz, przeciągasz. Proste.

Hayden uśmiechnął się na widok dwóch głów pochylonych nad robótkami ręcznymi.

Pal diabli sławę, pomyślał.

Chciał cichego, spokojnego życia. Weźcie sobie gale i czerwone dywany. Szampany, nagrody i zaszczyty. Czerwony dywan prowadzi do wrót piekieł.

Spojrzał na Joy i Sabinę. Czy pewnego dnia będzie miał żonę i dziecko, które rozsiądą się na kanapie z robótką, gdy on zasiądzie do fortepianu? Może opuszczą Londyn i wyprowadzą się na prowincję, jak zamierzał to zrobić z Laurą. Kupią małą ustronną posiadłość nad morzem. Przeniósł wzrok na fotografię z uśmiechniętą Laurą, na jej rozwiane jasne włosy. Rysy ukochanej pomału zacierały się w pamięci. Nie potrafił jej sobie wyobrazić bez spojrzenia na zdjęcie. Nie umiał przywoływać jej zabawnych zwyczajów, min i powiedzonek z taką łatwością jak kiedyś. Może wreszcie zaczął się godzić z odejściem Laury? Miał poczucie, że nadszedł na to czas.

Muzyka wróciła do niego i stopniowo wypełniała pustkę w sercu. Spojrzał na Sabinę i Joy zajęte szydełkowaniem. A może chodzi o coś innego.

– Jeszcze jeden rządek i czas do łóżka, młoda damo. Powinnaś rano wstać wyspana i gotowa do szkoły.

Sabina posłusznie skończyła pracę, zwinęła włóczkę i wetknęła szydełko w kłębek, tak jak zrobiła to Joy. Anioł nie dziecko, bez dwóch zdań.

– Powiedz Haydenowi dobranoc – poleciła Joy – a potem pójdziemy na górę.

Sabina podbiegła do fortepianu. Zarzuciła Haydenowi ręce na szyję. Kiedy przytulił do siebie jej kruche ciałko, ogarnęła go fala ogromnej czułości wobec tej bezbronnej istoty, czego wcześniej nie doświadczył.

Mocno ją przytulił i pocałował w czoło. Przez ściśnięte gardło wykrztusił:

– Śpij słodko, Sabinko.

Mała z uśmiechem podbiegła do Joy, która czekała, by zaprowadzić ją do sypialni.

Wychodząc, odwróciła się jeszcze i pomachała rączką. Hayden wzruszył się. Do tej pory sądził, że tylko własne dziecko może budzić w mężczyźnie takie emocje. Ta mała dziewczynka pokazała mu, że jest inaczej.

Rozdział trzydziesty piąty

W westybulu, bardzo wytwornym, obwieszonym szkarłatnymi aksamitnymi draperiami, zauważam szatnię. Stoi w niej czarnowłosa kobieta w czarnej sukience, ma oczy obrysowane czarną kredką i bardzo znudzoną minę.

Crystal macha jej na powitanie, a tamta unosi rękę w odpowiedzi.

– Zazwyczaj wchodzę tylnym wejściem, ale chciałam ci pokazać recepcję i szatnię. Gdybyś się zdecydowała na tę pracę, tu właśnie byłoby twoje królestwo.

– Bardzo tu ładnie – chwalę.

– Praca nie wymaga wysiłku. Można ją wykonywać z zamkniętymi oczami. Płacą psie pieniądze, ale napiwki są niezłe. I nie trzeba ich dorzucać do wspólnej puli, jak musi robić reszta dziewczyn.

Dalej jest bogato zdobiona klatka schodowa i kręcone schody prowadzące w dół. Crystal mnie zatrzymuje.

– Tylko dla gości – mówi. – Tędy się idzie do głównego baru i na parkiet. My musimy zakraść się bokiem, inaczej menedżer zmyje mi głowę.

Prowadzi mnie przez boczne drzwi, niemal niewidoczne w ścianie. Zaraz za nimi znika aksamit, jest tylko ciemny korytarz i nieotynkowane ściany. Na betonowej podłodze nie ma dywanu.

– Zaplecze jest dosyć ponure – mówi przez ramię Crystal. – Pieniądze widać tylko od frontu.

Korytarz staje się coraz węższy i brudniejszy. Schodzimy w dół po schodach i idziemy jeszcze kawałek korytarzem, zanim trafiamy na metalowe drzwi. Crystal je otwiera.

– Nasza garderoba.

Gorąco tu jak w piecu. W środku jest tuzin lub więcej półnagich kobiet, siedzących wokół wyszczerbionego stołu. Niektóre są tylko w bieliźnie, a jedna ma na sobie tylko majtki. Nie wiem, gdzie podziać oczy. Wokół na ścianach są jaskrawo oświetlone lustra. Część dziewczyn poprawia przed nimi makijaż, chociaż i tak mają maski z tuszu, pudru i szminki.

– Hej! – woła Crystal.

Odpowiadają jej chóralne powitania. Jedna z dziewczyn nachyla się i całuje ją w policzek.

– To moja przyjaciółka, Ayesha Roberts, o której wam mówiłam – oznajmia.

Dziwnie się czuję, słysząc nazwisko, które Crystal dla mnie wymyśliła. Wszystkie mnie pozdrawiają, a ja uprzejmie odpowiadam.

Crystal rzuca torebkę na wolne krzesło i zdejmuje prochowiec. Klepie w krzesło obok, więc posłusznie siadam. Męczy mnie jaskrawe światło z jarzeniówek pod sufitem. Wykładzina i krzesła są niemiłosiernie brudne, w pomieszczeniu panuje nieznośny zaduch. Jedna z dziewczyn zjada hamburgera, a jego zapach przyprawia mnie o mdłości. To miejsce zabija w człowieku ducha.

– Zabrałam Ayeshę, żeby pogadała o pracy szatniarki – wyjaśnia Crystal koleżankom.

– To zły moment – ostrzega jedna z nich. – Vinny wszedł na wojenną ścieżkę. Kelly podbierała część napiwków, więc ją wykopał z roboty. Minęłaś się z nią dosłownie o parę minut. Poszła do domu, wypłakując sobie oczy. Vinny jest przekonany, że któryś z barmanów go okrada.

Crystal jęczy.

– Jest jak chmura gradowa – włącza się do rozmowy inna.

– Dzisiaj lepiej się trzymać od niego z daleka – mówi kolejna. – Sama wiesz, jaki jest.

– Nasz menedżer to złamas – stwierdza Crystal, wyjmując z torebki kosmetyczkę.

Nakłada na rzęsy kolejną warstwę tuszu. Wygląda dużo piękniej, gdy rano schodzi do kuchni bez makijażu, ale pewnie by w to nie uwierzyła.

– Rusz cztery litery, Crystal! – woła któraś z dziewczyn. – Teraz twoja kolej.

– Naprawdę? – Zerka na zegarek i poprawia usta szminką.

A potem, chociaż patrzy na nią tyle osób, rozpina suwak i ściąga sukienkę. Gapię się oniemiała, tymczasem ona zdejmuje stanik. Ma większy biust, niż mi się do tej pory wydawało. Jej piersi są śnieżnobiałe i bardzo piękne, z ledwo widocznymi niebieskimi żyłkami pod skórą. Sutki przypominają pączki róż.

Zdejmuje majtki i wkłada coś, co przypomina stringi z cekinów. Jestem zszokowana, bo Crystal jest zupełnie wydepilowana tam, gdzie kobiety mają włosy; to zresztą dobrze, bo ten błyszczący paseczek niczego by nie przykrył. Zdejmuje szpilki i wkłada jeszcze wyższe, ich obcasy wyglądają na szklane.

– Pleksi – wyjaśnia.

– Nie połamią się?

– Jesteś pewna, że chcesz to zobaczyć? – Przygląda mi się krytycznie. Nie widać w niej cienia wstydu, choć jest prawie naga. – Oto mój sceniczny kostium. Tego się spodziewałaś?

– Nie. Zupełnie nie. – Wbijam wzrok w podłogę.

– Możesz teraz wyjść – mówi. – Nie obrażę się.

Jakoś jej nie wierzę. Myślę, że zraniłabym jej uczucia, a przecież w krótkim okresie naszej znajomości Crystal zrobiła dla mnie tak dużo.

– Chciałabym zostać.

– Wobec tego idziemy. – Wskazuje głową inne drzwi. – Znajdę ci miejsce trochę z boku, skąd będziesz widziała show.

Dwie dziewczyny idą za nami kolejnym obskurnym korytarzem, mijamy tabliczkę „Toalety". Można je znaleźć, kierując się węchem.

Kolejne drzwi mają na górze okrągłe okienko. Crystal zagląda do środka.

– Wciąż niemrawo – mówi do koleżanek.

Wyprzedzają nas i wchodzą do klubu. Jedna ma zupełnie przezroczyste szorty i czerwone szpilki, druga błyszczący czarny gorset, mocno zasznurowany w talii. Piersi ma gołe, majtek nie nosi wcale. W gardle rośnie mi gula.

Crystal kładzie mi rękę na ramieniu.

– Joy i Hayden mieli rację. – Przygryza wargę. – To nie jest miejsce dla ciebie.

– Też tak myślę – przyznaję. – Ale jako twoja przyjaciółka chciałabym wiedzieć, gdzie pracujesz.

– No, dobrze. – Wzrusza ramionami. – Przygotuj się na najgorsze, skarbie.

Otwiera przede mną drzwi, a ja biorę głęboki wdech.

Rozdział trzydziesty szósty

Klub mieści się w piwnicy, wszystkie tkaniny na ścianach są fioletowe. Widzę grupki mężczyzn w garniturach, siedzących przy stolikach. Kilku samotnie tkwi przy barze.

Gdy mój wzrok przyzwyczaił się do półmroku, zaczynam rozumieć, przed czym ostrzegała mnie Crystal. Jestem zszokowana. W dużym pomieszczeniu jest kilka rur, które sięgają od podłogi do sufitu. Przy nich tańczą dziewczyny. Wyginają się leniwie w rytm hałaśliwej muzyki, pokazując najbardziej wstydliwe części ciała gapiącym się facetom.

– Tutaj. – Crystal wskazuje mi ustronną alkowę. – Zaszyj się tam, nikt cię nie będzie niepokoił. Z nikim nie rozmawiaj. Pogoń każdego gościa, który będzie cię próbował zagadywać. – Rozgląda się nerwowo. – O, cholera. Idzie Vinny. Diabli go nadali.

Niewysoki mężczyzna w smokingu podchodzi do niej od tyłu. Łapie ją za pośladek. Drugą ręką szczypie różany sutek. Crystal stara się wyrwać, ale facet mocno ją przytrzymuje.

– Marudni goście dzisiaj – mówi Vinny. – Trudno im dogodzić. Pokręć tyłeczkiem. I pozbądź się tego. – Wsuwa palec za gumkę stringów i zsuwa je w dół. – Patrzę na to przerażona.

– Później. – Crystal daje mu po łapie.

– Nie mam dziś cierpliwości do waszych fochów, głupie krowy – ostrzega. – Bądź grzeczną dziewczynką albo wyrzucę cię na zbity pysk jak Kelly.

Wreszcie ją puszcza i oddala się, uśmiechając się przymilnie do klientów. Crystal pokazuje środkowy palec jego plecom.

– Złamas – prycha. – Mówiłam ci.

– Dlaczego pozwalasz, żeby cię w ten sposób traktował?

– To jego klub. On tu rządzi. – Jest zaniepokojona. – Poradzisz sobie?

Nie bardzo, ale przecież jej tego nie powiem.

– Pora na mój występ – mówi. – Któraś z kelnerek przyniesie ci coś do picia. Wrócę do ciebie, gdy tylko będę mogła.

Upewnia się, czy zajęłam miejsce i znika.

Obserwuję tancerki na rurach. Ich ruchy są apatyczne, bardziej udają, niż tańczą. Wyginają biodra na użytek mężczyzn, którzy gapią się na nie, ale sprawiają wrażenie znudzonych albo zirytowanych. Kobiety mają puste twarze, i choć przyjmują wyuczone pozy, odnoszę wrażenie, że wolałyby teraz być w zupełnie innym miejscu. Czy ci faceci tego nie widzą? Czy naprawdę striptiz sprawia im przyjemność, chociaż dziewczyny wyglądają na nieszczęśliwe?

Crystal staje przy rurze na środku klubu. Kiedy zaczyna tańczyć, oczy wszystkich zwracają się na nią, bo ma w sobie radosną energię, której brakuje w tej nikczemnej spelunie. Muzyka przyspiesza, a Crystal pokazuje wymyślne figury swojego tańca: wiruje wokół rury w jedną i drugą stronę, zwisa głową w dół, i chociaż otoczenie przyprawia mnie o mdłości, podziwiam jej gimnastyczne umiejętności i grację ruchów. Potrafi tańczyć i lśni jak gwiazda w tym koszmarnym, podejrzanym lokalu.

– Cześć, kochanie. – Skąpo ubrana kelnerka stawia przede mną coca-colę. – Od Crystal.

– Dziękuję. – Piję łapczywie. Jest mi gorąco, sukienka pod pachami robi się wilgotna od potu.

Crystal tańczy do kolejnych melodii, a kiedy już się przyzwyczajam do jej zmysłowych ruchów, podchodzi do niej menedżer i kiwa na nią. Wskazuje jej grupę hałaśliwych mężczyzn siedzących przy stoliku nieopodal. Kryję się w fałdach aksamitnych zasłon.

– Ci panowie chcieliby, żebyś ich zabawiła – słyszę.

Crystal robi dobrą minę do złej gry. Uśmiecha się. Kołysze się w tańcu, podtrzymuje piersi, by lepiej widzieli ich piękno. Gapią się na nią martwymi, zimnymi oczyma, są jak stado głodnych rekinów.

Jeden z tych typów odsuwa krzesło, wyraźnie oczekuje specjalnych względów. Crystal siada okrakiem na jego kolanach, obraca się i wije zmysłowo, a on aż się do niej ślini. Ociera się piersiami o jego ciało, muska włosami jego podbrzusze. Jak ona może? Nie rozumiem tego. Przecież to obcy facet! Mężczyzna nie może się powstrzymać, łapie ją za pupę, ale Crystal mocno wali go po łapie. Reszta towarzystwa ryczy ze śmiechu.

Wszyscy mają takie miny, jakby chcieli w nią wtykać choćby swoje paluchy. Gdyby mogli, rozszarpaliby Crystal jak hieny gazelę, skrzywdziliby ją, a mnie się robi niedobrze, że siedzę tutaj i bezsilnie patrzę, zamiast jej pomóc. Teraz już się nie uśmiecha. Nie mogę powstrzymać łez na widok jej upokorzenia.

Barmanka w negliżu przynosi na tacy drinki. Crystal jednym ruchem zdejmuje stringi z cekinów, po czym robi niski skłon przed mężczyznami. Barmanka ostrożnie ustawia szklaneczki na jej pośladkach i plecach, jakby Crystal była stołem, a nie człowiekiem. Zasłaniam twarz ręką. Nie chcę widzieć, w jaki sposób jest wykorzystywana moja przyjaciółka.

Gdyby zadali sobie trochę trudu i poznali Crystal, gdyby zamienili z nią kilka słów, musieliby się zorientować, że jest dobrą i miłą osobą. Dowiedzieliby się, że ma poczucie humoru i jest fantastyczną przyjaciółką. Może wtedy nie traktowaliby jej w taki okropny, poniżający sposób. Muszą przecież mieć żony albo dziewczyny. Niektórzy z nich mają zapewne córki. Czy chcieliby, żeby ktoś w ten sposób zhańbił bliskie im kobiety? Nie sądzę.

Mężczyźni jeden po drugim, przy aplauzie całej kompanii, wychylają kieliszki, biorąc je w zęby i odrzucając głowę do tyłu. Barmanka ustawia kolejne szklaneczki, aż taca jest pusta. Ostatni mężczyzna bierze swój kieliszek i wylewa alkohol na pośladki Crystal. A potem przytrzymuje ją łapami, choć ona stara się wyrwać, i zlizuje płyn ściekający po wewnętrznej stronie ud, podczas gdy cała reszta zachęca go głośnymi okrzykami i gwizdaniem.

Tego już nie da się wytrzymać. Żołądek podchodzi mi do gardła. Muszę stąd wyjść, i to natychmiast. Kiedy wymykam się z kryjówki, Crystal podnosi głowę i nasze spojrzenia spotykają się na chwilę. „Przepraszam", szepcę bezgłośnie.

Najszybciej, jak tylko mogę, uciekam na korytarz.

Rozdział trzydziesty siódmy

Pędzę do toalety, otwieram drzwi z trzaskiem i wpadam do pierwszej z brzegu kabiny. Ledwo zdążyłam nachylić się nad muszlą, gdy łapią mnie gwałtowne torsje.

Klęczę na zimnych płytkach, chowam głowę w ramionach i szlocham.

Kilka sekund później słyszę głos Crystal:

– Ayesha, jesteś tu?

– Tak – udaje mi się wykrztusić wśród spazmatycznych łkań.

Popycha drzwi kabiny i na mój widok wzdycha głośno:

– O, dobry Boże. – Rozwija papier toaletowy, rzuca kłąb na podłogę i pomaga mi się podnieść znad toalety. – Już dobrze – mówi. – Nic ci nie jest?

Niepewnie kiwam głową. Przysiada koło mnie i chowam się w jej ramionach. Opieram głowę o jej obnażone piersi i jestem jeszcze bardziej świadoma, że Crystal nie ma na sobie żadnego ubrania. Kołysze mnie delikatnie, a gdzieś w tle ciągle łomocze muzyka.

Kabiny są pomalowane na czarno, ściany pokrywają liczne graffiti. W przyciemnionym czerwonym świetle niewiele widać. Na szczęście, bo to obrzydliwa nora. Podłoga jest brudna, usiana strzępami papieru toaletowego, a ostry zapach chloru nie likwiduje panującego tu smrodu. Nie jest to najlepsze miejsce na rozmowy od serca.

– Strasznie cię tu traktują – chlipię. – Czemu im na to pozwalasz?

– To moja praca. – Śmieje się niewesoło. – Nie jest taka zła.

– Jest okropna. Ci ludzie… są wstrętni.

– Dobrze płacą.

– Za poniewieranie kobiet? Poniżanie ich?

Są gorsi od Suresha. Jego brutalność rodziła się z frustracji i gniewu. A co powoduje klientami takich miejsc? Dlaczego ci mężczyźni uważają, że mają prawo traktować w ten sposób kobiety? Dlaczego taka słodka osoba jak Crystal stała się niewrażliwa na straszliwe upokorzenie, jakie ją tu spotyka? Dlaczego ludzie potrafią się tak upodlić? Zastanawiam się, czy mój mąż kiedykolwiek chodził do podobnych przybytków, gdy wracał późno lub znikał na całą noc. Czyżby tam szukał rozkoszy? Przez chwilę jestem ciekawa, co teraz robi, co myśli po moim zniknięciu.

– Nikt mnie do niczego nie zmusza – mówi Crystal ostrym tonem.

– Ale to nie może ci sprawiać przyjemności.

– Nie – przyznaje. – Z pewnością nie robię tego dla przyjemności.

– Zasługujesz na coś lepszego. – Ściskam ją mocno za rękę. – Masz w sobie mnóstwo energii i dobroci.

– Nic nie umiem – wzdycha. – Nie mam żadnego zawodu. Żadnych szczególnych talentów. Tymczasem w klubie zarabiam dużo pieniędzy, a mam długi, jakich sobie nawet nie wyobrażasz. Co innego mogłabym robić?

– Nie wiem – przyznaję – ale nienawidzę twojego zajęcia.

– Obiecaj, że nie piśniesz ani słówka Haydenowi. – Teraz ona ściska moje palce. – Nie wie, jaka to speluna.

– Musisz mu zaufać. Na pewno ci pomoże. Jestem pewna.

– Robi dla mnie aż za dużo. Nie chcę, żeby się nade mną litował.

– Z pewnością tak nie będzie. Hayden jest inny.

– Nic mu nie mów. Proszę. Musisz mi obiecać.

– Obiecuję. – Głaszczę ją po ramieniu. – Jesteś bystra i zabawna. Masz tyle różnych zalet. Jak do tego doszło?

– Nie jest to piękna historia. – Głos jej lekko drży. – Uciekłam z domu, kiedy byłam bardzo młoda. Szukałam przygody. Moi rodzice byli bardzo surowi. Nie wolno mi było się malować ani umawiać z chłopcami. Mieszkałam w małym miasteczku i umierałam z nudów. Chciałam oddychać pełną piersią, poczuć się wolna, po prostu żyć. I popatrz, gdzie mnie to doprowadziło.

– Nie wiedziałam.

– Miałam siedemnaście lat, gdy przyjechałam do Londynu skuszona wielkomiejskim blichtrem. Wierzyłam w bzdury typu „od pucybuta do milionera". Miałam dwadzieścia funtów w kieszeni i zero kwalifikacji. Dlatego zaczęłam występować w podobnych lokalach. Uczciwie mówiąc, na początku mi się podobało. Wmawiałam sobie, że jestem kobietą wyzwoloną i mam wszystkich w nosie. Takie i podobne bzdury. Dziewczyny były świetne. Wspierałyśmy się, tworzyłyśmy wielką rodzinę. Wtedy poznałam Ruth, tę kobietę z fundacji, do której się zgłosiłaś. Przez wszystkie minione lata nie straciłyśmy kontaktu. Czasem jej pomagam, gdy jakaś jej podopieczna jest w tarapatach. Ruth szybko uciekła z branży. Powiedziała, że to niszczy jej psychikę. Ja uważałam, że jestem odporniejsza. Dowód mojej głupoty. – Crystal uśmiecha się smutno. – Spróbowałam dragów, kiedy było szczególnie ciężko. Większość dziewczyn po nie sięga. Przez jakiś czas wmawiałam sobie, że moje życie to prawdziwy bal. Stać mnie było na wynajem mieszkania. Miałam kasę na zioło. – Rzuca mi żałosne spojrzenie. – Spadłam na cztery łapy, a mogło być dużo gorzej. Kiedy poznałam Haydena, tańczyłam w przyzwoitym lokalu. Z klasą. Jedno z tych miejsc, do których przychodzą gwiazdy, by się zabawić. Zarabiałam krocie na napiwkach, a poza tym nie było… nikt nie oczekiwał tego, co dzisiaj widziałaś. Tylko taniec. – Sprawia wrażenie bardzo zmęczonej. – Lata lecą, Ayesho. Przekroczyłam trzydziestkę, czeka mnie tylko zjazd w dół. Kluby szukają świeżego mięsa. W cenie są młode, jędrne ciała. W moim wieku ląduje się w coraz gorszych spelunach i robi się coraz dziwniejsze rzeczy, żeby zarobić tę samą kasę. – Ma łzy w oczach, gwałtownie mruga, żeby nie popłynęły. – Przez ciebie się rozbeczałam i cały tusz mi spłynie. Muszę pójść do garderoby i przypudrować nos, zanim będę w stanie wrócić na parkiet.

– Nie idź – proszę. – Nie rób tego więcej. Masz piękną duszę, a to zajęcie ją niszczy.

– Piękną duszę? Nie jestem pewna, czy w ogóle jakąś mam. – Łza spływa jej po policzku. Wygląda na przegraną. – Robiłam to od lat. Co innego mogłabym znaleźć?

– Jeszcze nie wiem, ale razem coś wymyślimy.

Parska śmiechem i od razu zaczyna jej cieknąć z nosa. Podaję Crystal kawałek papieru toaletowego. Wyciera nos.

– Popatrz na nas. Siedzimy na podłodze w brudnym kiblu. W dodatku ja w stroju Ewy. Do czego to podobne?

Uśmiechamy się, po czym, jak na komendę, obie zaczynamy płakać.

– Co ja tu właściwie robię? – pyta Crystal sama siebie.

– Nie wiem – odpowiadam – ale nie chcę cię widzieć tak sponiewieraną.

– Przepraszam, bardzo mi przykro – powtarza i gładzi mnie po włosach. – Nagle drzwi do toalety odskakują z trzaskiem.

– Crystal! – wrzeszczy rozgniewany męski głos. Podejrzewam, że to jej wstrętny menedżer.

– Jestem – odpowiada i wywraca oczami.

– Co, do kurwy nędzy, tam robisz? Rusz dupę i zajmij się gośćmi. Trzeba podkręcić interes.

Moja przyjaciółka próbuje wstać.

– Nie – szepcę gorączkowo. – Proszę, nie idź.

– Muszę. – Jest rozdarta.

– Proszę. Błagam. Takie życie cię zniszczy. Jeśli ja potrafiłam coś zmienić, tym bardziej ty będziesz umiała. Proszę, Crystal. Proszę.

Ktoś kopie w drzwi kabiny i nad nami wyrasta Vinny. Kulę się z tyłu, ale Crystal odważnie wstaje, podnosząc mnie z podłogi, i rusza na mężczyznę.

– Wracaj na parkiet, ty bezużyteczna cipo! – warczy na nią.

Chociaż Crystal jest naga i bezbronna, odpycha go mocno, aż się zatoczył, i wcale się go nie boi. Mówi spokojnym i mocnym głosem:

– Ostatni raz tak się do mnie odezwałeś. Koniec. Kolejnej okazji nie będzie. – Ciągnie mnie za sobą.

– Wracaj! – woła Vinny, a na jego twarzy widzę zaskoczenie i wściekłość. – Jesteś moją najlepszą dziewczyną, Crystal. Goście cię kochają. Nie możesz tak po prostu odejść.

– To się jeszcze okaże – rzuca przez ramię.

Biegniemy korytarzem, trzymając się za ręce i śmiejemy się, śmiejemy, śmiejemy. Crystal jest naga, ale ma zarumienioną twarz, oczy jej błyszczą i nie przestaje chichotać. Teraz jest wolna i to widać.

Rozdział trzydziesty ósmy

W garderobie Crystal zbiera swoje rzeczy i wkłada płaszcz na gołe ciało, a potem uciekamy z klubu, żeby Vinny nie zdążył nas zatrzymać. Crystal przywołuje taksówkę, macha jeszcze do ochroniarzy przed drzwiami.

– Cześć, chłopaki! Do świętego nigdy!

W samochodzie zaczynamy się śmiać, aż nam brakuje tchu.

– Dokąd panie zawieźć? – pyta kierowca, a ja podaję mu adres naszego domu.

Już odjeżdżamy, gdy przed klub zajeżdża szykowne czarne auto i zajmuje miejsce, gdzie przed chwilą stała taksówka.

Kolejne męskie świnie, myślę.

Portier otwiera im drzwi, ze środka gramolą się czterej rośli faceci w czarnych skórzanych kurtkach. Odwracam głowę, bo nie jestem w stanie na nich patrzeć.

Włączamy się do ruchu, a kiedy w końcu zerkam za siebie, nowo przybyli zdążyli zniknąć w klubie.

Crystal opada na siedzenie i tryumfalnie podnosi pięść.

– Świetnie się czuję – wyznaje. – Choć może jutro rano zdam sobie sprawę z konsekwencji i nie będzie mi do śmiechu.

– Jestem pewna, że nadal będzie ci cudownie – zapewniam ją.

– Mam nadzieję, że się nie mylisz, Ayesho. – Taksówkarz zręcznie manewruje na zatłoczonych ulicach. Crystal opiera głowę, a łzy płyną jej po twarzy. – Mam wrażenie, że spadł mi z ramion gigantyczny ciężar. Jak mogłam znosić to tak długo?

– Człowiek może wiele wytrzymać, gdy mu się wydaje, że nie ma wyboru. – Myślę o własnej sytuacji. Ja też trwałam w niej przez wiele lat.

– Racja – mówi. – Ale nigdy więcej. Dzisiaj jest pierwszy dzień reszty mojego życia.

– Zastanowimy się razem. Co dwie głowy, to nie jedna.

– Mojej golizny miałaś dziś ponad miarę. – Crystal uśmiecha się i na sekundę rozchyla klapy płaszcza.

– To prawda – przyznaję.

– Kiedyś postanowiłam zaskoczyć swojego chłopaka i przyszłam do niego w płaszczu zarzuconym na gołe ciało. Stary, ale niezawodny sposób na facetów. Dzwonię, drzwi się otwierają, a ja rozchylam poły i świecę golizną, „tadam!". Nie przewidziałam tylko jednego: że otworzy jego żona.

– Ja bym tak nie mogła. – Kręcę głową.

– Aż tak się nie różnimy. – Wsuwa mi rękę pod ramię, wreszcie się odpręża. – Nigdy nie byłam w fajnym związku. – Przygląda się, jak zareaguję. – Kto potraktuje poważnie striptizerkę? Kiedy faceci się dowiadywali, jak zarabiam, uciekali, aż się za nimi kurzyło, albo zaczynali jakieś dziwne gierki. Teraz wchodzę na drogę cnoty i może wreszcie upoluję porządnego chłopaka.

– Całkiem możliwe – mówię.

– Chcę tylko być kochana – wzdycha smutno. – Czy za dużo oczekuję od życia? – Mocno się obejmujemy.

– Nie – odpowiadam. – Na pewno nie.

Taksówka staje przed naszym domem. Crystal płaci i wyskakujemy.

– Dużo cię kosztował dzisiejszy wieczór – zauważam. – Tego nie planowałaś, gdy zabierałaś mnie ze sobą.

– Poczucie własnej wartości jest bezcenne – odpowiada poważnie Crystal i ściska mnie mocno. – Jestem zadowolona, że poszłaś ze mną. Pal diabli koszty. – Wprowadza kod do bramy i macha do kamery. – Ciekawe, czy Hayd nadal jest na dole. Zdziwi się na nasz widok.

Hayden jeszcze nie śpi. Na odgłos otwieranych drzwi wejściowych wychodzi z salonu.

– Co tu robicie tak wcześnie? – pyta.

– Rzuciłam pracę – oznajmia Crystal z uśmiechem na twarzy, na której wciąż widać ślady łez. – Wciąż mi się w głowie kręci.

– O matko! – wykrzykuje Hayden. – To trzeba oblać.

– Najpierw się ubiorę, a potem możemy otwierać butelkę – mówi. – Uciekłam goła jak mnie pan Bóg stworzył. – Na moment rozchyla płaszcz, demonstrując Haydenowi, że nie ma tu mowy o przenośni. On tylko przewraca oczami i pyta mnie, gdy Crystal już wybiegła:

– Jak ona się czuje?

– Myślę, że dobrze – zapewniam. – Po mnie też widać, że płakałam, ale nie dbam o to. – Było bardzo nieprzyjemnie, ale Crystal jest silna psychicznie, więc szybko się otrząśnie.

– Podobnie jak ty.

– Czas pokaże. – Wzruszam ramionami. Zdejmuję żakiet i nagle ogarnia mnie zmęczenie. Chcę tylko zobaczyć córkę. – Sabina śpi?

– Poszła na górę przed godziną.

– Była grzeczna dla Joy?

– Ayesho – zapewnia mnie – masz cudowne dziecko. Nie sprawia żadnego kłopotu. Siedziały sobie i zgodnie szydełkowały, a potem Sabina posłusznie poszła spać.

– Cieszę się. Pójdę ją ucałować na dobranoc.

– Ale wrócisz do nas?

– Tak.

– Otworzę szampana.

– Nie piję alkoholu – przypominam. – Chętnie natomiast napiję się herbaty.

– Zaparzyć twoją specjalną czy moją murarską?

Uśmiecham się. Kupiłam dobry gatunek czarnej herbaty i zachęcam do niego domowników. Na razie bez większego sukcesu.

– Dziś wieczorem proszę murarską.

– Zajmę się tym. – Hayden się uśmiecha.

Pomału wspinam się po schodach, z każdym krokiem coraz bardziej zmęczona po emocjonalnie wyczerpujących przeżyciach. Cichutko wchodzę do pokoju i stwierdzam z ulgą, że Sabina słodko śpi w naszym wielkim łożu. Kładę się obok i głaszczę ją po włosach. Mam nadzieję, że nie będzie narażona na to, co stało się moim udziałem, ani na to, przez co przeszła Crystal.

Mam ochotę wskoczyć do wanny i zmyć z siebie smród paskudnego klubu i wszystkie negatywne emocje, a potem położyć się obok swojego dziecka. Obiecałam jednak Haydenowi, że do nich zejdę na herbatę, i nie mogę go zawieść. Myję więc tylko ręce i twarz, co mi trochę pomaga.

Odwieszam żakiet i wkładam wygodny rozpinany sweter. Noc jest ciepła, ale mam wrażenie, że zmarzłam do szpiku kości.

W kuchni Crystal i Hayden siedzą przy stole, każde z nich z parującym kubkiem. Trzeci kubek czeka na mnie, zajmuję więc miejsce przy naszym gospodarzu. Crystal jest w dresie, na jej twarzy nie został najmniejszy ślad makijażu. Włosy związała szeroką gumką. Wygląda dużo młodziej i ładniej niż przed paroma minutami, co chciałabym jej powiedzieć.

– Nigdy bym się nie zdecydowała odejść z klubu, gdyby nie Ayesha – mówi Crystal. – Zabrakłoby mi odwagi. – Patrzy na mnie z czułością.

– Stać cię na dużo więcej – zapewniam ją.

– Muszę wymyślić, co będę robić, ale na razie nie mam pomysłu.

– Jutro będziemy główkować.

– Super.

– Jeśli mogę coś wtrącić, to ja też się cieszę, że odeszłaś z klubu – mówi Hayden.

– No tak. Ty też. A gdzie mam szukać prawdziwej pracy?

– Już ci mówiłem, że chętnie cię zatrudnię jako asystentkę.

– Nie potrzebujesz asystentki – nadyma się Crystal. – Nic nie robisz.

– Mogłabyś wziąć na siebie administrowanie posiadłością. Wiesz, jak nienawidzę spraw urzędowych – zauważa Hayden.

– A jeśli się mną znudzisz? Albo wreszcie poukładasz sobie życie osobiste? – Crystal zerka na mnie znacząco.

– To wykluczone.

– Nie potrzebuję jałmużny. – Crystal piorunuje go wzrokiem.

– Staram się być miły. – Hayden się śmieje.

– Chcę znaleźć coś własnego – upiera się moja przyjaciółka. – Do diabła, muszę być dobra w czymś więcej, poza wypinaniem tyłka do śliniących się biznesmenów.

Wszyscy parskamy śmiechem.

– Wspólnymi siłami poradzimy sobie i z tym problemem. – Hayden wstaje od stołu. – To doniosła decyzja. Do oblewania nie wystarczy herbata. Niewiele mamy okazji do świętowania, ale tym razem potrzebujemy prawdziwych bąbelków.

–Ja cię nie powstrzymuję – mówi Crystal.

Hayden wychodzi do garażu i wraca z butelką szampana. Strzela korek. Crystal ustawia trzy kieliszki.

– Nie piję alkoholu – przypominam.

– Kropelkę. Trochę musującej piany za nasze powodzenie. Jesteśmy fantastyczne!

Ulegam, więc Hayden nalewa mi pół kieliszka. Nasze palce spotykają się na kieliszku. Oboje aż podskakujemy. Oblewam się rumieńcem, a on odsuwa się pospiesznie.

– Za nas. Za świetlaną przyszłość. – Stukamy się kieliszkami z Crystal.

– Za nas – powtarzamy.

Czuję na sobie wzrok Haydena, więc patrzę w podłogę.

– Jestem szczęśliwa, że do nas trafiłaś. – Crystal wznosi kieliszek. – Za Ayeshę!

– Za Ayeshę – powtarza Hayden.

Uśmiecham się nieśmiało i piję szampana. Bąbelki łaskoczą mnie w nos i usta, podoba mi się to.

– Obiecaj, że nas nigdy nie opuścisz – mówi Crystal.

– Obiecuję.

Rozdział trzydziesty dziewiąty

Crystal i ja odprowadzamy Sabinę do szkoły. Na boisku moja córka bez ociągania się biegnie do nowych koleżanek. Cieszy mnie to.

– Już się zaaklimatyzowała. – Crystal bierze mnie pod ramię.

Nie mówiłam jej, że trochę się boję sama odprowadzać córkę, a jednak Crystal zwlokła się rano z łóżka, zamiast makijażu założyła ciemne okulary i poszła z nami. Jestem jej bardzo wdzięczna.

– Mam powód do zadowolenia. Nauczycielka Sabiny powiedziała, że dobrze sobie radzi.

– Nigdy w to nie wątpiłam – zapewnia przyjaciółka. – Ma w główce więcej szarych komórek niż my wszyscy razem wzięci. Skończy jako astrofizyk albo premier.

– Chcę tylko, żeby była szczęśliwa.

– Też chcę, żeby była szczęśliwa i żeby zarabiała gigantyczną górę pieniędzy. Zapewni wtedy swojej mamie i cioci Crystal życie na poziomie, na który zasługują.

– Ale wcześniej musimy same znaleźć pracę.

– Zdecydowanie. I tym właśnie się zajmiemy zaraz po powrocie.

Podążamy więc dziarskim krokiem do domu, ciesząc się pięknym dniem. Na miejscu Crystal odkłada torebkę i komenderuje:

– Myślmy kreatywnie. Potrzebujemy papieru do pisania, długopisów i całego morza herbaty.

– Ja zaparzę herbatę. – Nie bardzo wiem, czego ode mnie oczekuje Crystal, gdy mówi o „kreatywnym myśleniu".

Idę więc do kuchni, a Crystal buszuje w gabinecie Haydena. Chwilę później wychodzi z notesem i długopisem.

– Taki piękny dzień, posiedźmy na dworze.

– Joy już jest w ogrodzie. – Widzę, jak krząta się przy swoich warzywnych grządkach. – Dla niej też zrobię herbatę.

– Joy! Czas na herbatkę! – krzyczy Crystal, wychodząc na patio.

Starsza pani podnosi głowę, a potem odkłada łopatę.

Wynoszę do ogrodu tacę z kubkami, imbrykiem i herbatnikami.

Ciekawe, co robi Hayden, myślę.

Nie zszedł na śniadanie, nie było go na dole, gdy wróciłyśmy ze szkoły. Miałam nadzieję, że nam pomoże.

Przyzwyczaiłam się do jego towarzystwa, nie wiem, czy to dobrze. Już raz zaufałam mężczyźnie i się zawiodłam. Powinnam teraz myśleć o przyszłości swojej i Sabiny. Wyobrażanie sobie innego człowieka w moim życiu byłoby błędem. Dobrze, że mi to nie w głowie.

– Miło z waszej strony – mówi Joy, dołączając do nas przy stole.

Crystal podaje jej kubek i podsuwa bliżej talerz z ciasteczkami.

– Dziękuję, że zajęłaś się Sabiną wczoraj wieczorem. – Nalewam jej herbaty. – Przed pójściem do szkoły pochwaliła mi się swoją robótką na szydełku.

– Cała przyjemność po mojej stronie. Jest bystrą dziewczynką.

– Kolejna dobra strona mojej sytuacji. – Crystal bierze ciastko. – Nie muszę dłużej liczyć kalorii.

– Twoja waga jest tylko twoją sprawą – żartuję z nią.

– Załatwiłam wczoraj odmownie swojego menedżera, Joy. Z pomocą Ayeshy.

– Naprawdę? – Joy nie posiada się ze zdumienia.

– Powiedziałam mu, gdzie mam tę pracę – chwali się Crystal.

– Bardzo się cieszę.

– Ja też. Problem w tym, że muszę wymyślić sobie inne zajęcie.

– Świetna okazja, żeby się nauczyć nowego zawodu – sugeruje Joy.

– Będę musiała, bo nic nie potrafię. Ayesha też się rozgląda za pracą. Pomyślałam, że zrobimy burzę mózgów, może nas oświeci. Najlepsze by było coś, co mogłybyśmy robić razem, prawda, siostrzyczko?

– Jasne.

– Strzelaj, mała. Zaskocz mnie. – I Crystal czeka z długopisem w jednej i ciastkiem w drugiej ręce.

A ja, jak na złość, mam pustkę w głowie. Co pożytecznego mogłabym robić?

– Hmmm... – Wysilam mózg, ale bezskutecznie. Do tej pory zajmowałam się domem. Nie wyuczyłam się żadnego zawodu, a czytam i piszę w stopniu dalece niewystarczającym, żeby się starać o pracę. – Ja... hmmm...

Myślę gorączkowo, ale nic mi nie przychodzi do głowy. A kiedy mi się wydaje, że nie da się powiedzieć dobrego słowa o moich talentach, wtrąca się Crystal.

– Jesteś miła. I opiekuńcza. – Zapisuje te cechy w notesie.

– Świetnie gotujesz – dodaje Joy.

Ledwo zaczęłyśmy, a już nam brakuje inwencji. Rozglądam się po ogrodzie, jakby stamtąd mogło przyjść natchnienie.

– Coś musi być – upiera się Joy. – Umiesz szyć? A może prowadzić samochód?

– Joy, ja z trudem czytam i piszę. – Pochylam głowę ze wstydem.

– Ale pięknie się wysławiasz – mówi. – Mogłabyś odbierać telefony. Być recepcjonistką.

Crystal skrobie coś w notesie, potem zapada dłuższa cisza. Pijemy herbatę, pogryzamy herbatniki i żadna nie umie wymyślić nic więcej.

– Przejdźmy do moich umiejętności – proponuje Crystal.

– Jesteś głośna – zaczyna Joy.

– Dzięki. Nie chcę być handlarą na targowisku. Podrzuć coś innego.

– Jesteś pewna siebie. Bardzo ładna – mówię.

„Pewna siebie. Ładna" - zapisuje pełnym zawijasów pismem.

– To dużo lepsze niż „głośna", Joy. Mam świetne ciało.

– Przypominam, że właśnie zerwałaś z zawodem, w którym to był główny atut – zauważa Joy.

Crystal pokazuje jej język, a starsza pani odwzajemnia się wzgardliwym skrzywieniem.

– Pomocnica przedszkolanki – rzuca nagle Joy.

– Z moim zerowym doświadczeniem w opiece nad dziećmi? Chyba sobie żartujesz. – Crystal patrzy na nią z niedowierzaniem.

– Myślałam o Ayeshy – wyjaśnia Joy.

– Chcemy coś robić razem – mówi z naciskiem Crystal. – Wespół w zespół. I nie zamierzam sobie przy tym połamać pazurków. – Demonstruje nam perfekcyjnie zadbane i pomalowane paznokcie. – Nie chciałabym dziabnąć jakiegoś dzieciaka w oko.

– Manikiurzystka – mówi niespodziewanie Joy.

– Ojejku. – Crystal rozdziawia usta. – To jest myśl! Jest pani genialna, pani Ashton. Właśnie odkryła pani moje powołanie. Hurra! Manikiurzystka! – Moja przyjaciółka oddycha szybko, jakby się wdrapała na szczyt. – Podoba ci się, Ayesho?

– Nie wiem – mówię szczerze. – Nigdy w życiu nie miałam manikiuru.

Crystal udaje, że mdleje.

– Zapominam, że żyłaś w średniowieczu. Dzisiaj to nadrobimy. – Chwyta za telefon i zamawia mi wizytę w salonie kosmetycznym.

– Wezmę laptop Haydena i poszukam kursów w internecie. Jestem pewna, że znajdę ich dziesiątki. – I już pędzi po domu.

– A ja zaparzę świeżej herbaty – mówię do Joy.

– Mogę zostać twoją pierwszą klientką. – Starsza pani wyciąga do mnie dłoń. Za paznokciami ma czarne obwódki, widać, że grzebała w ziemi. Delikatnie ściskam jej palce.

– Oto ręce człowieka pracy.

– Cóż, bezczynne ręce korcą diabła.

– To prawda.

– Nie pozwól jej decydować za siebie, Ayesho – radzi mi Joy i wstaje. – Uciekłaś, żeby być niezależna. Sama najlepiej wiesz, co będzie dla ciebie dobre.

– Cenię swoją wolność i już się jej nie wyrzeknę, ale lubię Crystal i chciałabym robić coś wspólnie z nią. Ma energię, którą podziwiam, dodaje odwagi, której mi brakuje. Uczy mnie cieszyć się życiem, bo już prawie zapomniałam, jak to robić.

– Dobrze to słyszeć. – Joy łagodnie klepie mnie po ramieniu.

– Dziękuję raz jeszcze za opiekę nad Sabiną. Była bardzo przywiązana do swojej babci, i chociaż nie może tego powiedzieć, na pewno za nią tęskni. Cieszę się, że ją wzięłaś pod swoje skrzydła.

– To dla mnie przyjemność. – Joy podnosi koszyk. – Co ci potrzeba na wieczorny posiłek, moja droga?

– A na co masz ochotę?

– Smakowało mi danie, które ostatnio przyrządziłaś – mówi, spuszczając wzrok. – Gęsty kremowy sos, nie za ostry.

– W takim razie ugotuję coś podobnego. Zerwij dojrzałe warzywa, cokolwiek będzie, zrobię z nich przystawki.

– Do zobaczenia później. – Joy macha mi ręką i maszeruje do swojego warzywnika.

Uśmiecham się do jej pleców. Przyjdzie taki czas, że całkiem nawrócę ją na moją kuchnię – będzie jadła pikantne *vindaloo* i doprawiane na ostro curry.

Rozdział czterdziesty

– Zaczniemy od kursu podstawowego, a potem, gdy się okaże, że jesteśmy genialne, nauczymy się robić manikiur hybrydowy i żelowy. Kolejnym etapem będzie makijaż na śluby, studniówki i tego typu imprezy. To świetny interes. – Crystal przegląda oferty w internecie. – A co powiesz o sztucznej opaleniźnie? Okładach wyszczuplających? Wymiatamy, siostro!

Moja przyjaciółka szaleje z podniecenia. Klaszcze z radości, a ja odkrywam, że trudno się nie zarazić jej entuzjazmem.

– W dodatku szkoła jest na kampusie, całkiem blisko – dodaje. – Wszystko nam sprzyja.

– Najpierw czekają nas koszty. – Staram się być głosem rozsądku. Nie jestem pewna, czy stać mnie na to, żeby zainwestować w ambitne plany Crystal.

– Zaczniemy od małych rzeczy – zapewnia mnie. – Nie wiem, czemu wcześniej na to nie wpadłam. Będzie świetnie. – Przysuwa do mnie laptop. – Przejrzyj broszurę. Zastanów się, co o tym myślisz. Muszę wyskoczyć na godzinkę, ale potem zabiorę cię na twój pierwszy manikiur, dobrze?

– Tak, dziękuję.

Całuje mnie w policzek i wybiega.

Ustawiam laptop tak, żeby słońce nie padało na ekran, i pomału przeglądam, jakie kursy są w ofercie. Wieczorami wciąż się uczę czytania z Haydenem, chociaż mamy krótką przerwę, bo przyszedł czas na nową książkę. Skończyliśmy już znakomity dziennik Bridget Jones. Na szczęście w końcu się zorientowała, że Mark Darcy jest dużo lepszym kawalerem niż ten podstępny Daniel Cleaver. Biedaczka. Przez pewien czas naprawdę się o nią niepokoiłam.

Sylabizuję tekst i co chwila potykam się o trudne słówka: „aromatoterapia" albo „keratynowa". Przestudiowanie całej broszury zajmie mi wieki. Niektóre zdania muszę czytać kilka razy, żeby zrozumieć, o co w nich chodzi. Skoro tak ciężko mi idzie z ofertą, jak sobie dam radę na kursie? Przecież dostaniemy podręczniki do przestudiowania, będą prace pisemne do oddania. Jak ja sobie poradzę?

Po raz pierwszy przechodzi mnie lodowaty dreszcz i trzęsę się ze strachu. Nigdy dotąd nie musiałam zdobywać pieniędzy na życie. Z domu rodziców przeprowadziłam się prosto do męża. Suresh nie był dla mnie dobry, ale zarabiał i płacił wszystkie rachunki. Nie mam o tym zielonego pojęcia. A jeśli nie znajdę pracy? Jeśli nie będę miała pieniędzy na utrzymanie siebie i Sabiny? Ucieczka wydawała mi się najlepszym pomysłem, jaki miałam. A co, jeśli się pomyliłam?

Chcę być silna, ale łzy same mi płyną. Dostaję wprawdzie zasiłek i mam zachomikowane niewielkie oszczędności, ale szkolenia są kosztowne. Każdy kolejny moduł jest droższy od poprzedniego. Czy musimy od początku oferować całą gamę usług, zanim nasz biznes się rozkręci, a może Crystal ma rację, że wystarczy zacząć od paznokci? Nie wiem, ale nie jestem w stanie nawet o tym myśleć.

– Hej. – Hayden wychodzi do ogrodu. – Piękny dzień.

– Bardzo ładny. – Szybko ocieram łzy.

– Wszystko w porządku? – Siada obok mnie.

Próbuję potwierdzić, ale nie mogę wydobyć głosu. Widzi, że płaczę, więc serdecznie kładzie mi rękę na ramieniu.

– O co chodzi?

– Crystal znalazła dla nas bardzo przyjemne kursy. Chcemy zostać manikiurzystkami. Ale skoro przeczytanie broszury informacyjnej sprawia mi trudność, jak sobie poradzę z nauką?

– Czytanie idzie ci naprawdę dobrze – pociesza mnie Hayden. – Przez „Dziennik Bridget Jones" przeleciałaś jak burza. Możemy zacząć kolejną lekturę, gdy tylko będziesz chciała. Nawet dzisiaj. Z czasem nabierzesz biegłości. Pomogę ci. Crystal też ci pomoże.

Rozklejam się jeszcze bardziej.

– Pamiętaj, że nie jesteś sama, Ayesho – mówi miękko. – Zależy nam na tobie. Na tobie i Sabinie. Zrobię wszystko co w mojej mocy, żebyś sobie poradziła. Zapłacę za kursy. Jeśli chcesz, możemy zatrudnić ci prywatnego nauczyciela, żebyś opanowała materiał w swoim tempie. Cokolwiek chcesz, będzie do twojej dyspozycji.

– Nie mogę tego przyjąć.

– Mam więcej pieniędzy, niż zdołam wydać – zapewnia. – Pomaganie wam jest dla mnie czystą przyjemnością.

– Nigdy nie miałam pomalowanych paznokci – wyznaję. - Jestem niemądra, chcąc zajmować manikiurem.

– Pogadaj z Crystal, ona temu zaradzi.

– Zapisała mnie na drugą do salonu Na Wysoki Połysk. – Śmiechem pokrywam zmieszanie.

– A nie mówiłem? Sprawa załatwiona.

– Dziękuję, Haydenie. Jestem ci wdzięczna za pomoc.

– Poczytajmy dziś wieczorem – proponuje. – Umówmy się, że codzienna lektura jest naszym priorytetem. Chyba że nie chcesz.

– Bardzo chcę.

– Więc nie bądź dla siebie taka surowa. Dobrze sobie radzisz. Nie wszystko od razu, już nie mówiąc o nowym życiu.

– Należy nam się murarska herbata – mówię.

– Świetny pomysł.

Idę już do kuchni, gdy coś mi przychodzi do głowy. Odwracam się i pytam:

– Poszedłbyś ze mną do szkoły po Sabinę? Crystal i ja musimy wyjść z domu kwadrans po trzeciej. Przyjdziemy zaraz po zrobieniu paznokci. Sabina będzie zachwycona.

Na jego twarzy widzę lęk.

– Szkoła Sabiny jest pięć minut stąd.

Wykręca sobie palce.

– Skoro ja potrafię, to tym bardziej ty – mówię mu.

– Masz rację – wzdycha. – Pójdę.

Rozdział czterdziesty pierwszy

Idziemy z Crystal na High Street. Piękny letni dzień sprawia, że przyszłość wydaje się promienna i ekscytująca. Idealna pogoda na miły spacer. Przyjaciółka trzyma mnie pod ramię i nie przestaje gadać. Wysłuchuję jej, jest mi przyjemnie i nie chcę niczego więcej.

Parę minut później otwieramy drzwi salonu Na Wysoki Połysk. Dzwonek zapowiada nasze przybycie. To oaza spokoju, cała w bieli. W tle rozbrzmiewa łagodna muzyka. Uśmiechnięta recepcjonistka odbiera nasze żakiety i wskazuje dwa czyściutkie stoliki obok siebie.

– Jak ładnie – szepcę do Crystal.

– Będziemy miały taki zakład – zapowiada. – Świat stoi przed nami otworem!

– Napiją się panie herbaty? A może wina? – pyta recepcjonistka.

– Kieliszek białego, z przyjemnością – mówi Crystal.

– A dla mnie herbata.

– Czarna, earl grey, czerwona?

– Ma pani murarską?

– Oczywiście.

Zajmuję miejsce, a naprzeciwko siada młoda kosmetyczka.

– Dzień dobry, pani Roberts – pozdrawia mnie. – Co mogę dla pani zrobić?

– Sama nie wiem – przyznaję.

– Manikiur klasyczny, francuski, japoński, amerykański, a może hybrydowy? Robimy też przedłużenia żelowe lub akrylowe i utwardzamy paznokcie.

– Och.

– Dla niej odpowiedni będzie manikiur francuski – wtrąca Crystal. – Proponuję ten bladoróżowy lakier. – Wskazuje kolor na palecie.

– Oczywiście, pani Cooper.

Siedzę więc nieruchomo, a moje paznokcie są opiłowywane i formowane. Potem dziewczyna maluje białe paski na końcówkach i całość pokrywa przezroczystym różowym lakierem. Wypytuje mnie o córkę i plany na najbliższe wakacje. Gdy odpowiadam, że nigdy nigdzie nie wyjeżdżam, patrzy na mnie ze zgrozą i przez dziesięć minut opowiada szczegółowo o urokach Grecji.

Podają mi herbatę, ale nie mam odwagi jej wypić.

– Proszę bardzo – mówi w końcu manikiurzystka, zadowolona z rezultatu. – Bardzo ładnie wyszło.

Przyglądam się swoim dłoniom. Są piękniejsze niż kiedykolwiek.

– Powinna pani pojechać do Grecji – radzi jeszcze.

– Może się skuszę.

Crystal wychyla resztę wina, a ja upijam kilka łyków herbaty.

– Czas na nas. Wkrótce trzeba będzie iść po Sabinę.

Bardzo uważam przy wkładaniu żakietu. Nie chcę popsuć wyglądu swoich paznokci po tym, gdy poświęcono im tyle uwagi.

– Poprosiłam Haydena, żeby nam towarzyszył.

– Zgodził się?

– Tak.

– Ojejku – mówi. – Słowo daję, masz na niego dobry wpływ.

– Chyba przesadzasz. – Czuję się głupio.

Idziemy zapłacić, ale recepcjonistka patrzy na nas z uśmiechem.

– Rachunek już uregulowany, pani Cooper. Prezent od pana Danielsa.

– Hayden zapłacił? Super.

– To bardzo uprzejme z jego strony.

– Jest świetnym gościem. – Crystal patrzy na mnie uważnie. – Niewielu jest na świecie takich mężczyzn jak on. Pamiętaj.

– Myślę, że wciąż jest zakochany w Laurze – mówię. – I chyba zawsze będzie.

– Zapewne masz rację. – Crystal wzdycha. – Już czas, żeby się pogodził z jej odejściem i zaczął żyć od nowa. Przecież ona nie wróci.

– Może ma nadzieję, że kiedyś wróci – oponuję.

– Obie wiemy, że to niemożliwe.

– Czasem ludzie schodzą się mimo wszystko.

Crystal patrzy na mnie zdziwiona.

– Laura nie żyje – mówi. – Nie wiedziałaś?

Nogi się pode mną uginają, muszę się przytrzymać kontuaru.

– Nikt mi nie powiedział.

– Przepraszam – kaja się Crystal. – Idiotka ze mnie. Uznałam, że wiesz. Hayden nie rozmawia na ten temat, ale pomyślałam, że tobie się zwierzył. W końcu spędzacie ze sobą wiele czasu.

– Myślałam, że go zostawiła.

Założyłam, że przydarzyło im się to co wielu parom. Jej miłość się wypaliła albo spotkała kogoś innego.

– Mój Boże, nigdy w życiu. Byli zakochani po uszy, on chciał się oświadczyć. Mieli wypadek samochodowy. Koszmarny. Laura prowadziła, uciekali przed paparazzi. Nie wiem dokładnie, jak to się stało, ale przez paparazzi ich samochód wpadł w poślizg. Hayden wyszedł bez szwanku. Ona zginęła.

– Okropne.

Może nie odniósł urazów fizycznych, ale wyszedł z tego pogruchotany psychicznie. Ból wciąż mu towarzyszy.

– Laura odeszła na wieki – ciągnie Crystal. – Mam nadzieję, że pewnego dnia Hayden się z tym pogodzi i nauczy się kochać na nowo. Bóg wie, że próbowałam mu pomóc. Bez skutku. – Obejmuje mnie. – Może ty, droga przyjaciółko, będziesz miała więcej szczęścia.

Rozdział czterdziesty drugi

O trzeciej piętnaście czekam w holu na Crystal i Haydena, żeby razem pójść do szkoły po Sabinę. Hayden przychodzi pierwszy. Ma czarną wełnianą czapkę ściągniętą nisko na czoło. Tak nisko, że styka się z okularami przeciwsłonecznymi, które zakrywają mu oczy. Włożył kurtkę i postawił kołnierz.

– Na dworze jest bardzo ciepło – mówię.

Chciałabym wyciągnąć rękę, dotknąć go i powiedzieć, że teraz lepiej rozumiem jego cierpienie.

– Fotoreporterzy – wyjaśnia. – Nie chcę, żeby mi ktoś robił zdjęcia.

– Och. – O tym nie pomyślałam. Teraz rozumiem, że nie jest to dla niego banalna przechadzka. Poznałam fakty i widzę wszystko w innym świetle. – Nie musisz iść.

– Mam ochotę – odpowiada. – Ale od pewnych rzeczy trudno się odzwyczaić.

– Chyba nie ma fotografów na ulicy – bąkam.

– Są wszędzie.

– Och. – Nie wiem, co powiedzieć, żeby poczuł się lepiej.

Zerkam na zegarek. Muszę wychodzić, żeby Sabina nie czekała na mnie przed szkołą. W tej chwili Crystal wygląda z gabinetu Haydena.

– Jestem w trakcie zbierania informacji w sprawie kursów – mówi. – Poradzicie sobie sami?

– Oczywiście – odpowiadam i zwracam się do Haydena: – Nie masz nic przeciw temu?

– Jasne – zapewnia, ale wyraźnie pobladł.

– Na pewno?

Tylko kiwa głową. Na progu zatrzymuje się i wczepia we framugę.

– Ojej. To trudniejsze, niż myślałem.

Przez chwilę wydaje mi się, że zaraz zemdleje.

– Chyba nie dam rady. Powinienem wrócić do środka.

– Nie chcę iść sama – panikuję.

– Ale z nas para dziwaków – wzdycha Hayden. Oddycha ciężko. – Damy radę. Damy radę.

To mi uświadamia, że przez cały czas, gdy mieszkam w jego domu, ani razu nie widziałam, żeby wychodził gdzieś poza ogród. Teraz już wiem dlaczego, ale to źle wróży.

– Nie ma powodu do obaw – pocieszam go. – Ty pomożesz mnie, ja pomogę tobie. A Sabina będzie szczęśliwa, gdy cię zobaczy.

– Duszę się. – Przykłada rękę do serca. – Mam wrażenie, że eksploduję.

– Bez pośpiechu. Małymi krokami zmierzamy do celu.

Wsuwam mu rękę pod ramię, jak Crystal robi to ze mną.

– Małymi krokami – powtarza.

Wychodzimy na słoneczny świat, ja z moimi pomalowanymi paznokciami, Hayden w wełnianej czapce. Przy bramie znowu staje jak wryty.

– Od dawna nie przekraczałem tej granicy.

– Droga do szkoły jest przyjemna. Zajmie nam tylko kilka minut.

Kiwa głową i z ociąganiem wygląda za ogrodzenie.

Rozgląda się na wszystkie strony. Kiedy już pewien, że nie czyha na niego żaden fotograf, ruszamy niepewnymi krokami w kierunku szkoły.

– Dobrze nam idzie, prawda? – pytam.

Hayden ma minę człowieka, który balansuje na skraju przepaści.

– Dobrze – cedzi przez zaciśnięte zęby.

– Dziękuję, że zapłaciłeś za mój manikiur. – Pokazuję mu ręce, żeby odwrócić uwagę.

– Pięknie. – Pochwała więźnie mu w gardle.

– To było miłe z twojej strony.

– Drobny gest.

– Czuję się wystrzałowo. – Może nie tak, jak Crystal, ale na swój sposób. Wreszcie przed nami wyrasta budynek szkoły. Ściskam go lekko za ramię. – Jesteśmy na miejscu.

– Nie było tak źle. – Uśmiecha się, ale pot perli mu się nad górną wargą.

Kiedy wchodzimy na boisko, niektóre matki czekające na dzieci zaczynają przyglądać się Haydenowi. Spuszcza głowę i wbija wzrok w ziemię, ale kobiety szturchają jedna drugą i coś sobie szepczą na ucho. Zastanawiam się, czy go rozpoznały, czy może zwróciły uwagę na wysokiego i przystojnego mężczyznę. Wyróżnia się, bo ojców tu jak na lekarstwo. Wyczuwam, że jest skrępowany i wolałby, aby go zostawiono w spokoju. Już i tak to dla niego udręka.

W tym momencie rozlega się dzwonek i ze szkoły wybiega dzieciarnia. Hayden się odpręża. Sabina spostrzega nas z daleka, biegnie najpierw do Haydena. On łapie ją w biegu i podrzuca wysoko. Z jej gardła wydobywa się cichy okrzyk zachwytu. Nie wierzę własnym uszom.

Wymieniamy z Haydenem porozumiewawcze spojrzenie. Mam łzy w oczach. Jeden okrzyk to niewiele, ale to pierwszy dźwięk, jaki Sabina wydała z siebie od bardzo dawna. Wreszcie się przekonuję, że jej głos, choć uwięziony, wciąż w niej jest. Mogę mieć nadzieję, że pewnego dnia znowu będzie wolny.

– Ciężka jesteś, Sabinko – mówi Hayden, podrzucając ją jak piórko.

Stawia moją córkę na ziemi. Uśmiecha się szeroko.

– Całus dla mamy? – proszę.

Słodkie usta muskają mój policzek. Bierzemy dziecko w środek i idziemy, trzymając się za ręce.

Wymieniamy kolejne spojrzenie nad jej głową. Tym razem Hayden zsuwa okulary i znad oprawki puszcza do mnie oko. Odmruguję.

Rozdział czterdziesty trzeci

Crystal rzuca się na mnie, gdy tylko przekraczamy próg domu.

– Zarezerwowałam miejsca na kursie manikiuru – oznajmia. – Trwa tylko dwa dni.

– Naprawdę?

– W przyszłym tygodniu. Kosztuje sto pięćdziesiąt funtów od osoby.

– Nie mam takiej kwoty na zbyciu – stwierdzam. – Nie stać mnie.

– Kursy na kampusie byłyby dużo tańsze, ale zaczynają się dopiero we wrześniu – mówi Crystal. – Nie mogę tyle czekać. Chciałabym od razu rozkręcić działalność.

Zupełnie upadam na duchu. I co teraz?

– Zapłacę za was obie – proponuje Hayden.

– Nie mogę przyjąć pieniędzy. – Nawet się nie zastanawiam. Mowy nie ma, żebym się uzależniła od kolejnego mężczyzny. Nawet tak miłego jak Hayden.

– Potraktuj je jak pożyczkę. Oddasz mi, gdy zaczniesz zarabiać.

– Nie jestem pewna – waham się. – To poważne zobowiązanie.

– Przynajmniej się zastanów. Nie musisz decydować od razu.

– Ehm… – Crystal przestępuje z nogi na nogę. – Niestety, musi. Już zarezerwowałam miejsca dla nas obu i zapłaciłam za kurs moją kartą kredytową.

– Och, Crystal. Nie powinnaś podejmować decyzji bez mojej zgody.

– Nie miej pretensji – dąsa się. – To będzie fantastyczna, odlotowa zabawa.

– A ja postanowiłam, że wreszcie sama zacznę podejmować decyzje, które wpływają na moje życie.

– Och. – Jest zawstydzona. – Nie przyszło mi to do głowy.

Wzdycham tylko, choć mam ochotę się rozpłakać.

– Nie możesz przejąć kontroli nad własnym życiem po kursie? – pyta Crystal pokornie.

– Dajcie spokój, dziewczyny – interweniuje Hayden. – Bawcie się dobrze, ja płacę. Koniec dyskusji.

– Jak odbiorę Sabinę ze szkoły? – Trudności same się piętrzą.

– Hayden po nią pójdzie. – Crystal patrzy na niego pytająco. – Nie masz przecież innych planów.

– Nie wiem, czy to dobry pomysł. – Dzisiaj widziałam, ile go kosztowało wyjście między ludzi. Chyba nie powinnam nadużywać jego uprzejmości.

– Crystal ma rację – odpowiada. – Mogę odebrać Sabinę w oba te dni, jeśli wasze zajęcia będą się przedłużały.

– Jesteś pewien? Bo mogłabym poprosić Joy.

– O tej porze dnia jest w ośrodku dziennego pobytu – przypomina. – Nie ma co ściągać jej z powrotem. Poradzę sobie.

A ponieważ wciąż mam niepewną minę, dodaje z naciskiem:

– Na pewno sobie poradzę. Obiecuję. Zgadzasz się, prawda, Sabinko?

Moja córka kiwa głową i uśmiecha się nieśmiało. Jest nim oczarowana, a Hayden okazuje jej dużo cierpliwości i serdeczności.

– Kurs dobrze wam zrobi – dodaje pod naszym adresem.

Moje zastrzeżenia znikają, uśmiecham się. Zdobędę bardzo przyjemny zawód, coś, co mogę robić bez obaw, bo przecież lubię się troszczyć o innych. Przy rozsądnym ustawieniu godzin pracy nie będę miała problemu z odbieraniem Sabiny ze szkoły.

– Tak, bardzo chcę pójść na kurs.

– *Fantastico*! – Crystal aż podskakuje. – Jest mnóstwo różnych szkoleń, ale to da nam podstawy.

– Zamierzam zapłacić za siebie – mówię do Haydena. – To dla mnie ważne. – Wciąż mam kilkaset funtów, które przywiozłam ze sobą. Moje zaskórniaki na czarną godzinę. Wolałabym jednak tego nie uszczuplać. Co będzie, jeśli sytuacja zmusi mnie do kolejnej przeprowadzki?

– Rozumiem. – Wzrusza ramionami.

– Chciałabym jednak skorzystać z twojej oferty pomocy w pracach pisemnych i przy odbieraniu Sabiny.

– Oczywiście. Z przyjemnością. – Uśmiecha się do mnie.

Zależy mi, żeby mnie szanował. Chciałabym szanować sama siebie.

– Jestem niesamowicie podniecona – mówi Crystal i mnie ściska.

– Ja też – przyznaję. Nigdy nie chodziłam na żadne szkolenie. Mam wrażenie, że otwierają się przede mną nieskończone możliwości. Ale teraz pora na obowiązki. Za chwilę domownicy zaczną umierać z głodu. Zdejmuję żakiet. – Zabieram się do gotowania, inaczej zasiądziemy do posiłku o północy. Sabino, masz jakąś pracę domową?

Kiwa głową.

– Pomogę jej – oferuje Hayden.

– Dziękuję.

Rozsiadają się przy stole, słyszę, jak Hayden ćwiczy z nią ortografię. Staram się powtarzać w głowie słówka.

Kroję i podsmażam kurczaka; nastawiam, żeby się dusił w sosie z mleka kokosowego i przypraw. Joy zostawiła dla mnie na blacie kuchennym duży wybór warzyw. Zaczynam je obierać.

Jestem trochę podekscytowana, a trochę przestraszona perspektywą chodzenia na kurs. Powinnam podziękować Crystal za załatwienie formalności, bo sama chybabym nie miała odwagi. To lekcja dla mnie, że potrzeba mi więcej asertywności, skoro mam sobie sama radzić w tym wielkim świecie.

– Prawie skończyliśmy – mówi do mnie Hayden i uśmiecha się, jakby czytał w moich myślach.

– Obiad będzie za chwilę. Może pograsz na fortepianie?

– Dobry pomysł. – Zwraca się do Sabiny: – Masz ochotę poćwiczyć „Pałeczki" na cztery ręce?

Mała energicznie kiwa głową.

Hayden bierze moją córkę za rękę i idą do salonu.

Byłam prawdziwą szczęściarą, gdy wstąpiłam w progi domu Haydena Danielsa. Muszę jednak pamiętać, że żyję tu pod szklanym kloszem. To sanatorium, w którym nabieram sił do codziennej walki o przetrwanie. Wcale nie będzie łatwo.

Rozdział czterdziesty czwarty

Trop się urwał. Suresh wpatrywał się w ekran swojego laptopa i z irytacją przejechał palcami przez włosy. Przeszukał internet i znalazł nazwę organizacji dobroczynnej, która miała biuro przy Drummond Street. Może właśnie do nich zwróciła się Ayesha. To byłoby do niej podobne, pójść na żebry. Rzygać mu się chciało na myśl o żonie.

Starał się zdobyć informację bezpośrednio u źródła. Zadzwonił do nich kilka razy, ale mimo coraz bardziej natarczywych nalegań niczego nie osiągnął. W końcu zaczął im grozić, ale to też nie odniosło skutku. Wredne suki. Nawet jeśli Ayesha u nich była, niczego się od nich nie dowie. „Dane osobowe są poufne", powtarzały w kółko. Stek kłamstw. Powiedział w końcu, cała ich działalność sprowadza się do rozdzielania mężów i żon, ojców i dzieci.

Suresh wybrał się do Londynu jeszcze dwukrotnie. Za każdym razem w pojedynkę. Kumple uznali, że popada w obsesję, a jego brat wytykał przy każdej okazji, że mu odbija. Nie chciał się narażać na kolejne kpiny. Pojechał własnym autem, włóczył się po londyńskich ulicach, mając nadzieję, że gdzieś wypatrzy Ayeshę. Przecież nie zapadła się pod ziemię. Prędzej czy później zrobi jakiś błąd, a wtedy on już będzie na nią czekał, poczuje na plecach jego oddech. Bo on jest cierpliwy i się doczeka.

Dzień po dniu spędzał długie godziny w internecie, szukając jakichś wskazówek, co jeszcze mógłby zrobić. Marnował cenny czas i to podsycało jego gniew na żonę. Kroił się wielki skok, który od dawna planowali z Flynnem i Smithem. Większy niż wszystkie wcześniejsze przekręty razem wzięte. Pora zagrać w pierwszej lidze. Jeśli wszystko się powiedzie, będą bogaczami, ale najpierw muszą dograć plan w najdrobniejszych szczegółach. Co noc zbierali się w jego kuchni i omawiali detale, starali się przewidzieć wszelkie możliwe komplikacje i przygotować na każdą ewentualność. Aafera z Ayeshą tylko go rozpraszała.

Matka przydreptała z filiżanką herbaty. Szła powoli, z trudem. Od czasu gdy Ayesha z Sabiną uciekły, zapadła się w sobie, zmalała. Na jej widok zgrzytał zębami z irytacji. Postawiła herbatę przy komputerze.

– Nie tutaj! – warknął. – A co, jeśli się rozleje?

Matka odsunęła filiżankę. Zanim zdążyła odejść, złapał ją za przegub ręki. Była chuda, sama skóra i kości, mógłby złamać jej kończynę bez wysiłku. Wyraźnie się postarzała. Teraz to krucha starowina z rzadkimi siwymi włosami. Ojciec był nie lepszy. Całymi dniami siedział w fotelu i gadał o starych dobrych czasach.

– To boli, synu.

– Odezwała się do ciebie? – spytał, puściwszy matkę. Kobieta przytuliła rękę do ciała. – Żadnych tajnych liścików? Żadnych telefonów, o których zapomniałaś mi powiedzieć?

– Nie – odpowiedziała. – Nic.

– Nie chcę, żebyś się kontaktowała z jej rodzicami.

– Co miałabym im powiedzieć? Że twoja żona zabrała dziecko i uciekła w środku nocy i nie wiemy, co się z nią dzieje? Umieraliby ze zmartwienia. Nie chcę im tego robić.

– Ayesha spróbuje się z tobą skontaktować. Znam się na tym – stwierdził z naciskiem. – A ty mi o tym powiesz, prawda?

Lekkie zawahanie powiedziało mu to, co chciał wiedzieć. Matka odwróciła od niego twarz.

– Nie przestanę jej szukać – ostrzegł. – Powiedz jej to, gdy będziesz z nią rozmawiała.

– Ona nie nawiąże z nami kontaktu. – Głos matki był smutny. – Straciliśmy ją. Zabrała naszą wnuczkę i już nigdy nie wróci.

– I myślisz, że to moja wina.

Znowu się zawahała. Ta chwila milczenia powiedziała mu wszystko.

– Zajrzyj w głąb swojego serca, Sureshu. Czy byłeś dobrym mężem?

– Miała wszystko, czego potrzebowała. Dach nad głową. Jedzenie na stole.

– Człowiek potrzebuje tylko miłości – odparła matka.

– Obowiązek – burknął, stukając palcem w stół. – Małżeństwo to obowiązki. Powinna się z nich wywiązywać.

– Tęsknisz za nią?

– A co ma piernik do wiatraka? – Spojrzał na matkę zdziwiony.

Pokiwała tylko głową i wyszła.

– Wróci – prychnął, aż prysnęła ślina. – Jeszcze się przekonasz.

Rozdział czterdziesty piąty

Poniedziałkowy poranek. Crystal i ja jesteśmy wystrojone, wypachnione i gotowe szturmem zdobyć świat manikiuru. Mam na sobie kwiecistą bluzkę i białe lniane spodnie. Szybko się brudzą, muszę je co parę dni prać i prasować. Elegancja jest czasochłonna, ale nie dam za wygraną. Crystal trochę mnie podmalowała, żebym wyglądała jak szykowna babka. To jej słowa, nie moje. Ona ma na sobie obcisły biały podkoszulek i równie obcisłe białe dżinsy.

– Na pewno poradzisz sobie z odprowadzeniem Sabiny? – pytam Haydena.

Moje serce bije niespokojnie. A jeśli w połowie drogi stwierdzi, że to ponad jego siły?

Patrzy na Sabinę i unosi brwi.

– Damy radę?

Moje dziecko kiwa głową. Nie trapią jej żadne wątpliwości.

– I odbierzesz ją po południu?

– Będę punktualnie – zapewnia.

– Uprzedziłam w szkole, że to ty przyjdziesz po dziecko.

– I dobrze.

– Jeśli zacznie padać, weź parasol.

– Tego bym się sam domyślił.

Zachowuję się głupio. Skoro Hayden obiecał, powinnam mu zaufać. Chciałabym wyjaśnić, że już wiem, co się stało z Laurą, więc rozumiem jego zahamowania, jednak nie potrafię znaleźć właściwych słów.

– Przepraszam, dobrze wiem, że jesteś odpowiedzialnym człowiekiem.

– Najlepszego sortu.

– Martwię się, bo sprawiam ci kłopot.

– Nie ma powodu do zmartwienia. – Hayden kładzie mi ręce na ramionach. – Zrobię to, o co prosiłaś. Miłego dnia. Skoncentruj się na nauce. Na pewno dowiesz się wielu ciekawych rzeczy. Nie martw się o Sabinę.

Kiwam głową.

– Jeszcze chwila, a się spóźnimy – wtrąca Crystal.

– Ty też baw się dobrze. – Hayden całuje ją w policzek.

– Taki mam zamiar.

A wtedy Hayden niespodziewanie pochyla się i całuje mnie na pożegnanie. Mam ochotę dotknąć miejsca na policzku, zatrzymać jego pocałunek. Skóra mnie piecze, ale w przyjemny sposób.

– Miłego dnia, moje panie.

– Bądź grzeczna dla Haydena i Joy. – Nachylam się nad Sabiną i mocno ją przytulam. – Czekaj na niego na boisku. Nie idź z nikim innym. Z nikim. Rozumiesz?

Sabina energicznie potakuje.

– Do zobaczenia.

Pomagam jej włożyć szkolny blezer. Hayden wyciąga do niej dużą, silną dłoń. Mała łapka Sabiny ginie w jej wnętrzu. Mam łzy w oczach.

– Bez niepotrzebnych wzruszeń – upomina mnie Hayden. – Nie dzisiaj.

Przełykam łzę i robię radosną minę.

– Ruszaj się, dziewczyno, komu w drogę, temu czas. – Crystal ciągnie mnie za sobą.

Wybiegamy, machając na pożegnanie Haydenowi i Sabinie.

Akademia Urody w Hampstead znajduje się u podnóża Rosslyn Hill. Dojście tam zajmuje nam kwadrans. Nie mogę się nadziwić, jak szybko porusza się Crystal na swoich niebotycznych obcasach. Ja w moich praktycznych pantoflach z trudem za nią nadążam.

W środku szkoła przypomina gigantyczną watę cukrową, wszystko jest w bieli i bladym różu. Nawet Crystal traci rezon i trzyma się blisko mnie. Dostajemy do wypełnienia formularze. Crystal dyskretnie pomaga mi w pisaniu, więc radzę sobie z zadaniem bez problemu.

W grupie są dwie kobiety, które wyglądają na starsze od nas, i młoda dziewczyna, która przyszła sama. Na szczęście kursantek jest mało, wkrótce przestaję się bać.

Ku mojemu zadowoleniu Crystal i ja dostajemy wspólny stolik z przyrządami. Zaczynamy od ćwiczeń praktycznych. Mojej przyjaciółce błyszczą oczy, jakby była dzieckiem w sklepie z cukierkami. Z zachwytem patrzy na tęczową gamę lakierów do paznokci.

– Patrz tylko! – Podnosi mały słoiczek z brokatem. – Skrzy się jak brylanty!

– Bardzo ładny.

– Nie mogę się doczekać, kiedy przyjdzie pora na zdobienia.

Przez całe przedpołudnie uczymy się usuwać skórki i nadawać paznokciom różne kształty, zgodnie z aktualnymi trendami. Nigdy tego nie robiłam i muszę bardzo uważać, żeby się nie pogubić. Jestem dumna, że nadążam za innymi. Po południu, jak zapowiada nauczycielka, nauczymy się nakładać lakier i robić podstawowe zdobienia. Jutro poznamy techniki masażu dłoni.

– A skoro mowa o wakacjach – Crystal wczuwa się w rolę, gdy przychodzi pora na opiłowanie moich paznokci – dokąd się pani wybiera na wakacje, pani Rogers? – Obie chichoczemy, więc nauczycielka patrzy na nas srogo.

Kiedy Crystal kończy, zamieniamy się miejscami i teraz ja jestem manikiurzystką.

W porze lunchu mamy godzinę na zjedzenie kanapki. W szkole są klimatyzowane pomieszczenia, więc dla odmiany miło się pogrzać w słońcu, gdy idziemy zatłoczoną jak zwykle High Street.

– Jestem bardzo zadowolona, że robimy to razem. – Crystal bierze mnie pod rękę. – Fajnie jest mieć towarzystwo.

– Aha.

– Wiesz, że Vinny nie przestaje zasypywać mnie esemesami, prosząc, żebym wróciła?

– Naprawdę?

– Tak.

– Ale tego nie zrobisz?

– Nie. Nigdy. – Crystal wzdycha. – To prawda, że muszę zacisnąć pasa. Mam trochę oszczędności, ale szybko topnieją, a wciąż spłacam długi na karcie kredytowej. Potrzebuję regularnej pracy, i to szybko. W salonie kosmetycznym można przyzwoicie zarobić, ale nie ma porównania do napiwków, jakie się dostaje za pokazywanie tyłka napalonym facetom.

Śmieję się.

– Dzięki tobie udało mi się stamtąd wyrwać.

– Lepiej się czujesz?

– Nawet nie masz pojęcia. Nie zdawałam sobie sprawy, ile mnie kosztowało to gówniane zajęcie. Teraz mam wrażenie, że mogę zawojować świat. – Przybija mi piątkę. – Jestem twoją dłużniczką.

– Nieprawda. To ja wszystko ci zawdzięczam. Zrobiłaś dla mnie nieporównanie więcej. Dla mnie i Sabiny.

– Nie gadaj, dziewczyno. – Daje mi żartobliwego kuksańca. – Jesteśmy kumpelami. Trzymamy ze sobą. Obiecaj, że nigdy, niezależnie od tego, jak ci się życie ułoży, nie stracisz ze mną kontaktu. Obiecaj, że zawsze będziemy przyjaciółkami.

– Obiecuję.

Pospiesznie zjadamy kanapki na ławeczce przed delikatesami i wracamy na kolejne lekcje.

Po południu uczymy się różnych technik malowania paznokci. Crystal ma większą praktykę niż ja, ręka jej nie drży. Ja pociągam lakierem nie tylko paznokieć, ale i skórę. Powinnam to poćwiczyć.

Kiedy zbliża się kwadrans po trzeciej, patrzę na zegarek. Mam nadzieję, że Hayden nie zapomniał o odebraniu Sabiny ze szkoły. Że nie stanął w bramie, niezdolny do zrobienia kolejnego kroku. Wyobrażam sobie, jak moja córka samotnie czeka na boisku. Martwię się o tysiąc różnych rzeczy, a których nie chcę nawet mówić.

– Nic jej nie jest – mówi Crystal, choć przecież nie zdradziłam się ani słowem. – Hayden cię nie zawiedzie.

– Wiem, ale to silniejsze ode mnie. Nie lubię spuszczać Sabiny z oczu.

Z czasem nabieram pewności siebie. Wierzę, że udało nam się wydostać z łap Suresha. Wciąż jednak drzemie we mnie niepokój, że kiedyś nas odnajdzie.

Rozdział czterdziesty szósty

Hayden miał świadomość, że popada w paranoję, ale odprowadzając Sabinę do szkoły, nie mógł pozbyć się wrażenia, że ktoś go śledzi. Wróciło znane uczucie dławiącego lęku.

Teraz nie miał wyboru, bo nieubłaganie nadeszła pora na odebranie dziecka. Musiał włożyć czapkę i okulary przeciwsłoneczne i ponownie wyjść z domu. Stał w drzwiach, a serce mu niespokojnie trzepotało. Pot zbierał się nad górną wargą. Swędziała go skóra głowy pod wełnianą czapką. Zrobi to. Musi to zrobić. Obiecał Ayeshy.

Przed bramą zawahał się. Na ulicy nie działo się nic podejrzanego. Nikt nie czaił się w krzakach. Może prasa wreszcie o nim zapomniała. Mają pod ręką wystarczająco dużo aktorów i piosenkarzy, sław ostatniego sezonu, żeby wypełnić ich zdjęciami pisma dla kobiet, strony internetowe i tabloidy.

Zmusił się do zrobienia kolejnych kilku kroków. Po chwili skurcz mięśni ustąpił, szedł lekko i nie zaciskał nerwowo szczęk. Miło było znaleźć się w słońcu, na wolności. Zastanawiał się, czy przyjdzie taki czas, gdy stanie się zupełnie anonimowy. A gdyby znowu zaczął komponować? Czy musi płacić taką nieznośną cenę za swoją twórczość? Nie był pewien, czy kiedykolwiek będzie na to gotowy.

Na boisku szkolnym stanął ze spuszczoną głową przy ogrodzeniu. Tylko pięć minut, potem będzie dzwonek na przerwę i Sabina wyjdzie ze szkoły. Zauważył, że parę matek go obserwuje. Chichotały i szturchały się nawzajem tak jak rano. Może nawet bardziej śmiało. Udał, że jest zajęty wysyłaniem esemesów, co czasem zniechęcało gapiów, ale częściej nie.

A potem zorientował się, że tym razem jego metoda zawiodła.

– Dzień dobry. – Niewysoka blondynka przeszła boisko i wyrosła tuż przed nim. Bawiła się włosami. – Jestem twoją wielką fanką. Mam wszystkie twoje albumy. Czy mogę sobie zrobić z tobą zdjęcie? – Wyciągnęła telefon komórkowy.

„Diabelski wynalazek, pomyślał Hayden. W dzisiejszych czasach wszyscy mają przy sobie aparaty fotograficzne".

– Zgadzasz się?

Był rozdarty. Wolałby sobie wyłupić oczy, ale jeśli odmówi, kobieta opowie wszystkim przyjaciółkom, co za chamski typek z niego. Taka opinia lotem błyskawicy rozejdzie się po Twitterze i Facebooku.

– Jasne – odparł, choć marzył o tym, żeby sobie poszła i zostawiła go w spokoju.

Stanęła obok i wyciągnęła rękę z komórką. Klik. Zrobione. Zebrało mu się na mdłości.

Miał nadzieję, że Sabina się pospieszy, bo inaczej reszta mamuś opadnie go za chwilę jak stado rozćwierkanych wróbli. Podobne sytuacje zdarzały się wystarczająco często w przeszłości, żeby umieć je przewidzieć.

Na szczęście w tym momencie drzwi szkoły się otworzyły i wypuściły dzieciarnię na zewnątrz. Dzieci biegły do swych matek, a kobieta, która zrobiła mu zdjęcie, podziękowała i zniknęła w tłumie.

Jutro poprosi Joy, żeby go zastąpiła. Nie był pewien, jak zareaguje na wzmożone zainteresowanie, gdy już rozejdzie się wieść o jego obecności.

Dziewczynka podbiegła do niego i tak jak wczoraj podrzucił ją do góry. Miał ochotę posadzić ją sobie na ramionach i zanieść do domu, ale nie był pewien, czy mu wypada. Zamiast tego postawił małą na ziemi i przybili sobie piątkę.

– Miałaś dobry dzień?

Kiwnęła głową. Wielkie brązowe oczy patrzyły na niego ufnie. Śliczne oczy będą kiedyś przyczyną złamanych serc, oczy ładne jak u matki.

– Dowiedziałaś się czegoś ciekawego?

Wzruszyła ramionami.

– Nauczyć cię nowej piosenki na fortepianie?

Jej uśmiech go rozczulił.

– W porządku. – Wziął ją za rękę i ruszyli w krótką drogę powrotną. – Tak zrobimy.

Zanim wrócili do domu, Hayden spocił się jak mysz, więc z ulgą wszedł do chłodnej kuchni. Spacer z Sabiną go uspokoił, ale i tak kilka razy odwracał się, żeby sprawdzić, czy ktoś ich nie śledzi.

Muszę to zwalczyć, pomyślał, inaczej zacznie mną rządzić irracjonalny strach.

Sabina usiadła przy stole. Nalał jej szklankę mleka. Potem wyjął dla niej dwa ciastka z kawałkami czekolady. Wreszcie zdecydował, że będzie jej towarzyszył, i wziął dla siebie to samo. Usiadł naprzeciwko.

– Masz ćwiczenia z ortografii?

Kiwnęła głową.

– W takim razie najpierw praca domowa.

Otworzyła swój ukochany plecak Hello Kitty i wyciągnęła zeszyt. W milczeniu robiła ćwiczenia, od czasu do czasu pijąc mleko.

Ciekawe, jakie byłoby moje dziecko, pomyślał.

Ta urocza dziewczynka z łatwością znalazła drogę do jego serca. Obserwował ją z prawdziwie rodzicielską czułością i troską, o które by się wcześniej nie podejrzewał. Sabina jest niemową, ale ma osobowość widoczną w każdym geście i umysł ostry jak brzytwa. Uświadomił sobie, że pewnego dnia chciałby mieć rodzinę. Jeśli zamknie się w przeszłości, rozpamiętując każdą minutę, opłakując to, co się nie zdarzyło, być może skończy jako samotny, zgorzkniały człowiek. Nie może przecież oczekiwać, że Joy, Crystal czy nawet Ayesha zostaną z nim na zawsze. Kiedy tak obserwował Sabinę, pomyślał, że nie chce ich stracić. Trudno o bardziej niedopasowaną grupę, a jednak z jakiegoś powodu wszystko w niej grało.

Spojrzał na blat. Joy zostawiła na nim całą stertę warzyw, co ostatnio zwykła robić. Może powinien je umyć i obrać, pomóc Ayeshy, która i tak ma sporo zajęć. Od pewnego czasu co wieczór razem zasiadali do posiłku, co było miłym zwyczajem.

Ayesha fantastycznie gotuje. Nawet Joy zaczęła jeść jej wschodnie potrawy, co było nie lada osiągnięciem. On zaczął intensywniej ćwiczyć, bo przestałby się dopinać w pasie. Zatęsknił nawet za codziennym bieganiem. Chciałby znowu poczuć ziemię pod stopami, ale to by wymagało codziennych przebieżek do parku, a na to nie był jeszcze gotowy.

Ayesha miała wiele zalet. Na samą tę myśl budziły się w nim uczucia, które uważał za pogrzebane na zawsze. To kolejna rzecz, na którą nie był jeszcze gotowy.

Sabina skończyła ćwiczenia, po czym odwróciła zeszyt i przysunęła go do Haydena. Kiedy sprawdzał pracę domową, zabrała się do jedzenia ciastek, krusząc po całym stole. Dopiero wtedy pomyślał, że powinien położyć je na talerzyku.

– Bardzo dobrze – pochwalił. – Dziesięć na dziesięć. A było kilka naprawdę trudnych słów.

Uśmiechnęła się nieśmiało, ale z wyraźną dumą.

– Jesteś gotowa na kolejną lekcję gry?

Kiwanie głową.

– Najpierw umyj ręce. – Zeskoczyła z krzesła i podeszła do zlewozmywaka. Po umyciu i osuszeniu rąk przeszli do salonu.

Hayden otworzył drzwi do ogrodu, wpuszczając do środka słońce. Zajęli miejsce na taborecie przed klawiaturą.

– Znasz piosenkę „Mary miała małego baranka"?

Sabina przytaknęła.

– Zaczynamy.

Rozdział czterdziesty siódmy

Spędziłam uroczy dzień, ucząc się nowego fachu, jednak, wyznaję szczerze, że nie mogę się doczekać powrotu do domu i spotkania z córką. Trudno mi ją opuszczać. Nie wiem, jak sobie poradzę, gdy zostanę pracującą mamą. Będę musiała powierzać ją obcym ludziom i serce mnie boli na samą tę myśl. Taka jest, niestety, cena mojej wolności.

Crystal jest niesamowicie podekscytowana, „meganakręcona", jak to ona mówi. Bardzo jej się podobały dzisiejsze zajęcia. Nauczycielka musiała ją wyrzucić niemal siłą, bo Crystal nie chciała wracać do domu. Można uznać, że moja przyjaciółka znalazła swoje powołanie.

Ciągnę ją za sobą, niemal biegniemy, a od drzwi wejściowych wołam głośno imię mojego dziecka.

– Sabina! Sabina! – Zapominam chwilami, że mi nie odpowie, ale wciąż noszę w sercu taką nadzieję.

– Jesteśmy tutaj! – odpowiada Hayden z salonu.

Rzucam torebkę i pędzę im na spotkanie.

Siedzą przy fortepianie. Buzia Sabiny promienieje.

– Dzień dobry, najmilsza – mówię. Zeskakuje ze stołka i rzuca się w moje objęcia. Czuję słodki zapach jej włosów, gdy ją przytulam. – Byłaś grzeczna?

Kiwa główką.

– Jak ci się podobał kurs? – pyta Hayden.

– Bardzo. Z przyjemnością myślę o jutrzejszych zajęciach.

– Masz jakąś pracę domową? Potrzebujesz pomocy?

– „Choroby i zaburzenia budowy paznokci". – Krzywię się.

– Pasjonujące. – Śmieje się. – Trzeba będzie odłożyć na inny dzień naszą wieczorną lekturę.

– Niestety, tak.

Sabina odkleja się ode mnie i wraca do fortepianu.

– Chcesz posłuchać, czego się dziś nauczyliśmy? – pyta Hayden.

– Z największą przyjemnością.

Moja córka zasiada i na znak dany przez Haydena zaczynają grać przyjemną melodię. Chce mi się płakać ze wzruszenia na widok tego, jaka jest skoncentrowana. Kiedy kończą, biję im brawo.

– Jesteście bardzo utalentowani. To było śliczne.

– Szybko się nauczyła – zauważa Hayden. – Myślę, że ma wrodzony talent.

– Dziękuję za poświęcenie Sabinie czasu i za odebranie jej ze szkoły. – Wiem, że to go sporo kosztowało.

– Cała przyjemność po mojej stronie.

– Zaraz zrobię obiad.

– Przyjdę pomóc.

– Dziękuję. – Wymieniamy nieśmiałe spojrzenia.

Gotuję dziś proste i szybkie potrawy, żebyśmy jak najszybciej mogli zasiąść do stołu. Hayden mi pomaga, krojąc warzywa, a Sabina ustawia talerze. Po raz pierwszy w życiu uważam na paznokcie podczas prac kuchennych.

Podaję obiad, gdy do kuchni schodzą Crystal i Joy. Tym razem mamy wegetariańskie curry z mnóstwa warzyw wyhodowanych przez Joy oraz gotowany ryż. Do tego jest surówka z tartej marchewki z chili i limonką, posypana wiórkami kokosowymi.

Przed posiłkiem Hayden podnosi kieliszek.

– Za Ayeshę i Crystal. Oby im się poszczęściło w nowym fachu.
Wznosimy toast lemoniadą przygotowaną przez Joy.

– Potrzebuję praktyki – wyznaję. – Crystal nie ma z tym żadnych problemów, ale ja muszę poćwiczyć, zanim opanuję sztukę opiłowywania i malowania paznokci.

– Prowadziłaś do tej pory niemal ascetyczny żywot – mówi Crystal.

– Chętnie bym się zgłosiła, żebyś poćwiczyła na mnie – wtrąca Joy – ale to strata czasu. Jutro znów będę wykopywać ziemniaki i cała twoja praca na nic. Kiedyś miałam ładne paznokcie, ale to było dawno temu.

– Na mnie nie licz. – Hayden podnosi ręce. – Jestem gotów powtórzyć z tobą teoretyczne wiadomości o chorobach i zaburzeniach budowy paznokci, ale na tym się kończy moja dobra wola. Nie przewiduję ćwiczeń praktycznych.

– Mogłabyś przyjść do ośrodka dziennego pobytu, jeśli masz ochotę – proponuje Joy. – Jestem przekonana, że nasze staruszki nie odmówią, gdy pojawi się początkująca manikiurzystka. Więcej, będą zachwycone. Uwielbiają, gdy coś się dzieje.

– Mogłybyśmy pójść obie – zwracam się do Crystal.

– Czemu nie. – Nakłada sobie kopiastą porcję curry.

– Czy możemy być w następnym tygodniu, już po kursie?

– Jutro ustalę szczegóły. – Joy również sięga po curry.

Wspaniale! Może zyskałyśmy pierwsze klientki. Całym sercem czuję, że nam się uda. Nagle przyszłość jawi mi się w różowych kolorach.

Rozdział czterdziesty ósmy

„Pragnienia" – Klub Dżentelmenów. Suresh był tu już dwa razy podczas swoich wypraw do Londynu. Po całym dniu bezowocnych poszukiwań Ayeshy potrzebował pozytywnych doznań, a patrzenie na striptizerki kuszące klientów dodawało mu wigoru.

Tym razem sprawy przybrały zły obrót. Zabrał jedną z dziewczynek do hotelu za Euston Station i zapłacił zbyt dużo za zbyt mało entuzjazmu. Nagle uroiło mu się, że to jego żona. Ręce same zawędrowały na jej gardło i poczuł, jak się zaciskają. Opanowało go przemożne pragnienie, aby ściskać je dotąd, aż wyciśnie z niej całe życie. Na szczęście sobie uświadomił, że to nie jest ta osoba, którą chce ukarać, i wypuścił ofiarę.

Powstrzymał się w ostatniej chwili, ale trzęsła nim wściekłość. Miał ochotę porządnie sprać kurewkę, albo i zrobić jej krzywdę. Skończyło się na ostrym seksie i wyrzuceniu z pokoju.

Wstrząsnęła nim świadomość, że przestaje nad sobą panować. Nie zjadł śniadania w hotelu, pełnym chińskich turystów na wycieczce. Słyszał, jak planowali wyjazd na cały dzień do Bicester Village, gdzie są butiki znanych marek. Po jakiego diabła przyjeżdżają do Londynu, skoro cały dzień spędzą na zakupach? W przeciwieństwie do nich zamierzał poznać turystyczne atrakcje Londynu. Może uda mu się wypatrzeć Ayeshę w tłumie zwiedzających. Może akurat wybierze się z Sabiną na oglądanie miasta.

Wyczerpał już wszystkie pomysły i nie miał pojęcia, co dalej. Flynn, Smith i Arunja szybko znudzili się jego obsesyjną gadaniną na temat tej suki. Trzymał więc język za zębami. Nie prosił ich więcej o pomoc w poszukiwaniach, a żaden z nich tego nie zaproponował. Nawet rodzony brat. Nikt z nich nie rozumiał, jak Suresh głęboko został zraniony. Miał wrażenie, że żona wyrwała mu serce i teraz ma w piersiach ziejącą pustką dziurę. Nigdy by nie uwierzył, że kobieta może zadać taki cios.

Najpierw skierował się do Covent Garden.

Wałęsał się po ulicach, rozmawiał z ulicznymi artystami, którzy zajmowali miejsca przy promenadzie i zaczynali swoje występy w nadziei na hojność porannych turystów. Po południu tłum zgęstnieje, przybędzie spacerowiczów, jak i kieszonkowców.

Parę razy odwracał się gwałtownie, bo wydawało mu się, że dostrzegł kątem oka znajomą sylwetkę. Za każdym razem spotykało go rozczarowanie. Obce kobiety nie były ani tak ładne, ani tak delikatne jak Ayesha.

Odwiedził kilka miejsc, w których mieszkał w dzieciństwie, zanim rodzice wyprowadzili się z Londynu, skuszeni złudnymi perspektywami w tętniącym życiem nowym mieście. Przemierzanie znajomych zaułków Brick Lane przyniosło mu ulgę, choć nadal wypatrywał Ayeshy.

Wieczorem błąkał się po Soho. Gdy wrócił na Leicester Square, bolały go nogi, a wściekłość narastała do punktu wrzenia. Z powodu Ayeshy przeszedł pół Londynu, na próżno. Żadnych rezultatów, tylko cierpienie.

Przed kinem Odeon przygotowywano uroczystą premierę nowego filmu. Ustawiono barierki i rozłożono czerwony dywan. Portret niesamowicie przystojnego gwiazdora filmowego miał ponad sześć metrów wysokości i zajmował całą ścianę. Suresh nigdy o nim nie słyszał.

Z jednej strony placu zgromadziły się dziewczyny w minisukienkach, oczekujące na swego idola. Obok nich leżała sterta śpiworów, co świadczyło o tym, że czekają tu od wczoraj, byle tylko zobaczyć choć przez chwilę obiekt swoich westchnień. Niektóre były bardzo młode, wyglądały na uczennice.

To dowód, jakie płytkie i puste jest życie we współczesnym świecie. Czym sobie zasłużył ten koleś na takie uwielbienie? Kobietom nie wystarcza dziś dobry, odpowiedzialny mąż. Chcą czegoś więcej. Chcą pieniędzy, diamentów, sportowych samochodów i ubrań od największych projektantów mody. Tego chcą i za to nimi pogardza.

W Sureshu narastał wściekły ból, który choć nie miał fizycznej natury, był nie do pokonania. Otworzył więc tylko w kieszeni scyzoryk i przycisnął opuszki palców do ostrza.

Lunął deszcz, pierwsze strumienie wywołały panikę wśród młodych dziewczyn. Ich świdrujące piski wwiercały mu się w mózg.

Ulewa przybierała na sile. Dziewczyny rzuciły się do kawiarni i sklepów, aby ukryć się przed deszczem. Suresh podniósł tylko twarz do nieba, poddając się wodnej chłoście. Był przemoczony do suchej nitki, ale woda go nie obmyła, nie oczyściła, choć taką miał nadzieję. Cierpienie stało się jeszcze silniejsze.

Wyjął scyzoryk i powoli przejechał po wnętrzu dłoni. Cięcie było płytkie, ale ból fizyczny zmniejszył duchowe męczarnie. Podniósł rękę ku szaremu, niemiłosiernemu niebu. Krew zmieszana z deszczem kapała z niej na chodnik. Odrzucił głowę do tyłu i zawył prosto w niebo:

– Ayesha!

Rozdział czterdziesty dziewiąty

Crystal i ja kończymy kurs i zdajemy egzamin celująco. Mocną stroną mojej przyjaciółki jest zdobienie paznokci i malowanie ich kolorowym brokatem. Ja najbardziej lubię masowanie dłoni, odnajduję w tym przyjemność. Obydwie mamy certyfikaty na dowód naszych kompetencji, obie jesteśmy z siebie niesłychanie dumne.

Joy zaprosiła nas na poniedziałek do ośrodka dziennego pobytu, gdzie mamy zrobić manikiur starszym paniom. Kupiłyśmy niezbędne wyposażenie w naszej Akademii, co jest dla mnie kolejnym nieplanowanym wydatkiem. Na szczęście teraz zacznę pracować i wreszcie zarabiać jakieś pieniądze.

Jest sobota, Crystal umówiła się na zakupy z przyjaciółkami z klubu. Zżera ją ciekawość, co się mówi o jej niespodziewanym odejściu. Wiem też, że zachęcona naszym małym sukcesem zamierza namawiać dziewczyny, by poszukały sobie innego zajęcia. Wybiegła w podskokach rankiem, kiedy wstawałyśmy z Sabiną, choć to do niej całkiem niepodobne.

Nie ma jeszcze dziewiątej, a już dzień robi się przyjemnie ciepły. Sabina wierci się w łóżku, więc lepiej wstać, bo strasznie kopie. Zjemy śniadanie w ogrodzie. Przygotowuję je i myślę, jaką jestem szczęściarą, że trafiłam do tego domu i wreszcie jestem bezpieczna.

Słońce grzeje moje ramiona przez cienki materiał bluzki. Pogodynka zapowiedziała piękny weekend.

Gdy zaparzam herbatę, dołącza do nas Hayden.

– Wcześnie wstałeś.

– Trudno się kisić w łóżku w tak piękny dzień – mówi. – Słońce dosłownie wlewa się przez okna. Od dawna jesteś na nogach?

– Moje drogie dziecko nie może uleżeć spokojnie – wyjaśniam. – Okropna z niej wiercipięta.

– Weź inną sypialnię – radzi. – Na moim piętrze jest parę nieużywanych pokoi. Trzeba będzie poprzestawiać trochę mebli, ale zależy mi na twojej wygodzie. Możecie mieć z Sabiną oddzielne pokoje.

– Nie, dziękuję. Nawet jeśli czasem przeszkadza mi spać, chcę być przy niej przez całą noc. – Kręcę głową. – Gdzie indziej w ogóle nie zmrużę oka. Może kiedyś, gdy będzie trochę starsza. – Spuszczam oczy. – O ile będziemy tu jeszcze mieszkać.

– Mam nadzieję, że zostaniecie u mnie długo – mówi łagodnie.

Czuję, że moje policzki płoną, ukrywam twarz, krzątając się przy kuchennym blacie.

– Co ci podać na śniadanie?

– Będę wdzięczny za tost.

– Siadaj, zaraz przyniosę.

Jest już w drzwiach do ogrodu, gdy odwraca się do mnie i pyta:

– Masz jakieś plany na dzisiaj?

– Zamierzałam zrobić pranie, nic więcej.

– Czy pranie może poczekać?

– Tak sądzę.

– Masz ochotę pojechać nad morze? We trójkę.

– Dzisiaj? – Serce omal nie wyskoczy mi z piersi.

– Teraz – mówi. – Zaraz po śniadaniu.

– Och, tak!

– Sabinko! – woła do mojej córki. – Chcesz pojechać na plażę?

Sabina potakuje tak energicznie, że chyba zaraz jej odpadnie głowa.

– Przyjęte przez aklamację. – Hayden uśmiecha się. – Jedziemy na plażę.

Rozdział pięćdziesiąty

Hayden wrzucił do torby parę ciuchów i zszedł do garażu. Nie był tu od dawna, niemal zapomniał, jak wygląda to pomieszczenie. Stały w nim trzy auta. Ku swojemu wstydowi przypomniał sobie, że na koszmarnie drogim parkingu gdzieś na południu Londynu pozostawił kilka kolejnych aut, od lat nieużywanych.

Nie był pewien, co zastanie w garażu. Widok samochodów przykrytych plandekami wystarczył, by zrobiło mu się niedobrze. Zaproponował Ayeshy i Sabinie wypad nad morze, więc nie było mowy o wycofaniu się z propozycji. Ściągnął pierwszą plandekę i znalazł pod nią porsche, o którym, szczerze mówiąc, zdążył zapomnieć. Jak można zapomnieć, że się kupiło tak drogi samochód? Co za ekstrawaganckie życie prowadził w owych czasach? Ten świetny wóz nie nadawał się, niestety, na rodzinną wycieczkę.

Kolejne auto to był dwudrzwiowy sportowy mercedes. Teraz także odpadał. Musiał mieć fazę na niepraktyczne sportowe modele. Postanowił je sprzedać. Przejrzeć papiery wszystkich posiadanych aut i zająć się tym. Ktoś może zrobić z nich lepszy użytek. Trzymanie ich, żeby rdzewiały pod przykryciem było bezsensowne.

Miał szczerą nadzieję, że ostatni samochód nie okaże się kolejnym sportowym dwuosobowym modelem, bo czekałaby go konfrontacja z dwiema bardzo rozczarowanymi dziewczynami.

Pod plandeką, na swoje szczęście, odkrył range rovera. Podobny prowadziła Laura tego dnia, gdy zginęła. Na to wspomnienie jego ciało przeszył znajomy tępy ból. Czy miał drugiego rovera już wcześniej, czy dostał po wypadku od firmy ubezpieczeniowej? Nie pamiętał. Teraz jednak nie było wyboru, słowo się rzekło.

Hayden złożył plandekę i otworzył drzwi. Kluczyki były w stacyjce, zawahał się, zanim zajął miejsce za kierownicą. Kolejna rzecz, o której nie pomyślał, gdy składał tę pospieszną i nieprzemyślaną propozycję, to fakt, że od śmierci Laury nie prowadził samochodu. Wyobraźnia podsunęła mu obraz ukochanej konającej w jego ramionach, jej zakrwawionego ciała.

Musi się wziąć w garść, inaczej nici z wycieczki. Gdyby najpierw się zastanowił, a później otworzył usta, pewnie nic by nie powiedział, jednak dał się ponieść chwili i słowa popłynęły same. Mógł wynająć szofera na cały dzień. Kiedyś miał kierowcę, który woził go po Londynie, ilekroć była taka konieczność, ale przestał wychodzić i nie było sensu zatrudniać kierowcy. Ayesha z pewnością zrozumie, jeśli teraz się wycofa, ale jak to wytłumaczyć Sabinie? Nie chciał przyznać się temu dziecku, że źle ocenił własne siły. Trzeba mieć serce z kamienia, żeby bez wyrzutów sumienia patrzeć na rozczarowaną buzię dziewczynki. Dzieciak zasługuje na trochę radości w życiu, więc nie będzie się ze sobą cackać, tylko zafunduje jej wyjazd nad morze.

Obiecane, dotrzymane. Hayden przycisnął breloczek, który zdalnie otwierał drzwi garażu. Rozsunęły się bezszelestnie, choć dawno nie były używane. Ręce mu się spociły od samego siedzenia za kierownicą, wytarł je w dżinsy. Musi odzyskać pewność siebie. Nie wolno narażać Ayeshy i Sabiny na niebezpieczeństwo. Musi mieć pewność, że kontroluje samochód, zanim podejmie ryzyko i ruszy w trasę.

Kilka razy odetchnął głęboko, aby się uspokoić, po czym uruchomił silnik i wrzucił bieg. Co za dziwaczne, niemal surrealistyczne uczucie, zasiąść znowu za kółkiem. Nogi mu się trzęsły, gdy wyjeżdżał na podjazd.

Ayesha i Sabina już czekały, ich uśmiechy podsyciły odwagę Haydeya. Kiedy wyskoczył z auta, dygotanie przeszło bez śladu.

– Jeśli nie chcesz, nie musimy nigdzie jechać. – Ayesha dotknęła jego ramienia. W oczach miała bezbrzeżne współczucie i wyraz absolutnego zrozumienia, omal się nie rozpłakał z wrażenia. – Ja to zrozumiem.

Chyba Crystal opowiedziała jej, co się stało z Laurą.

– Nie ma sprawy – odrzekł i rzeczywiście poczuł się pewnie.

– To dobrze. – Uśmiechnęła się. Ten uśmiech wyzwolił w nim falę emocji, o które się nie podejrzewał. – Mam przygotować koszyk na piknik?

– Zdecydowanie nie. To mają być wagary także dla ciebie. Wrzuć swoją torbę na tył.

– Zostawiłam liścik do Joy i Crystal z informacją, co się z nami dzieje – powiedziała. – Mam nadzieję, że Crystal się nie obrazi, że pojechaliśmy bez niej.

– Nic jej nie będzie. Następnym razem zabierzemy je obie.

Dzień był cudowny, słońce od rana dawało swój letni popis na lazurowym niebie, bez jednego obłoczka, jakby śródziemnomorskie błękity przeniesiono nad północny Londyn. Hayden zastanawiał się, jakie będzie lato, bo nadeszła już na nie pora.

Ayesha i Sabina wskoczyły do auta. Upewnił się, że zapięły pasy. Był pewien, że trafi, jadąc na pamięć, ale na wszelki wypadek włączył nawigację satelitarną. Założył okulary przeciwsłoneczne i zsunął na nos czapkę. W ustach mu zaschło, gdy wyjeżdżał na ulicę. Przypomniał sobie wszystkie te chwile, gdy witała go istna kanonada fleszy, więc z ulgą stwierdził, że dzisiaj nie czai się na niego żaden fotograf.

Kiedy wjechali na autostradę i zostawili za sobą Londyn, Hayden wyraźnie się odprężył.

– Dokąd jedziemy? – spytała Ayesha.

– Zobaczysz. To jedno z moich ulubionych nadmorskich miejsc. Jeździłem tam z rodzicami na wakacje, a kilka lat temu zamierzaliśmy z Laurą kupić dom w tej okolicy. – Czekał na znajome ukłucie bólu, który wracał, gdy wspominał cokolwiek, co robił z Laurą, tym razem jednak nic takiego nie nastąpiło. Stwierdził fakt, to wszystko.

Mogliby pojechać do Brighton, Bournemouth albo jakiejkolwiek miejscowości na wschodnim wybrzeżu. Można było znaleźć inne plaże, dużo bliżej Londynu. Jednak zawsze były zatłoczone, w dodatku w Brighton grasowali paparazzi, ściągała ich tu fama, że tę okolicę upodobali sobie celebryci. Miejsce, które wybrał, było dużo mniej znane. Wystarczy nie rzucać się w oczy, a miejscowi zostawią go w spokoju. Wiedział, że Ayesha także doceni bezpieczną anonimowość.

Skoro jeszcze nie była na brytyjskim wybrzeżu, chciał jej pokazać naturę nieskażoną cywilizacją, zakątek kraju, który niewiele się zmienił od czasów jego dzieciństwa. To miejsce było najbliższe ideału.

Bał się, że kto żyw opuści dzisiaj miasto i ruszy nad morze, ale na drogach było dużo lepiej, niż się spodziewał. Dojechali na miejsce po paru godzinach.

Po drodze niewiele rozmawiali, raczej słuchali muzyki, unikając szczególnie emocjonalnych kawałków. Raz zatrzymali się na stacji benzynowej na kawę i tankowanie. Ayesha i jej córka były miłymi, niewymagającymi zabawiania towarzyszkami podróży. Z tyłu miał zainstalowany odtwarzacz DVD, więc jeśli znowu się gdzieś wybiorą, zaopatrzy się w filmy stosowne dla małych dziewczynek.

Po zjeździe z autostrady skierowali się w stronę wybrzeża, wybierając mniejsze, lokalne drogi, aż wreszcie jechali jednopasmową szosą, wijącą się wśród łąk. Hayden nie spieszył się, jechał ostrożnie.

Mijali malownicze chatki ze strzechami i kościółki zatopione w zieleni. Kiedyś wyobrażał sobie, że w jednym z nich odbędzie się ślub jego i Laury, teraz wyparł tę myśl. Dzisiejszy dzień ma być pełen radości i zabawy, a nie tęsknoty i żalu.

– Jak tu ładnie – powiedziała Ayesha. – Nie znałam takiej Anglii.

– Miałem nadzieję, że ci się spodoba.

Z uliczki prowadzącej do centrum małej wioski widać było morze, połyskujące i kuszące. Hayden zatrzymał auto na poboczu, spojrzał na horyzont.

– Sabino, zobacz, morze! – ucieszyła się Ayesha.

Dziewczynka przytuliła twarz do okna, jej oczy lśniły z podniecenia.

Na widok jednostajnego falowania wody Haydena ogarnia spokój, jakiego od dawna nie czuł. Nie jest to Morze Karaibskie ani Ocean Indyjski, ale stara dobra Anglia ma uroki, z którymi nie może się równać żadne miejsce na świecie. Zatoka Lulworth Cove w Dorset to wyjątkowo malownicze miejsce, tu właśnie można w pełni docenić niezrównane piękno angielskiego wybrzeża.

– Jesteśmy na miejscu – powiedział, jakby to nie było oczywiste. – Przed nami Lulworth Cove.

Słońce przyjemnie grzało przez otwarte okno. Ciepło ogarnęło całe ciało, od dawna zlodowaciałe aż do szpiku kości. Ku swemu zakłopotaniu był bliski płaczu, tak silne było uczucie ulgi zmieszanej z zachwytem.

Miał dobry pomysł. Naprawdę pierwszorzędny.

Rozdział pięćdziesiąty pierwszy

Parkujemy na wzgórzu nad miasteczkiem i Hayden idzie zapłacić w automacie. Wyjmuję torby z bagażnika, żeby nie siedzieć bezczynnie. Wszystko odbyło się w wielkim pośpiechu. Nie miałam czasu zastanowić się, co zabrać. Spakowałam ręczniki, jakieś ubrania na zmianę, ale niewiele ponad to. Zapomniałam o kremie przeciwsłonecznym dla Sabiny, nie mamy żadnych plażowych zabawek. Moja córka nie ma nawet piłki.

Kiedy Hayden wraca, bierze ode mnie torby, a drugą rękę wsuwa mi pod ramię.

– Pójdziemy do sklepu – mówi. – Zaopatrzymy się w krem do opalania, kupimy też wiaderko i łopatkę dla Sabiny.

– O tym samym pomyślałam.

– Wybierzesz to i owo, a ja rozejrzę się za czymś na lunch. – Wręcza mi pieniądze.

– Mam swoje – bronię się.

– Mam więcej – przekomarza się. – Bierz. Ja stawiam.

Kupuję więc fioletową foremkę w kształcie zamku i różową łopatkę dla Sabiny, a gdy odchodzę od kasy, pojawia się Hayden z papierową torbą wypełnioną gorącymi pasztecikami, kanapkami i napojami.

– Jesteśmy obkupieni – oznajmia.

A ponieważ pogoda jest piękna, ruszamy na plażę, wśród rodzin niosących leżaki, parasole plażowe i piknikowe koszyki.

Na plaży muszę stanąć w miejscu i przez chwilę podziwiać widok. Jest tak odmienny, jak to tylko możliwe, od majestatycznego piękna Oceanu Indyjskiego, ale niewątpliwie czarujący na swój sposób. Zatoka ma niemal idealny kolisty kształt, obramowana jest piaszczystą plażą i porośniętymi trawą wzgórzami, a z morzem łączy ją wąski przesmyk. Woda jest niemal turkusowa, spokojna jak w stawie, i aż bierze mnie chęć, żeby w niej zanurkować.

– Prześlicznie.

– Prawda? – Hayden z zadowoleniem wciąga w płuca ostre morskie powietrze.

Lulworth Cove najwyraźniej jest ulubionym celem weekendowych wypadów rodzin z dziećmi, rozkładają koce i ręczniki, zajmując dla siebie kawałek plaży. Idziemy po kamykach, aż znajdujemy spokojne miejsce w oddaleniu. Dalej wyrasta skalna ściana. Tu będzie nam dobrze.

– Może być? – pyta Hayden.

– Idealnie.

I naprawdę tak jest. W życiu nie byłam w ładniejszej okolicy. Robi mi się lekko na sercu.

– Ładnie tu, prawda, Sabino?

Kiwa głową, a jej promienny uśmiech świadczy o tym, że jest równie szczęśliwa jak ja.

Hayden stawia torby na piasku, a ja wyciągam z nich ręczniki i rozkładam dla każdego z nas. Gdy krzątamy się, jak zwykle robią to dorośli, Sabina zrzuca buty i biegnie do wody. Fala obmywa jej stopy, a ona wyciąga ręce do słońca, jakby chciała je objąć.

Hayden siada na ręczniku. Ściąga czapkę, a łagodna morska bryza rozwiewa jego blond włosy. Próbuje je przygładzić, ale mu się nie udaje. Pierwszy raz w życiu odczuwam nieprzepartą chęć zatopienia palców we włosach mężczyzny. Chciałabym je na przemian przeczesać i potargać.

– Co takiego? – pyta, gdy przyłapuje mnie na gapieniu się na niego.

– Wyglądasz na odprężonego. Morskie powietrze czyni cuda.

– Oto prawdziwe życie. – Wyciąga się na ręczniku, zakłada ramiona pod głowę. – Czasem myślę, żeby uciec z Londynu, zapuścić korzenie w miejscu takim jak to. Kto by mnie tu znalazł? Nikt by nawet nie próbował.

Siadam na ręczniku obok i obejmuję ramionami kolana.

– Nie tęskniłbyś za Londynem?

– Nienawidzę Londynu – przyznaje.

– Czemu tam mieszkasz?

– Dla Crystal, dla Joy. I trochę dlatego, że nie wiem, co ze sobą zrobić.

– Znajdziesz swoją drogę – zapewniam go. – Potrzeba ci więcej czasu.

– Może powinienem częściej tu przyjeżdżać, żeby posiedzieć i pomyśleć.

– Dobry pomysł.

Wraca Sabina. Jej twarz jaśnieje szczęściem. Proszę ją w myślach, żeby się odezwała, podziękowała Haydenowi za wspaniałą wycieczkę, ale ona milczy.

– Jesteśmy ci bardzo wdzięczne – mówię zamiast niej.

– Miło mi, że wam się podoba – odpowiada. – Powinniśmy częściej wybierać się za miasto.

– Bardzo chętnie.

– Zgłodniałem – mówi Hayden.

Wyjmuję więc nasze zapasy i je rozkładam; zjadamy paszteciki, póki są ciepłe, obserwując, jak leniwie toczy się ten świat.

– Muszę posmarować córkę kremem ochronnym.

Ramiona i nogi ma osłonięte, ale to jej nie wyróżnia, bo wiele dzieci się nie rozbiera. To niedobry pomysł, by wystawiać dziecko na promienie słoneczne. Zaczynam się zastanawiać, czy nie za bardzo narzucam jej swoje zdanie w sprawach ubioru. Jest mała, nie powinna myśleć o zasłanianiu ciała przed ludźmi. Czy coś złego by się stało, gdyby słońce grzało jej skórę albo ręce? Wcieram krem w buzię Sabiny. Kupiłam nakrycia głowy, wkładam jej płócienny kapelusik.

– Teraz nauczę tę młodą damę, jak budować najwspanialsze na świecie zamki z piasku – zapowiada Hayden.

Sabina uśmiecha się szeroko i bierze łopatkę.

Hayden zrzuca klapki i rozpina białą płócienną koszulę. Wiatr rozwiewa ją na boki, odsłaniając blady, bezwłosy, ale dobrze umięśniony tors. Ciekawa jestem, jak by wyglądała moja ciemna ręka na tle jego śnieżnobiałej skóry. Oblewam się rumieńcem.

Kupiłam sobie słomkowy kapelusz z szerokim rondem, więc wkładam go i sadowię się na ręczniku. Patrzę, jak Hayden i Sabina bawią się w piasku. Jestem mu wdzięczna, że okazuje tyle cierpliwości mojemu dziecku. Jest miłym mężczyzną. Dobrym człowiekiem.

Jaka szkoda, że moje małżeństwo nie było dobre. Z mężczyzną takim jak Hayden byłabym inną osobą. Szczęśliwą kobietą.

Rozdział pięćdziesiąty drugi

Spędzamy dzień na plaży, jedząc lody, budując zamki z piasku i chlapiąc się w wodzie przy brzegu. Trzymamy się za ręce i obchodzimy zatoczkę, idąc skrajem plaży.

Nogi zapadają mi się w piasku, Hayden mocno przytrzymuje mnie za rękę, żebym nie straciła równowagi. Opiekuje się mną, co mi się bardzo podoba. Hayden zapowiada, że nauczy Sabinę pływać, jeśli tylko się zgodzę.

Patrzę na niego, ma spokojną twarz opromienioną zachodzącym słońcem. Myślę, że jest pięknym człowiekiem. Mówi takie rzeczy, jakby chciał mieć nas długo w swoim życiu. Mam nadzieję, że dobrze go rozumiem.

Podnosi Sabinę, która rozchlapuje nogami morską wodę, podrzuca ją i niesie w ramionach do naszych ręczników. Sabina ma przemoczoną koszulkę i spodnie, ale na szczęście zabrałam dla niej strój na zmianę. Jak dobrze widzieć ją beztroską i uśmiechniętą.

– Czas znaleźć jakąś knajpkę – mówi Hayden. – Sabina na pewno jest głodna.

– O której musimy wracać? – pytam.

Zatrzymuje się i odwraca.

– Nic nas nie goni – odpowiada. – Prognoza pogody na jutro jest równie dobra. Możemy znaleźć hotel i przenocować. W pobliżu jest miejscowość, którą też chciałbym ci pokazać. Założę się, że Sabinie się spodoba.

– Nie mam potrzebnych rzeczy. Ani piżam, ani kosmetyków.

– Wszystko można kupić. – Wzrusza ramionami. – Jakieś pilne sprawy wzywają cię do Londynu?

– No... nie – przyznaję.

– Zostaniesz? – Uśmiecha się.

– Jeśli sobie tego życzysz.

– Ważne, czego ty chcesz. – Kładzie mi ręce na ramionach. – Czy masz ochotę zostać tu na noc?

– Ogromną – przyznaję.

– Załatwione. Zadzwonię do Crystal, żeby się nie martwiła, a potem pojedziemy wzdłuż wybrzeża w poszukiwaniu pensjonatu.

Jestem zachwycona. Co za niezwykła przygoda.

Jedziemy pół godziny nadmorską drogą, kiedy Hayden zauważa biały dom na klifie nad plażą. Na tablicy jest napis: „Wolne miejsca".

– Akceptujesz? – pyta.

– Podoba mi się.

– Daj mi minutę – mówi, parkując. – Sprawdzę, czy mają dwa pokoje. – Chwilę później wraca z uradowaną miną.

– Tu się zatrzymamy. W środku jest bardzo miło. Pokoje wychodzą na morze. – Wyjmuje nasze zapiaszczone torby z bagażnika i wnosi je do pensjonatu. My z Sabiną idziemy krok za nim.

– Proszę bardzo. Tu śpisz ty i Sabinka. – Z ulgą przekonuję się, że mamy dla siebie osobny pokój.

Nie byłam pewna, jak się rozmieścimy, a wstydziłam się zapytać.

W naszym pokoju jest dużo miejsca. Stoją w nim dwa łóżka: podwójne na środku i pojedyncze pod oknem. Tapeta ma bukieciki różowych kwiatków, a narzuty na łóżka - ciemnoróżowe i białe prążki. Szklany stolik ma podstawę z drewna wyrzuconego na brzeg przez fale, przy nim stoją dwa fotele obite kremowym materiałem.

Przez przeszklone drzwi można wyjść na nieduży balkon, pod nim rozciąga się ogród, a dalej, pod klifem, plaża. Gdzie okiem sięgnąć – wydmy i łąki. Otwieram jedno skrzydło drzwi i w dole słyszę morskie fale. Odwracam się do Haydena.

– Tu jest ślicznie.

– Ta zatoka to Lyme Bay. – Staje za mną i kładzie mi rękę na ramieniu, drugą wskazuje w przestrzeń. – Piękna, prawda?

– Bardzo.

Na spokojnej powierzchni wody odbijają się złote słoneczne refleksy. Nieliczne obłoczki na horyzoncie przybrały truskawkowy i brzoskwiniowy odcień.

– Cieszę się, że ci się podoba – mówi Hayden. – Będę w pokoju obok, po sąsiedzku. – Wskazuje drzwi, których do tej pory nie zauważyłam. – Klucz zostawimy z twojej strony.

– Dziękuję.

– Wrócę za chwilę, tylko odłożę rzeczy. – Znika w swoim pokoju.

Podchodzę do dzielących nas drzwi. Tkwi w nich duży klucz, tak jak powiedział Hayden. Zgodnie z obietnicą wraca za parę minut.

– Podjedźmy jeszcze do najbliższego supermarketu po potrzebne ci rzeczy.

Jedziemy więc przez śliczną, spokojną okolicę, aż znajdujemy niewielki sklep, w którym kupujemy pastę do zębów, szczoteczki, majtki i tanie podkoszulki dla nas wszystkich.

– Crystal na twoim miejscu kupiłaby górę kosmetyków i sprawiła sobie nową garderobę – żartuje Hayden, gdy ustawiamy się w kolejce do kasy.

– W przeciwieństwie do niej nie jestem wymagająca – odpowiadam tym samym tonem.

– Lubisz prostotę, nic w tym złego.

Żal mi, że moja przyjaciółka została w Londynie. Z drugiej strony przyznaję jednak, że przyjemnie jest spędzać czas tylko z Haydenem.

Wracamy do pensjonatu i zostawiamy zakupy w pokojach.

– Właścicielka powiedziała, że przy plaży jest urokliwa knajpka. Wcześnie ją zamykają, więc zejdźmy tam, a może uda się zjeść ciepły posiłek.

Idziemy przez łąkę, a potem wąską ścieżką schodzimy na plażę. Są na niej właściciele psów ze swoimi pupilami i kilku rybaków. Słońce nieubłaganie zniża się nad horyzontem.

– To część Chesil Bank, piaszczystej plaży, która ciągnie się przez osiemnaście mil morskiego wybrzeża – mówi Hayden.

– Wiele wiesz o tej okolicy.

– Przyjeżdżałem tu w dzieciństwie z rodzicami. To nasze ulubione miejsce.

– Gdzie są twoi rodzice?

– Rzadko ich widuję –, wydymając wargi. – Minęło z półtora roku od naszego ostatniego spotkania. Mieszkają w Oxfordzie, w tym domu, w którym dorastałem. Powinienem się do nich wybrać. A przynajmniej zadzwonić.

– Przecież to niedaleko od Londynu?

– To prawda.

Jakie to dziwne, że rodzice mieszkają całkiem blisko, a on ich nie odwiedza. Dlaczego? Nie potrafię tego zrozumieć. Wszystko bym oddała za możliwość spotkania się z mamą i tatą.

W knajpce jest pełno ludzi, obsługa znajduje dla nas miejsce na dworze, pod plastikową markizą obwieszoną sznurami lampek. Włączony jest ciepły nawiew, prawie nie odczuwamy więc chłodnej bryzy. Ludzie z psami, w zielonych kaloszach, też siadają na zewnątrz. Psy warują przy stolikach, a właściciele zamawiają szampana i koktajle i toczą głośne rozmowy.

Dostajemy obfity obiad składający się z miejscowych przysmaków. Hayden i ja dzielimy się kopiastym półmiskiem owoców morza – małżami, homarami, krabami, langustynkami i przegrzebkami – pochodzącymi ze świeżego połowu, gotowanymi na parze i przyprawionymi chili, imbirem, czosnkiem i śmietanką. Sabina pałaszuje paluszki rybne z frytkami. Hayden zamawia dla nas szampana, a ja robię odstępstwo od zasad i chętnie go piję.

Z pełnymi brzuchami i z lekkim szumem w głowie idziemy na spacer po plaży. Zapada zmrok, zbliża się przypływ. Siadamy na murku i patrzymy na czerwoną kulę słońca znikającą za horyzontem. Czuję niezwykły spokój w sercu i nie chcę, żeby ten dzień się skończył. Było idealnie. W towarzystwie Haydena nie muszę nikogo udawać. Ani kontrolować, co mówię, żeby jakieś nieostrożne słowo nie wywołało wybuchu gniewu. Nie odczuwam stresu, który nieustannie ściskał mi pierś. Mogę być sobą.

Patrzę na niego, na jego profil rysujący się na tle ciemniejącego nieba, i po raz pierwszy w życiu uświadamiam sobie, że się zakochałam. Chciałabym wyciągnąć rękę i poczuć pod palcami lekki zarost na jego policzku. Chciałabym, żeby jego usta dotknęły moich warg. Jestem zadziwiona, jak silne są moje emocje, ale po raz pierwszy nie boję się ich.

Słońce się skryło, przeszył mnie dreszcz.

– Zimno ci?

– Trochę – przyznaję.

Hayden obejmuje mnie ramieniem jakby nigdy nic i przysuwa się bliżej. Czuję ciepło jego ciała i ogarnia mnie błogostan. Jestem tu, gdzie chcę być. Powinnam mu wyznać, że się w nim zakochałam, ale nie potrafię znaleźć słów.

Kiedy tak siedzę, walcząc ze sobą, Sabina zaczyna ziewać.

– Powinnam ją położyć.

Wracamy do domu, ale ramię Haydena zostaje na moich plecach. Wdrapujemy się na strome zbocze i idziemy ścieżką przez ciemny ogród. Hayden bierze Sabinę na ręce, a ona zasypia z głową na jego ramieniu.

W naszej sypialni zanosi ją na pojedyncze łóżko. Całuje małą w czoło i czule odgarnia kosmyk włosów z jej twarzy. Powieki dziecka drgają, jakby próbowała je otworzyć, ale dała za wygraną. Hayden się uśmiecha.

– Śpij słodko, Sabinko. – Potem zwraca się do mnie: – Dobranoc, Ayesho.

– Dobrej nocy, Haydenie. Jestem ci nieskończenie wdzięczna.

Przykłada mi palec do ust.

– Dobrze być tu z tobą. Wyjazd świetnie nam wszystkim zrobił.

– Też mam takie wrażenie.

– Gdybyś czegoś potrzebowała, wystarczy zawołać. Jeśli nie, zobaczymy się rano. Śniadanie o dziewiątej?

– Dobrej nocy – żegnam się i kiwam głową.

Bez ostrzeżenia całuje mnie z usta. Potem znika w swoim pokoju, a ja zostaję w swoim. Zamyka za sobą drzwi.

Rozdział pięćdziesiąty trzeci

Chętnie bym wykąpała Sabinę, ale nie chcę jej budzić, więc tylko ją przykrywam.

Nalewam pełną wannę wody dla siebie i nie szczędzę pachnącego płynu do kąpieli, przeznaczonego dla gości. Pachnie wanilią i anyżkiem. Leżę w wodzie i wdycham kojący aromat. Hayden jest obecny we wszystkich moich myślach. Żałuję, że nie miałam odwagi poprosić go, żeby posiedział ze mną dłużej.

Kiedy wycieram się ręcznikiem, mogę przyjrzeć się sobie w lustrze. Moje piersi są małe i ciemne, biodra chłopięco szczupłe. Nie jestem zmysłowo kształtna jak Crystal. Czy Hayden wybrałby niepozorną kobietę, taką jak ja, skoro ma obok siebie seksowną dziewczynę? Laura była piękna, nie mogę się z nią równać. Jakie to smutne, że od dziesięciu lat jestem mężatką, a niewiele wiem o miłości fizycznej i sztuce uszczęśliwiania mężczyzn. Crystal, ze swoim doświadczeniem, na pewno jest pomysłowa, zabawna i namiętna. Jestem jej przeciwieństwem. Seks z mężem był obowiązkiem, nie przyjemnością. Ogarnia mnie niespodziewana tęsknota, aby się dowiedzieć, jak to by było z Haydenem.

Na drzwiach wisi biały szlafrok, owijam się w niego. Materiał jest trochę szorstki, drażni skórę, która jakby stała się nadwrażliwa. To z nadmiaru słońca czy alkoholu? A może powodem tej wrażliwości jest świadomość, że w sąsiednim pokoju śpi Hayden i dzielą nas tylko drzwi?

Siadam na brzegu łóżka i zastanawiam się, co teraz. Nie jest późno, dopiero minęła dziewiąta. Sabina posapuje przez sen. Podchodzę do dzielących nas drzwi i przykładam do nich ucho. Jeśli się wysilę, może usłyszę Haydena w pokoju obok.

Kłębią się we mnie zapomniane emocje. Mieszanina niepokoju, podniecenia i pożądania. Czuję ból w sercu i całym ciele. Rozpaczliwie pragnę Haydena i nie mam pojęcia, co z tym zrobić.

Co by było, gdybyśmy zostali kochankami? Czy to skomplikuje naszą sytuację w domu? Chciałabym tam nadal mieszkać. W krótkim czasie zdążyłam się przyzwyczaić, traktuję dom Haydena jak swoje schronienie. Czuję się tam bezpieczna. Za żadne skarby nie pozbawiłabym Sabiny tego miejsca. Nie wiem, jak miałybyśmy znaleźć mieszkanie, choć w części tak wygodne, za tę niewielką kwotę, którą mogę przeznaczyć na wynajem. Zresztą, czy między nami może się coś zacząć, skoro Hayden wciąż jest zakochany w Laurze?

Jak by się zmieniły nasze relacje, gdyby stały się bardziej intymne? No a jak bym się czuła, gdyby Hayden się mną znudził i zostawił dla innej kobiety? Tak czy owak, moja sytuacja byłaby nie do zniesienia.

Słyszę, jak Hayden chodzi po pokoju. Czy czuje to samo co ja i miotają nim wątpliwości? Co zrobiłaby Crystal na moim miejscu? Zaryzykowałaby i zapukała do jego drzwi, owinięta tylko w szlafrok? Rozchyliłaby poły, dając mu poznać, że jest naga. Poszłaby z nim do łóżka i już. Nie bałaby się tysiąca rzeczy tak jak ja.

Przytulam się do zimnego drewna, żałując, że nie jestem Crystal. Chciałabym mieć w sobie tę bezczelną odwagę i wejść do jego pokoju. Chciałabym się przekonać, jak to jest, gdy kobieta oddaje się mężczyźnie, którego kocha sercem i duszą.

Ale nie jestem Crystal. Jestem sobą i brakuje mi odwagi. Ześlizguję się na podłogę i siadam z głową opartą o drzwi. Zamykam oczy, obejmuję się ramionami i wyobrażam sobie Haydena, od którego dzieli mnie parę kroków. Leży na łóżku, gotowy wziąć mnie w silne ramiona. Wyobrażam sobie nasze zespolone ciała. Wyobrażam sobie życie, w którym kocham Haydena i jestem przez niego kochana. Nie przestaję obejmować się i tkwię nieruchomo w miejscu.

Rozdział pięćdziesiąty czwarty

Po śniadaniu załadowali rzeczy do bagażnika i ruszyli do Lyme Regis. Także tu Hayden spędzał wakacje w dzieciństwie. Okolica niewiele się zmieniła od tamtych dni.

Zaparkował auto, po czym krętą ścieżką przez park zeszli aż na nabrzeże. Miał nieprzepartą potrzebę pokazania Ayeshy i Sabinie swoich ulubionych miejsc i aż go to dziwiło, bo dokładnie w ten sam sposób na początku związku z Laurą dzielił się z ukochaną najlepszymi wspomnieniami z dzieciństwa.

Wczorajszy dzień upłynął pod znakiem wyrwania się na wolność i relaksu na łonie natury. Dzisiejszy przeznaczony był na rozrywki. Wziął Ayeshę za rękę i ruszyli spacerkiem do Cobb, portu ze słynnym falochronem. Widok na zatokę zapierał dech w piersi. Morze w słońcu miało błękitną barwę, a jego powierzchnia iskrzyła się. Nad głowami ludzi pokrzykiwały mewy. Smak soli w powietrzu wyostrzył zmysły. Zapach świeżo smażonej ryby i frytek, dochodzący z nadmorskich knajpek, wabił już z daleka. Mimo że niedawno jedli śniadanie, zaczęło mu burczeć w brzuchu. Powinni tu usiąść i coś przekąsić, jak to pamiętał z dzieciństwa, oczywiście, jeśli Ayesha i Sabina będą miały ochotę. Prawie czuł na języku chrupiące, maślane kawałki ziemniaków. Jak to dobrze, że pewne rzeczy pozostają niezmienne. Westchnął z zadowoleniem:

– To chyba moje ulubione miejsce na świecie.

– Wobec tego moje także – powiedziała Ayesha, trzymając się blisko niego.

Poczuł tu bliskość z rodzicami. Przez lata od śmierci Laury stopniowo się od nich oddalał. Matka i ojciec martwili się. Problemem było to, że ile razy ich widział albo rozmawiał z nimi przez telefon, starali się go wyrwać z żałoby. Szczerze mówiąc, pogrążał się w bólu, bo tak mu było łatwiej. Nie chciał słuchać dobrych rad, że powinien wziąć się w garść, że Laura nie chciałaby go widzieć w tym stanie. Zachęty, by cieszył się życiem, nie docierały. Niechże go zostawią w spokoju i pozwolą opłakiwać śmierć ukochanej. Hayden zrozumiał, że wyrażali jedynie troskę o niego, a robili to w jedyny sposób, jaki przychodził im do głowy. Wstyd mu było, że tak długo trzymał ich na dystans. Może nadszedł czas, by ponownie przerzucić mosty.

Spojrzał na Ayeshę. Działała jak balsam na jego duszę, nie podejrzewał, że będzie mu tak dobrze w jej towarzystwie. Nie naciskała, nie domagała się niczego, nic od niego nie chciała. Wczoraj tak trudno było powiedzieć jej dobranoc. Pragnął kochać się z nią, chronić ją w swoich ramionach. Jest taka delikatna. Czy nie spłoszyłby jej? Wolał nie próbować.

Wyszedł z wprawy, jeśli chodzi o relacje męsko-damskie. Laura była jedyną miłością. Razem dorastali, razem się uczyli. Kiedy jeździł w trasę z koncertami, chłopcy z zespołu znikali na całe noce w otoczeniu fanek, ale on nigdy do nich nie dołączał. Laura była jego jedyną kobietą, reszta mogła nie istnieć. Jak na faceta, którego uważano za pożeracza serc niewieścich, zadziwiająco mało wiedział o kobietach. A jeśli się pomyli i niezręcznym gestem obrazi Ayeshę? Nie chciał ryzykować, że ich pogłębiająca się bliskość zakończy się katastrofą. Oboje potrzebowali bardzo dużo czasu.

Kiedy mijali ludzi bawiących się z dziećmi na plaży, Hayden myślał z przyjemnością, że ich trójka też wydaje się rodziną. Miał czapkę i ciemne okulary, ale nikt mu się nie przyglądał. Jeśli ktoś przyciągał spojrzenia, to Ayesha i Sabina, ze względu na egzotyczną urodę. Ich obecność u jego boku stanowiła powód do dumy.

Weszli na falochron, który otaczał port. Był to mur na tyle szeroki, że mogli we troje iść obok siebie, trzymając się za ręce. Fale, uderzające w kamienną ścianę, rozpryskiwały się i fontanny kropelek opryskiwały spacerowiczów. Promienie słoneczne rozszczepiały się w drobinkach wody i tworzyły tęczowe połyski.

– Nakręcono tu film na podstawie książki, której akcja dzieje się w miasteczku – powiedział Hayden. – „Kochanica Francuza".

– Dobra książka?

– Nie przeczytałem – przyznał – ale, jak mi się zdaje, mam ją w bibliotece. Możemy zacząć czytać, skoro skończyliśmy z Bridget.

– Bardzo chętnie.

Weszli do morskiego akwarium, które pamiętał z dzieciństwa. Można tu było karmić cefale. Sabina marszczyła nosek, gdy szare ryby delikatnie wybierały pożywienie z jej ręki. Głaskali wielkiego homara i obserwowali rozzłoszczonego kraba, który maszerował po dnie, wygrażając szczypcami przepływającym rybkom. Hayden miał wrażenie, że przeniósł się w czasie do okresu, gdy jeszcze nic złego nie wydarzyło się w jego życiu. Nagle zapragnął skontaktować się z rodzicami. Stanowczo zbyt długo się do nich nie odzywał.

Sabina była uszczęśliwiona, gdy się okazało, że może wziąć do ręki rozgwiazdę.

– Pomyśl życzenie – poradził jej Hayden.

Mała zamknęła oczy i aż się wykrzywiła z powodu intensywnego skupienia. Potem powiodła wzrokiem od Haydena do Ayeshy. Nie mówiła, ale bezbłędnie potrafiła wyrazić, na czym polegało jej życzenie.

Ayesha zaczerwieniła się.

– Chodźmy coś zjeść – zaproponował Hayden.

Wyszli na słońce i znaleźli wolny stolik w małym barze przy plaży. Ryby i frytki, które tam dostali, były równie smaczne jak we wspomnieniach Haydena. Obie dziewczyny rzuciły się na jedzenie. Nie mógł się nadziwić, że wszystko zniknęło w ich filigranowych ciałach.

Potem spacerowali po promenadzie. Ayesha w jednym z małych butików kupiła krem lawendowy dla Joy, na jej spękane ręce. Hayden kupił dla wszystkich lizaki z karmelizowanego cukru.

Ostatnim punktem dnia była partyjka minigolfa na wzgórzu nad zatoką. Sabina okazała się mistrzynią, jak zresztą we wszystkim, do czego się zabierała, a Ayesha niespodziewanie pokazała, że potrafi walczyć do upadłego. Jakimś cudem udało się wygrać Haydenowi, gdy celnym uderzeniem skierował piłeczkę przez wiatrak.

Słońce zaczęło zachodzić stanowczo za wcześnie, a czekała ich jeszcze długa jazda do domu.

– Nie wracajmy – szepnął do Ayeshy. – Moglibyśmy od wszystkiego uciec. Zaczniemy nowe życie z dala od kłopotów. Zostańmy tu na zawsze. Ty, ja i Sabina.

– Nie możemy.

– Co stoi na przeszkodzie?

– Sabina chodzi do szkoły. A co z Joy i Crystal? Nie możemy ich zostawić.

– Ale kiedyś, pewnego dnia? – naciskał.

– Kiedyś tak. Bardzo chętnie.

– Ayesho… – Nabrał powietrza.

– Tak?

Chciał jej powiedzieć, że ją kocha. Miał te słowa na końcu języka. To właściwa chwila, tego był pewien. A jeśli ją wystraszy? Dla niej może być za wcześnie. Ledwo uciekła z jednego związku, to wbrew wszelkim oznakom może nie być gotowa na kolejny. Ostatnie, czego by chciał, po tym cudownym, spędzonym wspólnie czasie, to zepsuć wszystko przez nadmierny pośpiech.

Zmarszczyła brwi, a on nie mógł nic zrobić, choć chciałby przegnać niepokój z jej twarzy.

– Wszystko w porządku? – spytała.

– Jest świetnie – zapewnił. A potem zupełnie stchórzył i dodał: – Chciałem tylko powiedzieć, że dobrze się bawiłem.

Rozdział pięćdziesiąty piąty

W poniedziałek rano, punktualnie o wpół do dziesiątej, czekamy z Crystal na Joy u podnóża schodów.

Wczoraj wróciliśmy bardzo późno, droga powrotna zajęła sporo czasu, więc po wejściu do domu poszliśmy prosto do łóżek. Trudno mi było powiedzieć Haydenowi dobranoc i patrzeć, jak wchodzi po schodach do swojej sypialni. Chciałam, żeby ten weekend nigdy się nie skończył.

Pod moją nieobecność Crystal nie zasypiała gruszek w popiele. Zgromadziła imponujący zestaw przeróżnych lakierów do paznokci i wszelkiego sprzętu, bez którego – jak twierdzi – nie możemy się obyć.

– Widziałaś, jak błyszczą? – Podtyka mi pod nos cały arkusz różowych diamencików do przyklejania na paznokciach.

Aż ją zatyka z zachwytu.

– Bardzo ładne – przytakuję – ale czy spodobają się starszym paniom?

– A czemu miałyby się nie spodobać? – pyta.

Kiedy jesteśmy gotowe do wyjścia, po schodach schodzi Hayden. Na jego widok moje serce przyspiesza. Wygląda, jakby się jeszcze nie obudził. Ma ciężkie powieki, potargane włosy i nieogolone policzki, ale i tak wydaje mi się piękny.

– Chciałem wam życzyć powodzenia.

Brakowało mi go dzisiaj przy śniadaniu. Po wspólnym weekendzie zastanawiałam się, jak się zmienią nasze stosunki, ale wygląda na to, że nic nie uległo zmianie. Zresztą nie ma powodu. Poza przelotnym pocałunkiem w sobotę wieczorem do niczego nie doszło.

Wczoraj powitała nas Crystal, która niemal unosiła się nad ziemią, opowiadając o planowanej wizycie w ośrodku dziennego pobytu. Puściła do mnie porozumiewawcze oko, ale nie miałyśmy okazji do babskich plotek. Jestem pewna, że dzisiaj będzie mnie ciągnąć za język.

– Może weźmiecie auto? – sugeruje Hayden.

– To tylko krótki spacer – oponuje Joy. – Najwyżej kwadrans.

– Zapominasz chyba o bambetlach, które ze sobą ciągniecie? – Wskazuje nasz bagaż. – Potrzebny wam jest tabun tragarzy.

Joy marszczy brwi.

– Chcemy porządnie wykonać pracę – broni się Crystal. – Mam nawet rozkoszny różowy brokat.

Joy podnosi oczy ku niebu, a ja zaczynam się śmiać.

Przyznaję, że trochę się denerwuję. Starsze panie co prawda niewiele nam zapłacą, bo to promocja, ale jeśli im się spodoba, będziemy miały pierwsze stałe klientki.

– Zdążysz odebrać Sabinę? – pyta mnie Hayden.

– Chyba tak.

– W razie problemów, dzwoń. Z przyjemnością przejdę się po nią do szkoły.

– Dziękuję.

Wymieniamy porozumiewawcze spojrzenia. Zastanawiam się, czy faktycznie nic się między nami nie zmieniło.

– Ruszamy! – nawołuje Joy.

Hayden rzuca Crystal kluczyki, a ona je łapie w powietrzu.

– Obiecuję nie skończyć na żadnym słupie.

Jego twarz pochmurnieje.

– Przepraszam – mówi pospiesznie Crystal. – To była beznadziejnie głupia odzywka.

– Jedź ostrożnie. Proszę. Teraz zacząłem się denerwować. Może powinienem was odwieźć.

– Poradzimy sobie – zapewnia Crystal, podnosząc pudło z lakierami. – Przestań się tak nad nami trząść. Oddam ci Ayeshę całą i zdrową.

– Będę ci bardzo zobowiązany.

– Na razie! – Crystal macha mu na pożegnanie i kieruje się do drzwi.

Podnoszę gustowną różową walizeczkę, która zawiera Bóg wie co, i robię to samo co Crystal.

– Coś ty tu włożyła, na miłość boską? – mruczy Joy, chwytając kolejną torbę. – To nie przeprowadzka, tylko manikiur dla kilku osób.

– Wyluzuj, Joy. Jako stara skautka lubię być na wszystko przygotowana.

– Zjem własny kapelusz, jeśli się okaże, że naprawdę byłaś skautką. Nie wierzę, że zdobyłaś choć jedną sprawność.

– Miałam grypę, gdy przyszła pora na pieczenie ciasteczek. – Crystal wzrusza ramionami.

– Pomogę wam – wtrąca Hayden.

Zabiera ostatnie torby, zanosi je do auta i pomaga ułożyć w bagażniku.

Pakujemy się do samochodu i odjeżdżamy: Crystal za kierownicą, Joy na miejscu przy kierowcy, ja z tyłu.

– Proszę, jedź ostrożnie! – woła za nami Hayden. Crystal posyła mu przez okno całusa.

Dodaje gazu i wyjeżdżamy na ulicę z piskiem opon. Gdy brama zamyka się za nami, odwracam się jeszcze i macham do Haydena.

Wygląda, jakby nie wiedział, co ze sobą począć. Ciekawe, jak wypełni sobie czas do naszego powrotu.

Ośrodek Constance Fields jest po drugiej stronie parku Heath. Crystal dojeżdża tam bez najmniejszego problemu. Budynek jest niski, zaniedbany i nieciekawy. Rozładowujemy auto i wnosimy nasze torby do środka. Nie wiem, skąd Crystal wytrzasnęła tyle sprzętu. Mimo zdanego egzaminu, nie jestem pewna, co do czego służy. Mam nadzieję, że Crystal wie, co robi.

W środku jest gorąco i duszno, czuję odświeżacz powietrza, ale nie jestem przekonana, czy to zapach sosnowy, czy ostro lawendowy. Joy prowadzi nas przez duży salon, w którym stoi sporo staromodnych foteli, ustawionych po kilka obok siebie. Wykładzina i zasłony są w drobny wzorek, a wszystko ma już swoje lata. Na szczęście jedna ściana jest przeszklona i do środka wpada dużo światła, a okna wychodzą na pięknie utrzymany ogród. Ciekawa jestem, czy to także dzieło Joy, bo wystrzyżone trawniki przypominają te sprzed domu Haydena. Na pewno odcisnęła na nich swoje piętno.

Ludzie, którzy zaczynają się tu zbierać, przypominają naszą Joy, są wyjątkowo dziarscy. Wkrótce słychać ożywione rozmowy.

– Te czarujące damy opromienią nasz dzień – oznajmia z galanterią jeden z panów. – Wygląda pani jak Katie Price, moja droga – zwraca się do Crystal.

– Pochlebca z pana.

– Naprawdę jest do niej podobna, prawda, Ted?

– Rzeczywiście. – Dołącza się do nas drugi dżentelmen. – Gdybym miał dwadzieścia lat mniej…

– A jeszcze lepiej pięćdziesiąt – przekomarza się z nim Crystal.

Panie jeszcze się nami nie zainteresowały, a moja przyjaciółka ma już wielbicieli.

– Wy dwaj zostawcie dziewczynę w spokoju – komenderuje Joy. – Zabierzcie się do roboty i pomóżcie w podawaniu herbaty. – Przewraca oczyma, gdy oddalają się, chichocząc jak para psotnych uczniaków. – Za dużo viagry szkodzi – mruczy pod nosem. – Założę się, że wiele kobiet przeklina dzień, gdy wynaleziono tę tabletkę. Zajmę się herbatą.

– Popatrz tylko, jakie cudeńka znalazłam. – Crystal demonstruje lakiery do paznokci w różnych kolorach. – Odkryłam w internecie dużą drogerię i wybrałam się tam wczoraj, gdy balowałaś nad morzem.

– Wcale nie balowałam – bronię się.

– Nie myśl, kochana, że uda ci się zachować szczegóły w tajemnicy – ostrzega mnie. – Patrz i podziwiaj to cacko. – Crystal otwiera spore pudło i rozkłada podręczny stolik do manikiuru. – To nam ułatwi życie. Czterdzieści funciaków za jeden. Tanie jak barszcz.

Możliwe, że ma rację, ale koszty nieustannie rosną. Wkrótce nie zostanie mi wiele oszczędności.

– Nie martw się o forsę. Wszystko załatwione.

– Nie mogę pozwolić, żebyś za wszystko płaciła.

– Na razie wykorzystuję kartę kredytową na maksa. Policzymy się, gdy zaczniemy zarabiać.

Rozstawiamy więc swoje stoliki, a Crystal ustawia na nich lakiery we wszystkich kolorach tęczy. Podaje mi zestaw przyrządów do manikiuru i nowy jasnoróżowy ręczniczek.

– Bardzo piękny zestaw. Dobrze wybrałaś.

Macha niecierpliwie ręką i dopytuje:

– Zanim zaczniemy, mów, jak było? Jak spędziliście weekend? – Przycisza głos, a przynajmniej tak jej się wydaje.

– Podjęliśmy decyzję bez zastanowienia. Żałuję, że nie mogłaś jechać z nami.

– Akurat potrzebna wam przyzwoitka.

– Nic z tych rzeczy. – Śmieję się. – W sobotę przez cały dzień siedzieliśmy na plaży, a w niedzielę pojechaliśmy do Lyme Regis. Sabina była zachwycona. Pierwszy raz widziała morze.

– Słodkie dziecko. Teraz żałuję, że tego nie widziałam.

– Pojedziemy jeszcze raz, tym razem wszyscy. Hayden mi obiecał.

– Dobrze, że korzystacie z życia. Oboje, ty i Hayd.

– Jestem zadowolona, że pojechałam.

– Jak z noclegiem? – dopytuje się Crystal. – Umieram z ciekawości.

– Nie planowaliśmy nocowania. To była decyzja podjęta w ostatniej chwili.

– Przecież nie o to pytam. – Robi znaczącą minę. – Mów jak na spowiedzi. Momenty były?

– Mieliśmy osobne sypialnie – wyznaję i spuszczam oczy. – Przez całą noc.

– Naprawdę? – Jest zawiedziona. – Stracona okazja.

Śmieję się i nie przyznaję, że w głębi serca też tak myślę.

Rozdział pięćdziesiąty szósty

Joy przynosi nam herbatę, co niezawodnie uspokaja nerwy, więc siedzimy teraz przy naszych czyściutkich warsztatach pracy, czekając na pierwsze klientki.

– Powinnyśmy sobie sprawić identyczne koszulki polo – szepcze Crystal. – Najlepiej bladoróżowe. Będzie nam do twarzy.

Crystal jak zwykle jest starannie umalowana i wygląda rewelacyjnie. Czuję się jak szara myszka, nie stanęłam na wysokości zadania. Jeśli nas zaproszą drugi raz, postaram się pamiętać, że nie jestem gospodynią domową, tylko profesjonalną kosmetyczką.

Elegancka pani z siwymi włosami i sznurem pereł na szyi zajmuje miejsce naprzeciwko mnie. Sprawdzam listę, którą dostałam od Joy.

– Dzień dobry, pani Hill.

– Dzień dobry, moja droga – odpowiada. Ma miły uśmiech i zmęczone oczy. – Nigdy nie byłam u manikiurzystki. Cieszę się, że teraz mam okazję.

– Jest pani moją pierwszą klientką – przyznaję. – Proszę mi wybaczyć, jeśli będę wolna, ale chciałabym jak najlepiej wywiązać się z zadania.

– Nie spieszy mi się – mówi. - Jestem na emeryturze. Mam mnóstwo czasu. – Wyciąga do mnie dłonie, chude i pokryte brązowymi starczymi plamami.

Starannie powtarzam wszystkie czynności, których nauczyłam się na kursie.

Crystal jakby urodziła się do tej pracy. Kończy wycinanie skórek i już prezentuje swojej klientce całą paletę barw. Gada przy tym jak najęta.

Starannie opiłowuję paznokcie pani Hill i wreszcie pytam:

– Jaki lakier pani wybiera?

– Wszystko jedno, byle niezbyt jaskrawy.

– Czy mogę pani zaproponować manikiur francuski? Chciałabym go wypróbować.

– Nie mam pojęcia, na czym polega, ale zdam się na panią, moja droga.

Crystal maluje paznokcie pewnymi, zamaszystymi ruchami. Już rozłożyła arkusze ze zdobieniami. Podnosi głowę, jakby wyczuła mój wzrok, i puszcza do mnie oko. Pokazuje mi uniesiony kciuk na znak, że dobrze idzie, a ja powtarzam jej gest.

– Razem kończyłyśmy kurs – wyjaśniam pani Hill. – To moja pierwsza w życiu praca.

– Świetnie pani idzie – mówi mi uprzejmie. – Ma pani bardzo relaksujący sposób bycia.

Crystal obsłużyła pierwszą z pań i zaprasza kolejną. Jej klientka podchodzi do mojego stolika.

– Patrz i podziwiaj, Agnes. – Wyciąga do nas ręce. Ma paznokcie pomalowane na jaskrawy róż i zdobione samoprzylepnymi dżetami.

– Och, mój Boże – wzdycha pani Hill.

Patrzy na swoje paznokcie, które wyglądają bardzo skromnie.

– Jeśli pani sobie życzy, Crystal może je trochę ozdobić – proponuję. – Mnie brakuje jeszcze odwagi.

– Och, nie – protestuje trochę za szybko. – Właśnie takie mi się podobają.

Czekamy chwilę, żeby lakier wysechł, po czym panią Hill zastępuje kolejna klientka.

Pracujemy przez całe przedpołudnie, a gdy przychodzi pora na przerwę, Joy przynosi nam kanapki. Wychodzimy do ogrodu na słońce, żeby je zjeść.

Crystal siada na jednej z ławek i natychmiast gromadzi się wokół niej tłumek starszych panów. Od razu zaczyna z nimi flirtować, więc ją zostawiam.

– Pokaż mi ogród – proszę Joy. – Dużo czasu mu poświęcasz?

– Tak – przyznaje. – Staram się namówić ich na uprawę warzyw, ale wszyscy są miłośnikami kwiatów.

– Jesteś dziś jakaś przygaszona. Coś się stało?

Zagryza usta i chmurnieje jeszcze bardziej.

– Mam niedobre wieści – mówi. – Myślałam, że w tym roku odwiedzą mnie obaj synowie, tymczasem okazuje się, że żaden z nich nie przyjedzie.

Zaczyna płakać, więc ją obejmuję. Siadamy na najbliższej ławce. Podaję jej czystą chusteczkę. Zauważam, że Joy trzęsą się ręce, gdy ociera oczy.

Ławeczka jest z kutego żelaza, pomalowana na biało, stoi w altance z róż, więc nikt nas tutaj nie widzi.

– Są zajęci – wyjaśnia, pociągając nosem. – Wiem, wiem, obaj piastują bardzo odpowiedzialne stanowiska. Jestem z nich naprawdę dumna. Ale tak dawno ich nie widziałam. Prawie nie znam rodziny Stephena, własnych wnucząt. Nie widziałam maleńkiego Jaya i zaczynam myśleć, że już go nie zobaczę.

– Mogłabyś ich odwiedzić – sugeruję nieśmiało, kiedy Joy przestaje pochlipywać.

– Nie sądzę.

– Ja także uważałam, że jestem w sytuacji bez wyjścia. Tkwiłam w toksycznym małżeństwie i myślałam, że tak będzie już zawsze. A jednak znalazłam w sobie odwagę, żeby uciec.

– Panicznie boję się latania. Nigdy w życiu nie byłam na pokładzie samolotu i chyba już się nie przełamię.

– Powinnaś polecieć do swojej rodziny – przypominam jej. – Przemęczysz się przez pół dnia i zobaczysz ich wszystkich. Czy nie warto?

– Straszliwie za nimi tęsknię. – Rozkleja się znowu.

– Nie powinnaś się bać, Joy.

– Nie młodnieję, prawda?

– Nikt z nas nie staje się młodszy.

– Jeszcze o tym pomyślę. – Klepie mnie po dłoni.

– Zrobić ci dziś paznokcie?

– Popatrz tylko na moje ręce – wzdycha. – Nie mogę ich domyć, mam ziemię za paznokciami i pozdzierane skórki.

Rzeczywiście, są zaniedbane i chyba ją bolą.

– Nauczyłam się także masażu – mówię. – Kupiłam dla ciebie w Lyme Regis bardzo przyjemny krem lawendowy, powinien złagodzić podrażnienia. Opiłujemy paznokcie i położymy odżywkę, a potem pomasuję ci dłonie. Będzie przyjemnie.

– Jesteś bardzo troskliwa, Ayesho. – Jej twarz łagodnieje. – Chętnie skorzystam.

– Wpiszę cię do mojego kalendarzyka – żartuję – jako bardzo specjalną klientkę.

Rozdział pięćdziesiąty siódmy

Hayden czeka na nas przy drzwiach wejściowych. Wybiega i pomaga nam wyjąć z samochodu pakunki. Ciekawe, czy czuł się samotny, gdy żadnej z nas nie było w domu.

Crystal zatrzymała się przed szkołą, więc odebrałyśmy Sabinę w drodze powrotnej. Widząc Haydena, rzuca mu się na szyję.

– W szkole wszystko w porządku, Sabinko? – pyta, a ona kiwa głową.

Wchodzimy i porzucamy w korytarzu nasze akcesoria do manikiuru.

– Zrobiłem obiad – oznajmia Hayden. – Zdecydowanie nie dorasta do twoich standardów, Ayesho. To zwykła lazania, czeka w piekarniku.

– Nie wiedziałam, że potrafisz gotować – dziwi się Crystal.

– Jedną potrawę, nie więcej – wyjaśnia Hayden. – I dawno jej nie przyrządzałem, ale dziś bawiłem się nieźle.

– Bardzo to miłe z twojej strony – mówię. Choć raz nie muszę zakładać fartucha i rzucać się do obierania warzyw. – Sabino, masz coś zadane na jutro?

Kręci głową.

– Mogę ci pomalować paznokcie – proponuje Crystal. – Zgadzasz się, prawda, Ayesho?

Moja córka patrzy na mnie błagalnie.

– Pod warunkiem, że to będzie coś bardzo dyskretnego. Żadnych różowych dżetów. Nie chcę, żeby wychowawczyni wpisała jej uwagę.

– Siądziemy przy stole w kuchni – mówi Crystal. – A wy – patrzy na mnie i Haydena – idźcie na spacer do parku. Podgrzeję lazanię trochę później. Założę się, że nie wyściubiłeś nosa z domu, Hayd. Świeże powietrze dobrze ci zrobi.

Widzę jego nietęgą minę. Crystal ma rację. Pewnie nie wyjrzał na dwór ani razu.

– Jest pięknie i zielono – namawiam, choć ani razu nie odważyłam się pójść z Sabiną na dłuższy spacer po parku. Po weekendzie spędzonym na plaży zatęskniłam za wolnością. Zbyt długo tkwiłam zamknięta w czterech ścianach. Chciałabym lepiej poznać okolicę. – Będę wdzięczna, jeśli pokażesz mi ładne zakątki.

– No już – popędza go Crystal. – Nie spuszczaj nosa na kwintę. My z Sabinką sobie poradzimy.

Hayden czuje, że jego opór jest daremny, więc wzrusza ramionami.

– W porządku. Przejdźmy się do parku.

– Bądź grzeczna i słuchaj cioci Crystal – proszę Sabinę.

Nie mam powodu jej upominać, zawsze jest grzeczna. Czasem się martwię, że nie hałasuje, nie jest rozbrykana jak inne dzieci. To jedyny powód do smutku.

Wychodzimy przez drzwi frontowe, ale zanim Hayden opuścił dom, włożył czapkę i ciemne okulary. Za bramą rozgląda się niespokojnie. Niepotrzebnie, ulica jest opustoszała. Niewiele kroków dzieli nas od wejścia na teren Heath. To ogromny park, wchodzimy w głąb wydeptaną ścieżką. Na niebie, dosłownie znikąd, pojawiło się kilka ciemnych chmur. Powietrze jest ciężkie, duszne. Może zbyt szybko przyszedł upał, było zbyt gorąco i teraz nastąpi przesilenie.

Idziemy ramię w ramię, aż po kilku chwilach Hayden bierze mnie za rękę. Jego dłoń jest mocna i ciepła, przyjemnie tak z nim iść.

– Brakowało mi ciebie – mówi. – Po naszym wspaniałym weekendzie dziś dom wydawał się opustoszały.

– To prawda, że wyjazd był przyjemny – odpowiadam. – Nie spodziewałam się, że brytyjskie wybrzeże jest takie piękne.

– Mogę kupić tam dom – oznajmia. – Jeździlibyśmy regularnie, jeśli tylko chcesz.

Waham się. Haydenowi wszystko przychodzi z taką łatwością. Nawet kupno domu, bo ma taką fantazję.

– Nie podoba ci się pomysł? – niepokoi się. – Za wiele oczekuję?

– Nie, nie. Nie o to chodzi.

Zatrzymuje się i zwraca ku mnie.

– Czy myślisz, że moglibyśmy zostać parą? Wiem, że oboje jesteśmy... po przejściach... czy jak to się mówi. Uważam, że do siebie pasujemy. Moje życie nabrało sensu, od kiedy się w nim pojawiłaś. I uwielbiam Sabinę. Prawie tak samo jak ciebie. – Podnosi moją brodę. – Nie przygotowałem sobie tej przemowy, ale już wiesz, co czuję.

Mam zamiar odpowiedzieć, gdy Hayden raptownie się odwraca.

– Niech to szlag! Fotograf. – Obraca się plecami do mężczyzny i zasłania mnie swoim ciałem.

Zerkam zza jego ramienia. W oddali rzeczywiście stoi jakiś człowiek. Ma aparat z długim obiektywem wycelowanym prosto w nas. Robi zdjęcia.

– Szybko. – Hayden ciągnie mnie do najbliższej kępy drzew. Chowamy się między pniami. – Ukryjemy się na chwilę, a potem wymkniemy z parku. – Wchodzimy głębiej w zielony gąszcz. Hayden opiera się o pień dębu i przyciąga mnie do siebie, zamyka w klatce ramion. – Nie będzie nas tu gonił. – Wpatruje się w stronę, z której przyszliśmy, ale nie dochodzą stamtąd żadne szelesty, żadne kroki.

Słyszę tylko gwałtowne łomotanie jego serca.

– Skąd wiedziałeś?

– Sam nie wiem. – Podnosi okulary; pod drzewami jest cień, zresztą słońce gdzieś się schowało. Jego niebieskie oczy wydają się granatowe. – Wewnętrzny radar albo wieloletnie doświadczenie. Mój szósty zmysł nigdy się nie myli, zawsze wyczuwam, kiedy w pobliżu jest fotoreporter.

– Nie wiedziałam, że jest aż tak źle. – Teraz rozumiem, jakie to musi być okropne.

– Martwię się o ciebie – wyjaśnia. – Mam nadzieję, że nie udało mu się zrobić dobrego zdjęcia nam obojgu.

– To by ci przeszkadzało? – pytam z nieprzyjemnym uczuciem, że się mnie wstydzi.

– Jeszcze dziś byłoby w internecie, a jutro w plotkarskich gazetach. W przyszłym tygodniu w kolorowych czasopismach. A jeśli twojemu mężowi wpadnie w ręce jedno z takich pisemek?

– Och.

O tym nie pomyślałam. Sądziłam, że Hayden nie chce być widziany ze mną.

Zaczyna padać deszcz. Wielkie, grube krople ciężko uderzają w liście.

– Pozostaje nam tylko czekać. Może przestałem być gorącym tematem i publikacja się nie ukaże.

Nie wiem, o czym dokładnie mówi, ale mam nadzieję, że się nie myli.

– Przepraszam – dodaje. – Nie daruję sobie, jeśli przeze mnie będziesz musiała znowu uciekać. Powinienem dogonić gościa i zmusić go do skasowania zdjęć.

– Nic teraz nie możemy zrobić?

– Pozostaje nam czekać. Jutro kupię wszystkie gazety. – Głaszcze mnie po twarzy. – Przepraszam. Tak mi przykro. Naraziłem cię na niebezpieczeństwo.

– Nigdy nie czułam się bardziej bezpieczna niż z tobą – wyznaję przez ściśnięte gardło.

Przytula mnie mocno, a ja przywieram do niego całym ciałem. Jego usta szukają moich, są ciepłe i miękkie. Mam wrażenie, że pocałunki Haydena kryją w sobie całe morze smutku i bólu. Opieramy się o pień dębu, pod gęstym parasolem liści. Deszcz się nasila, przechodzi w ulewę. Jego ręce błądzą po moim ciele. Chciałabym się z nim kochać, teraz, na posłaniu z mokrej trawy, jednak odsuwa się ode mnie.

– Jesteś przemoczona.

Rzeczywiście, cienka bluzka przywiera do skóry.

– Nieważne.

– Musimy wracać – mówi. – Nie pójdzie za nami, za bardzo pada. Zamókł by mu ten cholerny aparat.

Do tej pory nie słyszałam w jego głosie tyle goryczy.

Hayden całuje mnie jeszcze jeden raz, po czym bierze mnie za rękę i wyprowadza z parku.

Rozdział pięćdziesiąty ósmy

– Ojej, jesteście całkiem przemoczeni! – woła Crystal na nasz widok. – Słyszałyśmy, że pada, prawda, Joy? Miałyśmy nadzieję, że udało wam się ukryć.

– Byliśmy pod drzewami, ale ulewa się nasiliła – mówię, a z mojego ubrania kapie na kuchenną podłogę.

Mokre kosmyki przypominają szczurze ogony, spodnie są pobrudzone ziemią, a końce nogawek zostawiają mokre ślady. Obawiam się, że letnie sandałki nadają się do wyrzucenia. Rozklejam się i jestem bliska płaczu.

– Biedactwo. Zaraz przyniosę ręczniki. – Joy wybiega z kuchni.

Hayden przedstawia równie godny pożałowania widok. Ściąga z głowy czapkę, by ją wyżąć.

– Na niewiele mi się zdała – złości się, wrzucając ją do zlewu. – Przydybali nas, Crystal. Gdy tylko weszliśmy do parku.

– Po tylu latach?

– Sępy. – Hayden spluwa. – Zawsze krążą.

– Zrobili wam zdjęcia? – pyta wystraszona Crystal. – Obojgu?

– Nie mam pojęcia. – Przeczesuje palcami włosy.

Chciałabym, żeby mnie przytulił, ale nagle wyrósł między nami mur.

– Trzeba zwiększyć zabezpieczenie domu. – Hayden miota się po kuchni. – Sabina powinna mieć ochroniarza. – Patrzy na mnie ponuro. – Może powinnaś zmienić miejsce pobytu. Gdzieś wyjechać.

– Nie chcę. – Z trudem przełykam ślinę.

– Oczywiście, że nie. Uspokój się, Hayd – mówi Crystal. – Poczekamy i zobaczymy, co z tego wyniknie. Może to fałszywy alarm. Jeśli Lady Gaga pokaże cycki albo Cheryl Cole wyjdzie z klubu nad ranem w samych majtkach, przestaną się tobą interesować.

Trochę go to uspokoiło, ale nadal się upiera:

– Nie martwię się o siebie, tylko o Ayeshę.

– Nic jej nie będzie – odpowiada Crystal. – Wszyscy będziemy jej pilnować.

– Nie gadaj bzdur. Wystawiłem ją na strzał paparazzich.

– Czysty przypadek, Haydenie – zapewnia go Crystal. – Nie histeryzuj.

Joy wraca z ręcznikami. Jeden podaje Haydenowi, drugim osusza mi włosy. Poddaję się jej zabiegom, ale czuję się nieszczęśliwa i zagubiona. A wszystko się tak cudownie układało. Powinnam wiedzieć, że nic, co dobre, nie trwa długo. Co będzie, jeśli moje zdjęcie ukaże się w gazetach i Suresh je zobaczy? Z całą pewnością przyjdzie tu po mnie i Sabinę.

– Obiad gotowy – mówi Joy. – Musicie się rozgrzać.

– Nie jestem głodny – odpowiada Hayden. – Wezmę gorący prysznic.

Odwraca się i wbiega po schodach. Chciałabym go dogonić, ukołysać w ramionach, poszukać ukojenia w jego uścisku. Ale tkwię w miejscu jak zaklęta.

– Nie martw się – pociesza mnie Crystal. – Daj mu kilka godzin, odreaguje i się uspokoi. Wszystko bierze sobie do serca.

Wiem, że przypomniała mu się Laura. Boi się, że to, co jej się przydarzyło, może przytrafić się także mnie i mojej córce.

– Przebierz się w suche rzeczy – poleca Joy. – Obiad za pięć minut.

– Dziękuję.

Idę na górę i zdejmuję mokre ubranie. Wycieram się do sucha i przebieram w sukienkę do kostek i rozpinany sweter. Ciepłe ubranie przyjemnie rozgrzewa zziębniętą skórę. Chciałabym pójść na górę i sprawdzić, jak się miewa Hayden, ale obawiam się, że jego gniew jeszcze wzrośnie. W końcu to ja wyciągnęłam go na spacer, gdyby nie to, nie byłoby nieszczęsnej fotografii.

Przez chwilę stoję przy schodach i nastawiam uszu, ale na górze panuje martwa cisza. Schodzę więc do kuchni.

Joy wyjmuje lazanię z piekarnika.

– Pomogę.

– Siadaj i nie kręć mi się pod nogami – mówi.

Zajmuję miejsce obok Sabiny. Moja córka ma smutną minę, więc obejmuję ją ramieniem.

– Nie martw się, malutka. Nie ma się czego bać. Wszystko się ułoży. – Mam nadzieję, że tak będzie.

Lazania Haydena wygląda apetycznie, szkoda, że nie zje jej z nami. Joy dzieli ją na kawałki i nakłada na talerze.

– Chcecie usłyszeć dla odmiany dobre wieści? – pyta Joy. – Wszyscy seniorzy w ośrodku są wami zachwyceni. Oczekują, że wrócicie w przyszłym tygodniu i są gotowi płacić za wasze usługi. Liczą na zniżki, bo korzystacie za darmo z naszego lokum, ale jestem pewna, że umowa będzie korzystna dla obu stron. Muszę to jeszcze obgadać z Edgarem. Jest nowym kierownikiem ośrodka, powołano go, żeby trochę ożywił to miejsce. Nowa miotła, nowe porządki. Zapowiedział, że zorganizuje loterię, żeby zebrać trochę nadliczbowych funduszy, sprowadzi zewnętrznych prelegentów i zapewni dodatkowe atrakcje, żeby nas trochę rozruszać. Pasujecie do jego planu. Jeśli to przyklepie, będziecie miały stałe klientki w ośrodku.

– Wspaniale. – Crystal się ożywia. – W takim razie różowe koszulki polo będą niezbędne. W przyszłym tygodniu mogę również zaproponować usługi kosmetyczne. Kilka pań prosiło mnie o makijaż.

– Jesteśmy ci wdzięczne – mówię do Joy.

– Wiem, że nie zarobicie na rachunki, ale to jest jakiś początek.

Sabina z dumnym uśmiechem wyciąga do mnie rączki. Jej paznokcie są w naturalnym odcieniu różu. Wyglądają jak z masy perłowej.

– Piękne. Zupełnie jak muszelki na plaży.

Kiwa głową i po policzku spływa jej jedna łza.

– Powiedz mi, kochanie, co czujesz – proszę.

Wiem, że nie potrafi albo nie chce odpowiedzieć.

Rozdział pięćdziesiąty dziewiąty

Kładę Sabinę do łóżka, otulam ją i postanawiam, że dziś zostanę przy niej. Nie jest późno, dopiero ósma, ale czuję obezwładniające zmęczenie.

Sabina jest gorąca i niespokojna. Skopuje kołdrę, rzuca się przez sen z boku na bok. Głaszczę ją po włosach i mruczę pieszczotliwe słowa. Wreszcie jej oddech się wyrównuje i zapada w głęboki sen.

Patrzę przez okno, leżąc na plecach. Nie zasunęłam zasłon. W świetle ulicznej latarni widzę, jak poruszają się gałęzie drzew, a ich cienie tańczą na suficie naszego pokoju.

Lubię ten dom i nie chcę się przeprowadzać. Boję się nowych miejsc. Lubię mieszkać z Crystal, Joy, a już szczególnie z Haydenem. Co zrobię, jeśli miejsce mojego pobytu stanie się publicznie znane? Czy to możliwe? Jeśli tak, Suresh je pozna. Jestem pewna, że jego głupia duma nie pozwoli mu odpuścić.

Opieram policzek o chłodną poduszkę i zastanawiam się, co powinnam zrobić, ale nic rozsądnego nie przychodzi mi do głowy. Kłębi się we mnie zbyt wiele emocji. Nie chcę spędzić reszty życia, uciekając przed Sureshem albo oglądając się tchórzliwie przez ramię. Łatwo jest zapomnieć o jego istnieniu w bezpiecznej kryjówce, zwłaszcza że moje życie diametralnie się zmieniło. Mogę udawać, że Suresha nigdy nie było. Ale on czai się gdzieś w mroku, podobnie jak fotoreporterzy Haydena. Jesteśmy ścigani. Oboje chcemy, żeby nas zostawiono w spokoju. Czy to zbyt wiele?

Kiedy zasypiam, mam nieprzyjemne sny. W gęstym, mrocznym lesie ściga mnie zamaskowana postać. Uciekam, ale ranię się o ciernie, drę na strzępy *salwar kamiz* o gałęzie. Przytrzymuję ubranie ramionami, uciekam co tchu w piersiach, gdy nagle dosięga mnie łapa z ciemności i trzyma w stalowym uścisku mój warkocz. Zatrzymuje mnie w miejscu i rzuca o ziemię. Czuję, jak szarpnięciem wyrywa mi włosy z głowy. Krzyczę, ale nikt mnie nie słyszy.

Budzi mnie hałas, siadam gwałtownie i ciężko dyszę. Jestem mokra od potu. Uliczna lampa rzuca złowrogie cienie, a w kącie pokoju stoi jakiś człowiek. Chcę wrzasnąć, ale nie mogę wydobyć głosu.

Robi ruch w moją stronę i coś się odblokowuje w moim gardle. Wydobywa się z niego skrzek.

– Cicho, cicho. – To głos Haydena. Uczucie ulgi jest porażające. – To tylko ja. Wystraszyłaś mnie na śmierć. Usłyszałem twój krzyk i przyszedłem sprawdzić, co się dzieje.

Siada obok mnie na łóżku, kładzie mi rękę na ramieniu. Jego obecność jest kojąca.

– Miałaś zły sen.

– Ktoś mnie gonił w lesie – mówię.

– Miał aparat fotograficzny? – próbuje żartować.

– Nie, nie miał. – Uśmiecham się mimo woli.

– Może pójdę na dół i zaparzę ci herbaty?

– Zostań ze mną – proszę. – Nie chcę być sama. – Wstrząsa mną mimowolny dreszcz.

– Zmarzłaś.

Nie wiem, czy mi zimno, czy gorąco, ale Hayden otula mnie kołdrą, jak ja co wieczór Sabinę.

– Jestem przerażona – wyznaję.

– Chcesz pójść do mojego pokoju? – pyta. – Tam możemy porozmawiać i nie obudzimy dziecka.

– Nie chcę zostawiać córki samej. Ona też spi bardzo niespokojnie.

– Biedactwo. – Hayden pochyla się nad nią i gładzi po włosach. Patrzy na nią jak ojciec na córkę. – Chciałbym was ochronić, a zdaje się, że pogorszyłem sytuację.

– Tego nie wiemy – przypominam.

– Wkrótce się dowiemy – odpowiada – a wtedy trzeba będzie się zastanowić, jak zminimalizować straty.

– Z tobą niczego się nie boję. – Wodzę palcami po jego twarzy. Jest bardzo atrakcyjnym mężczyzną.

Kładzie się obok mnie, a ja kulę się w jego objęciach. Lekko całuje moje włosy. Sabina wzdycha przez sen i przytula się do mnie. I wkrótce, mimo wszelkich wiszących nad nami kłopotów, wszyscy troje spokojnie zasypiamy.

Rozdział sześćdziesiąty

Czekamy i czekamy. Przez dwa tygodnie siedzimy jak na szpilkach. Codziennie przeszukujemy internet i wertujemy wszystkie tabloidy – bez rezultatu. Zdjęcie nie pojawia się w brukowcach ani kolorowych tygodnikach.

– Może mu nie wyszło – konkluduje Hayden. – Albo było rozmazane.

– Albo odwróciłeś się w porę i zobaczył tylko twoje plecy?

– Możliwe.

Kamień spada mi z serca. Hayden jednak nie może znaleźć sobie miejsca.

– To jedno zdarzenie uświadomiło mi, że nie chcę wiecznie uciekać i ukrywać się we własnym domu. Mam prawo robić, co mi się podoba, tak samo jak każdy człowiek. Jeśli zacznę się pojawiać w miejscach publicznych, muszę mieć pewność, że nikt niepożądany nie wpadnie na pomysł, aby się tu zakraść. Paparazzi tym razem nie sprzedał zdjęć, ale kiedy któryś z nich wpadnie na mój trop, znowu będą warować pod bramą. Jak dwa plus dwa jest cztery. Dziwię się, że jeszcze nie zaczęli koczować w krzakach.

Mam gęsią skórkę. Nie podoba mi się taka perspektywa.

Dzisiaj przypada termin naszej trzeciej wizyty w domu seniora. Crystal, zgodnie z zapowiedzią, kupiła dla nas jasnoróżowe koszulki polo, które pełnią funkcję mundurków. Są bardzo ładne, w najjaśniejszym odcieniu różu. Moja bluzka jest luźna, zapinana pod brodę, pod spód wkładam białą bawełnianą koszulkę z długimi rękawami. Bluzka Crystal jest dopasowana, a rozpięte guziki pokazują jej imponujący dekolt w całej krasie. Mam nadzieję, że żaden z leciwych adoratorów mojej przyjaciółki nie dostanie zawału na ten widok.

Ładujemy nasz majdan do samochodu Haydena. Wczoraj wieczorem usmażyłam kilka porcji indyjskich pierożków *samosa* i *pakora* i kawałki warzyw w cieście, na poczęstunek dla pensjonariuszy ośrodka. Ku memu bezbrzeżnemu zdumieniu Joy opowiedziała im, że jestem znakomitą kucharką. Życie nie przestaje mnie zadziwiać!

Nie lubię opuszczać Haydena. Przez dwa tygodnie, które upłynęły od wycieczki do Lulworth Cove i Lyme Regis, nasz związek się pogłębił. Od tamtej nocy, kiedy przyszedł mnie obudzić z koszmarnego snu, nocuje w naszym pokoju. Przychodzi, gdy Sabina śpi, i kładzie się przy mnie. Każdego ranka po przebudzeniu przez jedną rozkoszną chwilę odkrywam, że leżę w jego ramionach. Przyglądam się śpiącemu Haydenowi. Ma spokojną, zrelaksowaną twarz.

Budzi się i całuje mnie na powitanie, a potem wymyka się, zanim Sabina otworzy oczy. Pewnie nie miałaby nic przeciw temu, ale im mniej wie o sprawach dorosłych, tym lepiej. Nie powiedzieliśmy Joy ani Crystal o naszej bliskości, ale jestem pewna, że czegoś się domyślają. Trudno nie zauważyć czułych spojrzeń, które wymieniamy.

– Poradzę sobie – zapewnia na widok mojej niespokojnej miny.

– Wracając, odbierzemy Sabinę – mówię.

Kiwa głową i jeszcze macha nam na pożegnanie. Patrzę w ślad za nim, gdy wchodzi do pustego domu. Crystal wyjeżdża z bramy i oko kamery śledzi auto, dopóki nie znikniemy w głębi ulicy.

Atmosfera w Constance Fields zmieniła się. Wydaje mi się, że niektórzy stali bywalcy poruszają się bardziej dziarsko. Panie ubierają się staranniej, panowie przywiązują większą wagę do stroju. Okna są uchylone, żeby do środka wpadało świeże powietrze. Z przyjemnością zauważam dobre zmiany.

Kiedy rozkładamy stoliki, podchodzi do nas Joy.

– Chciałabym was przedstawić nowemu kierownikowi ośrodka, moje panie – mówi. – To jest Edgar Janson.

Crystal i ja podnosimy głowy. Przed nami stoi wysoki, ciemnowłosy, bardzo przystojny mężczyzna. Moja przyjaciółka uśmiecha się promiennie i wydaje mi się nawet, że zalotnie trzepocze rzęsami.

– Miło mi pana poznać – mówi.

– Dziękuję za to, że panie nas odwiedzają. – Edgar Janson ściska jej rękę. Ma wyraźny obcy akcent. – Niektórzy panowie nie mogli się was doczekać. – Uśmiecha się do niej. – Teraz rozumiem dlaczego.

Crystal rumieni się i chichocze jak pensjonarka.

– Jestem Ayesha – mówię i podaję mu rękę.

Wita się, ale nie przytrzymuje mojej dłoni, jak to zrobił z Crystal.

– Mam nadzieję, że będę miał okazję porozmawiać z paniami później – mówi, nie odrywając wzroku od mojej przyjaciółki. – Może przy herbacie.

Crystal z wyraźnym uznaniem patrzy, gdy Janson oddala się w korytarzu.

– Mrrrau – mówi do Joy. – Gdzie on się uchował?

– Jest z Łotwy – odpowiada konkretna jak zwykle Joy.

– Wiesz, o czym mówię – prycha Crystal. – Nie jesteś tak zgrzybiała, żeby nie docenić niezłego ciacha. Czemu nigdy o nim nie opowiadałaś? Ma jakieś ukryte wady?

– Bardzo atrakcyjny mężczyzna – wtóruję jej.

– Ręce precz. Masz swojego wzdychacza – odpowiada Crystal. – Myślisz, że nie zauważyłam tych wszystkich tęsknych spojrzeń, które wymieniacie z Haydem? Robi do ciebie maślane oczy od pierwszego dnia.

Zalewam się gorącym rumieńcem, a ona puszcza do mnie oko.

– Nie wykluczam, że wkrótce usłyszymy marsz weselny, Joy. – Wskazuje głową w moją stronę.

– Tak się składa, że już jestem mężatką – zauważam.

– Detale. – Macha ręką. – Lepiej bierzmy się do roboty. Jeśli do południa wszystkie starsze panie mają wyglądać jak Joan Collins, nie ma czasu do stracenia.

Joy patrzy na nią z politowaniem i wywraca oczami, a ja nie mogę powstrzymać się od śmiechu.

Podczas przerwy na lunch siadamy w ogrodzie i zjadamy kanapki, co stało się naszym zwyczajem. Rozdałam pierożki paniom i panom, i wydaje się, że wszystkim smakowały. Nasze klientki dzielą się na dwie grupy i można je rozpoznać na pierwszy rzut oka. Starsze damy korzystające z usług Crystal mają paznokcie we wszystkich kolorach tęczy i wyrazisty makijaż. Moje klientki wybierają lakiery w odcieniach cielistego różu lub brzoskwini, a ich usta są ledwo muśnięte naturalną szminką. Masaże cieszą się popularnością nie tylko wśród kobiet. Zapisali się na nie również niektórzy dżentelmeni z pokrzywionymi przez artretyzm dłońmi, chociaż jestem pewna, że woleliby, gdybym miała dekolt jak Crystal. Pomimo podeszłego wieku i słabego wzroku wszyscy tutejsi panowie są nią oczarowani.

– Nie wiem, jak ci to powiedzieć… – zaczyna Crystal. – Ale nie bądź na mnie zła.

– Jasne, że nie będę.

– Znalazłam pracę na cały etat. – Patrzy na mnie i przygryza wargę.

– Chyba nie wracasz do klubu? – Nie potrafię ukryć przerażenia.

– Nie, głuptasie! Za kogo mnie masz?

Uśmiecham się z ulgą.

– W salonie kosmetycznym na Rosslyn Hill.

– Naprawdę?

– Od przyszłego tygodnia. – Przygląda mi się uważnie. – Nie masz do mnie żalu?

– Jestem zachwycona. Korzystaj z okazji, to jasne.

– Poniedziałki będę miała wolne, więc nadal możemy przyjeżdżać do naszych staruszków, jeśli masz ochotę.

– Mną się nie przejmuj, Crystal. Powinnaś mieć trochę czasu dla siebie. Ja sobie poradzę.

– Popytam, czy nie znajdzie się coś dla ciebie. Oczywiście, jeśli chcesz. Moglibyśmy pracować razem w salonie Na Wysoki Połysk.

– To chyba nie jest miejsce dla mnie. – Kręcę głową. Kiedy rozglądam się po ogrodzie i widzę tych miłych starszych ludzi, czuję się jak w domu. Udziela mi się panujący tu spokój, z zainteresowaniem słucham ich wspomnień, korzystam z życiowej mądrości. – Lubię ten ośrodek. Chętnie nauczę się nowych technik masażu i będę w stanie im pomagać, a nie tylko zajmować się paznokciami.

– A ja zamierzam tu przychodzić, bo kierownik wpadł mi w oko – zwierza się Crystal.

– Edgar?

– Jest boski.

– To prawda.

– Wszystkie moje związki się rozpadały – mówi cicho Crystal. – Mili faceci uciekali ode mnie. Kiedy pracowałam w klubie, żaden nie był zainteresowany. Jasne, ślinili się na mój widok, ale nikt nie zamierzał przedstawiać mnie rodzicom. – Jej oczy są pełne wiary. – Może teraz będzie inaczej.

Opieramy się o siebie, Crystal kładzie mi głowę na ramieniu. Wystawiamy twarze do słońca.

– Mam nadzieję, że wkrótce tak będzie, droga przyjaciółko – mówię. – Mam taką nadzieję.

Rozdział sześćdziesiąty pierwszy

Po południu, krótko przed naszym wyjściem, Joy siada przy moim stoliku. Nasączam watkę zmywaczem i zabieram się do oczyszczania jej paznokci.

– Mieszkamy w tym samym domu, a jakoś brakuje czasu, żeby usiąść i porozmawiać, prawda? – zagaduję. – Zawsze jest tyle zajęć. Teraz mamy okazję.

– Szkoda czasu i atłasu, to walka z wiatrakami. – Wskazuje na ręce. – Powinnam wkładać rękawiczki do pracy w ogrodzie. – I rzeczywiście, za jej paznokciami zawsze jest ziemia, a skórki są pozdzierane.

– Lubisz czuć ziemię pod palcami. – Uśmiecham się. – Może dlatego wszystko ci rośnie jak na drożdżach. Stan twoich paznokci mi nie przeszkadza, lubię wyzwania.

Joy uśmiecha się, ale jej oczy pozostają smutne.

– Coś ci dolega?

– Wiele rzeczy nie daje mi spokoju – przyznaje Joy. – Źle spałam ostatniej nocy.

Czekam, że powie coś więcej, ale milknie. Biorę swoje przyrządy i zabieram się do przywracania paznokciom kształtu. Są połamane, a skóra rąk jak zwykle podrażniona. Może Joy dokucza reumatyzm? Stawy są zgrubiałe, a palce powykrzywiane jak korzenie drzewa. Jestem pewna, że bardziej jej zależy na masażu niż na manikiurze, a ponieważ jest dzisiaj moją ostatnią klientką, spędzam na nim więcej czasu niż zwykle. Delikatnie wcieram krem lawendowy, który kupiłam w Lyme Regis. Z trudem rozmasowuję jej ręce, są zesztywniałe, jest spięta.

Joy się starzeje. Ciekawa jestem, kto się nią zajmie, gdy przyjdzie na to czas. Ma tutaj mnóstwo znajomych, ale chyba z nikim się nie przyjaźni. Czy Crystal i ja wciąż będziemy mieszkały u Haydena, gdy Joy zacznie potrzebować codziennej opieki? I czy pozwoli sobie pomóc? Tak zaciekle strzeże swojej prywatności. To wszystko nie są optymistyczne myśli.

Podnoszę wzrok i dostrzegam łzy w jej oczach. Przerywam masaż i po prostu trzymam ją za ręce, daję czas na ochłonięcie z nadmiaru emocji.

– Wczoraj po kolacji zadzwonił do mnie syn – zaczyna, ocierając oczy. Podaję jej chusteczkę. – Stephen, ten z Singapuru.

– Jak miło.

– Rozmawialiśmy strasznie długo. Byłam wykończona, gdy skończyliśmy. – Wzdycha ciężko. – Proszą, żebym przyjechała i zamieszkała z nimi. Mój drugi syn, Malcolm, też się tam przeprowadza w przyszłym roku wraz z rodziną. Zamierza się osiedlić w pobliżu brata. Bylibyśmy wszyscy razem.

– Och, Joy, to wspaniale.

– Bardzo się boję – przyznaje. – Zawsze byłam niezależna. Stephen chce zbudować dla mnie w ogrodzie przybudówkę z osobnym wejściem, ale nie jestem pewna, czy mi się to podoba. Kusi mnie, obiecuje własną sypialnię, prywatny salonik. Jednak tak naprawdę nie będę na swoim, prawda?

– Twoja rodzina będzie tuż za ścianą. Chyba ci się to podoba?

– A jeśli się mną znudzą? – pyta. – Są młodzi. Mają swoje życie. Co będzie, jeśli się rozchoruję? W obcym kraju, w obcym szpitalu, będę obciążeniem dla bliskich. – Joy ścisza głos, chociaż nikt nas nie słucha. – Przez całe lata opiekowałam się mężem, gdy obłożnie chorował i leżał przykuty do łóżka. Wiem, jak to jest. Choroba położyła się cieniem na życiu moich synów, gdy byli dorastającymi chłopcami. Nie mogli się doczekać końca studiów. Przebierali nogami, byle tylko uciec jak najdalej od rodzinnego domu. Niepotrzebna im kolejna niedołężna osoba. Nie mogę ich na to narażać.

– Są dorosłymi mężczyznami, a nie popędliwymi nastolatkami – zauważam. – Mają własne dzieci, nauczyli się doceniać rodzinę.

– Musiałabym porzucić wszystko, co znam. Nie przesadza się starych drzew. – Obrzuca wzrokiem otoczenie, grupki rozprawiających z ożywieniem emerytów. – Nie sądzę, że ktokolwiek tutaj szczególnie za mną zatęskni, ale będzie mi ich brakowało. Niełatwo się zaprzyjaźniam, Ayesho. W Londynie jestem zajęta. Mam mnóstwo pracy. Mam ogród. A co będę robiła całymi dniami w Singapurze?

– Tam też będzie ogród. Potraktuj to jako przygodę, Joy. Ile osób w twoim wieku ma szansę poznawać świat?

Nie wygląda na przekonaną.

– Jesteś jeszcze ty i Sabina. Hayden. I nawet Crystal. Jesteśmy nietypową gromadką, ale zżyliśmy się, prawda?

– Wszystko się zmienia, Joy. Nie chciałabym, żebyś zrezygnowała z szansy zbliżenia się do dzieci i wnuków ze względu na nas. – Nie wspominam o tym, że Hayden chciałby wynieść się z Londynu i poszukać spokoju na prowincji.

– Widziałam żonę Stephena, Ling, zaledwie kilka razy. Wydaje się miła, nie mam nic przeciwko niej, ale czy będzie chciała, żebym kręciła jej się pod nogami?

– Porozmawiaj z nią, Joy. Powiedz szczerze o swoich obawach. Będzie ci łatwiej, jeśli podzielisz się wątpliwościami.

Wmasowuję krem w jej dłonie, pracując nad każdym palcem z osobna, nacierając zgrubiałe stawy, wszystkie zmęczone ścięgna. Joy oddycha z ulgą.

– Dzisiaj mnie naprawdę bolały – przyznaje. Patrzy, jak moje kciuki uciskają wierzch jej dłoni. – Co byś zrobiła na moim miejscu?

– Pojechałabym – mówię uczciwie. – Nie wszystko pójdzie jak po maśle, tego nie obiecuję. – Pamiętam, jak opuszczałam rodzinną wyspę, żegnając się z wszystkim, co kochałam, pełna nadziei, że w obcym kraju czeka mnie świetlana przyszłość.

– Nie bardzo się udało – zauważa.

Uśmiecham się. Cała Joy, nie przeżyłaby, gdyby darowała sobie odrobinę uszczypliwości.

– Masz rację, ale ja opuściłam rodzinę, żeby układać sobie życie z mężem, którego praktycznie nie znałam. Zaufałam mu i zawiodłam się. Ty jedziesz do ludzi, którzy cię kochają i chcą, żebyś z nimi była.

– Hm – chrząka.

– Co nagle, to po diable – radzę. – Zastanów się i zrób to, co będzie dla ciebie najlepsze.

– Przynajmniej tyle wiem po zjedzeniu wszystkich twoich pikantnych potraw, że nie umrę z głodu.

– Może się okazać, że twoja synowa chętnie powierzy ci opiekę nad ogrodem. Pomyśl o egzotycznych warzywach, które zaczniesz uprawiać.

– Marnujesz się jako manikiurzystka, Ayesho – powarkuje na mnie Joy. – Powinnaś prowadzić mediacje rodzinne.

Rozdział sześćdziesiąty drugi

Hayden grał na fortepianie, gdy usłyszał trzaśnięcie drzwi frontowych. Z niedowierzaniem spojrzał na zegarek. Gdzie się podział cały dzień? Rano, gdy zasiadł do klawiatury, muzyka po prostu spływała z jego palców jak za dawnych czasów. Czuł się świetnie. Był silny. Szczęśliwy.

– Hej. – Na widok Ayeshy w drzwiach salonu jego serce rozśpiewało się z radości. – Nie przeszkadzam?

– Nie – odparł. – Miło cię widzieć.

Sabinka przepchnęła się przed matkę i podbiegła do Haydena. Zarzuciła mu ręce na szyję, a potem zasiadła u jego boku. Posunął się, robiąc jej więcej miejsca. Wystarczył znak głową i zaczęli swój rutynowy duet: „Pałeczki". Ayesha nagrodziła ich brawami.

– Zaparzyć herbatę?

– Świetny pomysł – odpowiedział.

Ayesha zniknęła w korytarzu.

Hayden zaczął grać, tym razem solo i ciszej.

– Moje stare piosenki – wyjaśnił dziewczynce. – Chyba ich nie znasz. – W pewnym momencie przeszedł na melodię, która wciąż przejmowała go dreszczem. – „Moja wieczna miłość". To największy hit, jaki kiedykolwiek napisałem. Królował na listach przebojów na całym świecie. – Palce same poruszały się po klawiaturze, jakby uległ hipnotyzującej muzyce. – Dzisiaj udało mi się zaśpiewać jedną czy dwie piosenki. Tej nie jestem w stanie. To o kimś bliskim, kogo już nie ma.

Dotarł do refrenu, starał się zanucić, ale po paru taktach głos uwiązł mu w gardle.

– Widzisz? – Odchrząknął. – Nie potrafię.

A wtedy, ku jego absolutnemu osłupieniu, Sabina podjęła melodię. Miała cichy, ledwo słyszalny głosik, ale rozbrzmiewał wyraźnie.

– „Jesteś moim słońcem, moim światłem, moim życiem. Moją wieczną miłością" – śpiewała.

Zmusił się do dalszej gry, jakby nic się nie stało. Serce waliło mu w piersi i w myślach przywoływał Ayeshę, żeby przybiegła z kuchni. Tymczasem głos Sabiny przybierał na sile.

– „Jesteś moim rankiem, moją nocą, mą nadzieją. Moją wieczną miłością. Moją wieczną miłością".

Starał się do niej dołączyć, ale dławiły go jeszcze silniejsze emocje i nie był w stanie wydobyć z siebie żadnego dźwięku.

Właśnie się zastanawiał, co zrobić, żeby Sabina nie przestała śpiewać, gdy w drzwiach stanęła Ayesha z herbatą i ciasteczkami.

Ich wzrok się spotkał. Stanęła jak wryta i omal nie upuściła tacy. Nie wiedział, jakim cudem ją utrzymała. Kubki zatrzęsły się tylko, a herbata chlupnęła na boki.

Ayesha stała w drzwiach jak zaczarowana, a Sabina powtarzała refren, najwyraźniej nieświadoma wrażenia, jakie jej śpiew zrobił na dorosłych. Po policzkach Ayeshy płynęły łzy. Hayden był bliski płaczu. Sabina mieszkała w jego domu przez wiele tygodni i w ciągu tego czasu tylko raz słyszał, jak wydobyła z siebie ledwo dosłyszalny pisk. Teraz jej słodki, dziecięcy głosik śpiewający jego piosenkę, przepełnioną najsilniejszymi emocjami, poruszył go głęboko.

Gdy doszli do ostatnich taktów, palce Haydena ześlizgnęły się z klawiatury. Sabina spojrzała na niego karcąco.

Ayesha szybko odstawiła tacę i zaczęła bić brawo.

– Bardzo ładnie, kochanie – powiedziała, nie mogąc ukryć radości, ulgi i ekscytacji.

Hayden nie próbował odgadywać, jakie przepełniały ją emocje. Powiedzieć, że jest przejęta do granic możliwości, to nie powiedzieć nic.

– Nie wiedziałam, że znasz tę piosenkę – dodała.

Sabina nie odpowiedziała.

– Zaśpiewamy jeszcze raz? – spytał Hayden najbardziej zwyczajnym głosem, na jaki było go stać.

Dziewczynka pokręciła głową i podeszła do tacy. Wyglądało na to, że śpiewając, jest w stanie wydobyć z siebie głos, ale jeszcze nie była gotowa przemówić. Szklanka mleka i herbatniki stanowiły dużo większą atrakcję. Ayesha przytuliła córkę mocno, jakby nie chciała wypuścić jej z objęć.

– Sprawiłaś mi wielką radość – pochwaliła. – Pięknie śpiewałaś.

A nad głową córki wyszeptała bezgłośnie w kierunku Haydena:

– Dziękuję.

Rozdział sześćdziesiąty trzeci

Pub był zatłoczony, zespół grał za głośno. Suresh opierał się o bar tuż obok Flynna, Smitha i Arunji. Nie słyszał własnych myśli, nie mówiąc już o tym, co mówili kompani, a przecież mieli jeszcze wiele rzeczy do ustalenia.

– Możemy zająć salkę na górze na godzinkę, Cav? – Nachylił się nad kontuarem do właściciela. – Musimy pogadać o interesach.

– Jasne. Żaden problem.

– Stawiam kolejkę. – Skinął na pozostałych mężczyzn. – Idziemy na górę. W tym hałasie nie mogę się skupić.

Odczekali, aż barman im naleje, a Suresh zapłaci, potem przepchnęli się do schodów przez tłum młodziaków. Suresh zdjął zagradzającą przejście linkę i jeden za drugim wdrapali się po stromych schodach.

Wcześniej wielokrotnie korzystali z tej mety. Właściciel pubu, Pete Cavendish, był użytecznym gościem. Czasem, gdy mieli trefny towar, korzystali z jego pośrednictwa, odpalając mu sowitą działkę. Można mu było zaufać, potrafił trzymać język za zębami.

– Gorąco tu jak w piekle – narzekał Flynn, gdy weszli do pokoju. – Dzisiejsza noc jest dobra na grillowanie kiełbasek w ogródku, a nie własnych jaj w tej tureckiej łaźni.

Smith otworzył okno, ale to niewiele pomogło, w powietrzu nadal unosił się kwaśny smród wilgotnych ścian, przypalonego żarcia i starej wykładziny.

– Im szybciej skończymy, tym lepiej – powiedział Arunja.

– Masz coś ważniejszego do roboty?! – warknął na niego Suresh.

– Nie o to chodzi… – zaczął brat.

– Jeśli komuś szkoda czasu na naradę – przerwał mu Suresh – niech stąd spieprza w podskokach. Łaski bez. Albo w to wchodzisz na całego, albo wcale. To zbyt ważny skok, żeby go spartolić. Jeden błąd i wszyscy wylądujemy na wikcie jej królewskiej mości. Na długo. Nie wiem jak wy, panowie, ale ja po wszystkim zamierzam byczyć się na Karaibach.

Flynn i Smith odsunęli krzesła i rozsiedli się przy stole. Arunja po chwili wahania poszedł w ich ślady.

Planowali naprawdę wielki skok. Inna skala trudności niż dupereIne robótki, którymi parali się do tej pory. Ryzyko nieporównanie większe, ale i łup wart brawurowej akcji. Inicjatorem był Suresh, dlatego chciał dopilnować, żeby wszystko przebiegło sprawnie.

W mieście, w samym środku centrum handlowego, otwarto nowy sklep jubilerski, elegancki, nastawiony na zamożną klientelę. Sprzedawano tam towar najwyższej jakości, prawdziwe klejnoty, żadnych taniutkich błyskotek. Wystarczyło zwędzić z wystawy tacę zegarków marki Rolex, a już człowiek zarobiłby parę milionów. Suresh miał dosyć obrabiania domów i samochodów. Mnóstwo zachodu, a zyski nieproporcjonalnie niskie. Trzeba stale być w gotowości na kolejny skok, żeby dało się z tego wyżyć. Miał po dziurki w nosie gównianej budy, gdzie kisił się z rodzicami. Chciał mieć własne mieszkanie. Może jeden z tych luksusowych apartamentów z widokiem na Campbell Park? Trzy sypialnie, dwie łazienki. Taras na dachu, a jakże. Słowem: mieszkanie na miarę jego ambicji.

Zamierzali zrobić napad na jubilera. Ryzykowny, bo w centrum zawsze panował ruch, niezależnie od pory. Podstawą powodzenia było zaskoczenie. Do tej pory nie zdarzyła się równie brawurowa akcja. Ktoś, kto pracował w sklepie, powiedział Sureshowi, że system zabezpieczeń jest, delikatnie mówiąc, mocno dziurawy. W sklepie były zegarki i biżuteria warte setki tysięcy funtów. I wszystko to ma stać się ich łupem.

Nie pójdą z gołymi rękami, Smith miał załatwić broń.

– Skombinowałeś gnaty? – spytał Suresh.

– Jasne. Mogę je odebrać w przyszłym tygodniu. Najpierw kasa.

– Mam przy sobie. – Otworzył pokrowiec laptopa i wyciągnął pieniądze odłożone na tę okazję.

Smith szybko przeliczył banknoty, zwinął je i schował do wewnętrznej kieszonki.

– Gdy dostarczysz broń, będziemy gotowi.

Każdy z osobna obejrzał sobie sklep, zapłacili też niesolidnemu pracownikowi za dodatkowe informacje. Mieli kominiarki, kombinezony i torby na ramię. Na razie wszystko grało.

– Zaczynamy zaraz po otwarciu, będą nieprzygotowani, nie zdążą się nawet połapać, co się dzieje – powiedział Suresh. Wyciągnął z kieszeni plan i rozłożył go na stole. – Trzeba skombinować motocykle.

– Nie widzę problemu – odparł Flynn. – Jesteś pewien, że nie chcesz wziąć auta? Moglibyśmy umówić się z profesjonalnym kierowcą. Pieszo szybciej obrócimy. Motory tylko komplikują sprawę.

– Kolejna osoba znaczy tyle, że dzielimy forsę na więcej działek i rośnie ryzyko, że ktoś będzie miał za długi język. Trzymajmy to między sobą. A motory ich zaskoczą. Akcja będzie zuchwała, wystraszy gapiów. - Oczyma wyobraźni już widział nagłówki gazet. – Wjedziemy z rykiem do sklepu. Nikt się tego nie spodziewa.

– Nie mogę się doczekać. – Arunja wyciągnął przed siebie nogi. – Całe lata nie jeździłem na motorze.

– Dlatego Flynn i Smith będą za sterami – zdecydował Suresh. – My dwaj siedzimy z tyłu, jako plecaczki.

– Potrafię dać po garach – obraził się brat. – Byłem świetny, a miasto znam jak własną kieszeń. Najlepszy kandydat na kierowcę.

– Nie – stanowczo zaprotestował Suresh. – Siedzisz za Smithem. Ja jadę z Flynnem. Za to my pierwsi wchodzimy do akcji.

Arunja nadal się dąsał, Flynn nie był do końca przekonany, ale to Suresh podejmował decyzje.

Planowanie skoku pozwalało mu zapomnieć o Ayeshy. Poszukiwania utknęły w martwym punkcie. Każdy trop się urywał. Zniknęła jak sen i nic nie wskazywało na to, że się odezwie. Myślała zapewne, że się od niego uwolniła. Więc jeszcze jej pokaże, jak bardzo się myliła.

Już nie chodziło mu o sprowadzenie tej kobiety do domu. Prowadzili wojnę i zamierzał zniszczyć swojego wroga. Spojrzał na widoczną, ledwo zagojoną ranę na ręce. Blizna zostanie, ale to będzie jedyna pamiątka po Ayeshy. Zamierzał rozpocząć nowe życie, bez wiarołomnej żony i dziecka niemowy. Ten skok uczyni go bogaczem. Po co mu taka suka, jeśli będzie mógł przebierać w kandydatkach na żonę? Chce mieć u boku wystrzałową laskę, jak bratowa – noszącą trochę za bardzo wydekoltowane sukienki i za mocny makijaż. Takie kobiety potrafią docenić bogatego faceta.

Do tej pory nie udało mu się wyśledzić żony, ale nic go nie powstrzyma. W środku nocy, gdy nie mógł zasnąć, przeszukiwał internet w poszukiwaniu wskazówek. Któregoś dnia Ayesha popełni błąd. Głupi błąd. A on będzie czekał.

Rozdział sześćdziesiąty czwarty

Lato w pełni. Dni są długie i gorące. Wszyscy już zapomnieli o śniegu i mrozie, i teraz narzekają na upały. Ale ja nie mam powodów do narzekań. W moim nowym życiu wszystko idzie jak z płatka.

Sabina już trzy razy zaśpiewała podczas lekcji gry z Haydenem. Mogłabym tańczyć i śpiewać z radości, że znowu słyszę jej słodki głos. Staram się udawać, że nie dzieje się nic szczególnego, żeby jej nie spłoszyć i wtrącić z powrotem w niemotę.

Nadal się nie odzywa, ale w moim sercu rośnie nadzieja, że słowa są tuż, tuż.

Joy jest w swoim żywiole. Na rabatkach w ogrodzie kwitną jak szalone róże we wszystkich możliwych kolorach i pąsowe peonie. Pracowite pszczoły zlatują się do kwiatów lawendy, a w powietrzu unosi się słodki zapach kwitnącego groszku . Codziennie objadamy się fasolką szparagową, cukiniami i pomidorami.

Crystal pracuje w salonie Na Wysoki Połysk przy High Street. Zdążyła już skończyć kolejny kurs przedłużania paznokci metodą żelową. Myślę, że odkryła swoje powołanie. Nawet już nie wspomina tamtego okropnego klubu.

Ja dwa razy w tygodniu bywam w ośrodku dla emerytów. W poniedziałki jeżdżę tam z Crystal, jako że jest to jej dzień wolny w salonie kosmetycznym. Robimy wiele zamieszania, gdy wkraczamy z całym naszym sprzętem; lista chętnych na manikiur natychmiast się zapełnia. Wielu chętnych ściągają także masaże dłoni. Chciałabym się jeszcze nauczyć hinduskich masaży głowy. Nie stać mnie na płatny kurs, ale postanowiłam wypożyczyć z biblioteki książkę na ten temat. Pensjonariusze ośrodka z pewnością będą zainteresowani. Wiele osób nie ma nikogo bliskiego, są samotni. Potrzebują bliskości drugiego człowieka, zwykłego dotyku, serdeczności.

W czwartki chodzę tam sama. Sprzyja mi spokojna atmosfera. Seniorzy bardzo się mną interesują, traktują niemal jak dziecko, a to mi przypomina, jak bardzo mi brakuje czułej opieki mamy i taty.

Rano zasiadamy niewielką grupą w alkowie przy oknie i czytam im na głos, a oni pomagają mi przy trudniejszych słowach, gdy się zająknę. Czasem ktoś się zdrzemnie podczas lektury, ale to nam nie przeszkadza, po prostu staram się mówić głośniej i ignorować chrapanie.

Czytamy teraz „Dumę i uprzedzenie" Jane Austin, to bardzo pouczająca lektura. Jakże inne były wówczas obyczaje. Mam wrażenie, że moja wrażliwość bardziej by pasowała do tamtego okresu. Przynoszę też moim nowym przyjaciołom cejlońskie przysmaki – wegetariańskie pierożki *samosa*, placuszki ziemniaczane i łagodnie doprawiany chlebek – nigdy nic nie zostaje.

Hayden spędza całe dnie przy fortepianie. Powiedział mi z radością, że znowu komponuje piosenki. Kiedy dzwoni telefon, nie ucieka na górę, ale odbiera. Mówi, że ja i Sabina na nowo otworzyłyśmy jego serce. Nie umiem opisać, jak bardzo miło to słyszeć. Myślę, że on otworzył moje serce.

Dzisiaj w domu seniora jest ze mną Crysta, co sprawia mi wiele radości.

– Patrzę na ciebie i oczom nie wierzę – mówi. – Po prostu promieniejesz. Zzieleniałam z zazdrości.

Zawsze mnie rozśmiesza.

– Nie chichocz tak – upomina mnie. – Cieszę się, że jesteś noszona na rękach, ale czas znaleźć dla mnie jakiegoś miłego faceta.

– Myślałam, że już masz kogoś na oku – droczę się.

Od tygodni Crystal flirtuje z Edgarem, ale nic więcej z tego nie wynika.

– Jeśli mam dłużej wachlować się rzęsami, w końcu odpadną mi powieki – mówi ponuro. – Chyba jest odporny na moje wdzięki.

– Z pewnością nie jest – zapewniam.

– Lepiej niech się odważy na jakiś gest, bo będę tak zdesperowana, że wdam się w romans z jednym z moich geriatrycznych adoratorów.

– Och, Crystal, nie zrobiłabyś tego!

– Kto wie, kto wie? Ted wyraźnie ze mną flirtuje. – Mruga na eleganckiego mężczyznę w rozpinanym swetrze, który na oko ma przynajmniej osiemdziesiątkę. On też do niej mruga. – Sama widzisz.

– Powinnaś pokazać Edgarowi, że ma u ciebie szanse.

– Mam rozpiąć więcej guziczków przy bluzce?

– Nie da się, rozpięłaś wszystkie – odpowiadam. – W dodatku Ted dostałby zawału.

– No tak – wzdycha.

– Uważaj – ostrzegam. – Edgar na horyzoncie.

I rzeczywiście, kierownik ośrodka zmierza ku nam spokojnym krokiem. Nigdy się nie spieszy. Może dlatego zwleka również z określeniem swoich intencji względem mojej przyjaciółki.

– Popatrz tylko na niego – wzdycha Crystal.

Edgar jest bardzo przystojny, musi też być dobrym, opiekuńczym człowiekiem, skoro odnajduje się w tej pracy. Kosmyk ciemnych włosów opada mu na oczy, co dodaje tylko chłopięcego uroku. Jest bardzo szczupły.

– Musi być dużo młodszy ode mnie – martwi się Crystal.

– Niewiele. – Na oko Edgar ma dwadzieścia kilka lat. – Może lubi kobiety z pewnym doświadczeniem?

– A kobiety z ogromnym doświadczeniem? – Crystal łypie na mnie.

Obie chichoczemy.

– Zawsze mu wystaje rąbek koszuli – mówi Crystal przyciszonym głosem – jakby był małym urwisem. Nie jestem pewna, czy chcę wepchnąć mu koszulę za pasek, czy ją zerwać z niego w niecnych zamiarach. – Wzdycha tęsknie, a Edgar podchodzi do nas.

– Drogie panie, jak miło was widzieć.

Crystal spuszcza wzrok i trzepocze rzęsami.

– Mam dobrą nowinę. – Uśmiecha się szeroko.

– Naprawdę? – Crystal opiera się na łokciach i podnosi ku niemu głowę.

Na widok rowka między jej piersiami Edgar na chwilę zapomina języka w gębie, a ja się rumienię.

– O jakiej nowinie mowa? – pytam.

– Och, ehm… – Niechętnie przenosi na mnie wzrok. – Wcześniej nic nie chciałem mówić, ale teraz mamy niespodziankę. Crystal i Ayesho, czy mogą mi panie towarzyszyć, gdy zgromadzę wszystkich naokoło? – Przechodzimy razem na środek pokoju.

– Proszę wszystkich państwa o uwagę! – Klaszcze w ręce. – Ted, Lillian! Joy, jesteś tu?

Joy wychodzi przed swoje znajome. Crystal i ja stoimy obok Edgara. Pilnuję, aby to ona była bliżej niego. Używa mocnych perfum, może ich zapach zawróci mu w głowie.

– Czy wszyscy mnie słyszą? – Wyciąga z kieszeni kartkę. – Mam komunikat. – Chrząka i odwraca się do Crystal i do mnie. – Jesteśmy zachwyceni, jak wiele dobrego robicie dla naszego ośrodka, prawda, drodzy państwo?

Wszyscy klaszczą, a mnie ogarnia skrępowanie. Nie wiem, w którą stronę patrzeć i jak trzymać ręce. Nawet Crystal sprawia wrażenie onieśmielonej.

– Rozjaśniacie nasz dom – kontynuuje Edgar. – Ale chodzi o coś więcej, dużo więcej. Wniosłyście do naszej codzienności radość życia, przypominacie o potrzebie szyku i elegancji. Cenimy wasz wdzięk i serdeczność. Wszyscy niecierpliwie czekamy na kolejne odwiedziny. – Przy tych słowach chrząka i sprawia wrażenie lekko zawstydzonego. – W krótkim czasie wszyscy was pokochaliśmy. Przedyskutowaliśmy to w naszym gronie i zdecydowaliśmy się zgłosić Crystal i Ayeshę do dorocznej nagrody za działalność na rzecz społeczności lokalnej, sponsorowanej przez gazetę „Hampstead & Highgate Express".

Patrzymy na siebie z Crystal i nie wierzymy własnym uszom.

– Miło mi oznajmić, że obie panie znalazły się na krótkiej liście osób nominowanych do finału.

Kolejna fala oklasków.

– Każda z was dostanie czek na dwadzieścia pięć funtów za przejście do finału, a w przyszłym tygodniu poznamy zwycięzcę. W ratuszu odbędzie się uroczystość, na którą już teraz serdecznie zapraszam.

– Ojej. – Crystal ze wzruszenia nie wie, co powiedzieć. – Nigdy niczego nie wygrałam. To bardzo miłe z waszej strony.

– Bardzo dziękuję – mówię.

– Nie ma za co. Wszyscy się cieszymy, że jesteście z nami.

Aplauz ze strony zgromadzonych.

– Trzymamy kciuki za finał – kończy Edgar.

Kolejne osoby podchodzą i składają nam gratulacje. Jestem podekscytowana. Podobnie jak Crystal, nigdy nie zostałam za nic nagrodzona. Nominacja to wielki zaszczyt.

– Jestem z was dumna, moje kochane. – Joy całuje nas obie. – Najwyższy czas na herbatę.

– W domu musimy to oblać szampanem – oznajmia Crystal.

– A może zrobimy grillowanie w ogrodzie? Byłoby miło.

– Świetny pomysł – podchwytuje Crystal. – Jestem za.

– Edgarze – zwracam się do mężczyzny – czy zechciałbyś przyjść do nas dziś wieczorem na małą uroczystość? Pogoda jest piękna, więc wydajemy przyjęcie pod chmurką.

– Bardzo dziękuję, Ayesho. Z przyjemnością.

– Crystal wyśle ci adres na komórkę. – Moja przyjaciółka stoi obok z otwartymi ustami.

– Będę czekał. Oto mój numer. – I dyktuje, a Crystal szybko wprowadza go do swojego telefonu. Potem Edgar uśmiecha się i odchodzi.

Kiedy jest już poza zasięgiem słuchu, odwracam się do przyjaciółki z tryumfem.

– Widzisz? To było łatwe.

– Moja cudna! – Crystal szczypie mnie w policzek. – Co za refleks! Randka z rozkosznym Edgarem. To dużo lepsze niż jakaś głupia nagroda.

Rozdział sześćdziesiąty piąty

– Wygrałyśmy nagrodę – mówię Haydenowi po powrocie do domu. Siedzimy w ogrodzie z zasłużoną filiżanką herbaty. – Mówiąc dokładnie, przeszłyśmy do ścisłego finału. To miłe wyróżnienie. Nawet jeśli nie staniemy na podium, obie z Crystal dostaniemy czek na dwadzieścia pięć funtów.

– Dobra robota. – Przytula mnie i czuję ciepło jego ciała. – Masz mądrą mamusię – zwraca się do Sabiny.

Moja córka jest zajęta kolorowaniem książeczki. Crystal kupiła jej kredki w nagrodę, gdy się dowiedziała, że Sabina potrafi śpiewać, choć jeszcze nie miała okazji jej usłyszeć.

– Mam nadzieję, że nie będziesz miał nic przeciw temu, że zaprosiłam Edgara, kierownika z Constance Fields, na małe świętowanie dziś wieczorem. Crystal ma do niego słabość. Uznałam, że będzie im miło spędzić razem trochę czasu, poznają się lepiej.

– Bawisz się w swatkę?

– Może trochę. – Uśmiecham się. – Możemy pogrillować w ogrodzie?

– Wspaniały pomysł. Zapowiada się ładny wieczór, a mnie podoba się, że w domu przybędzie testosteronu.

Jeszcze niedawno nie miałam odwagi głośniej odetchnąć w towarzystwie obcego mężczyzny, nie mówiąc już o zaproszeniu kogoś na obiad albo zorganizowaniu improwizowanego przyjęcia w ogrodzie. Teraz nie tylko to potrafię, ale jeszcze dostałam pierwszą w życiu nagrodę. To dowód, że jestem użytecznym członkiem społeczeństwa. Rozwijam się jako człowiek i bardzo mi się to podoba.

– Napisałem dziś piosenkę – mówi Hayden. – To dopiero pierwsza wersja, ale po oszlifowaniu będzie dobra.

– Zagraj ją dla mnie.

– Jeszcze nie teraz. Wkrótce będzie gotowa, a wtedy pierwsza ją usłyszysz, obiecuję. – Podnosi się z krzesła na tarasie. – Rozpalę grilla.

– Edgar przyjdzie o szóstej.

– Do tej pory Crystal nie wystawi nosa z łazienki. Będzie się robiła na bóstwo – zapowiada Hayden.

– Wszystko słyszałam, ty złośliwcu. – Crystal wychodzi z kuchni na taras. – Mam zamiar trochę przyozdobić ogród. Może posprzątam altanę na dzisiejszy wieczór.

– Hayden zajmie się grillem. W takim razie ja przygotuję przekąski.

– Możesz zrobić coś bez pomidorów? Nosem mi wychodzą – prosi Crystal.

– Wezmę tylko kilka – ustępuję.

– Denerwuję się wizytą Edgara – przyznaje. – Co mam mu o sobie powiedzieć?

– Jestem pewna, że coś wymyślisz – pocieszam ją.

– Na ogół nie zapominasz języka w gębie – wtrąca Hayden.

– Och, zamknijcie się. Wcale mi nie pomagacie – narzeka. – To dla mnie ważne. Jest miłym facetem.

– Będzie dobrze – zapewniam.

– Oby – mruczy i idzie do ogrodu.

Wymieniamy z Haydenem znaczące spojrzenia.

– Naprawdę jest miły. Polubisz go – mówię.

Jeśli Hayden czuje się nieswojo, bo nasza przyjaciółka spotyka potencjalnego adoratora, to nie daje nic po sobie poznać.

– Przygotuję nagłośnienie – proponuje. – To idealny wieczór na przyjęcie z muzyką.

– Pomogę Crystal, a potem zabiorę się do gotowania. – Jest zdenerwowana, a to do niej niepodobne. Idę więc za nią na bosaka po trawniku.

Wysoki mur powoduje, że w ogrodzie długo utrzymuje się nagrzane powietrze. Pod wieczór kwiaty pachną szczególnie intensywnie, woń róż miesza się ze słodkim zapachem groszku i wyraźnym aromatem lawendy. Fioletowe kwiatostany budlei wabią stada ślicznych motyli. Gałązki dużej wierzby zwisają aż do ziemi.

Crystal otworzyła drzwi do altany i omiata ją z pajęczyn.

– Powinno się tu porządnie wysprzątać – mówi. – To wstyd, że do tej pory prawie jej nie używaliśmy. Musiałam szarpać się z drzwiami, żeby je otworzyć. Joy zrobiła sobie w środku składzik zapasowych narzędzi ogrodniczych i doniczek.

I rzeczywiście, zebrała się tu cała kolekcja szpadli i grabi opartych o ściany. W kącie piętrzą się jedne na drugich gliniane doniczki. Tworzą konstrukcję podobną do słynnej krzywej wieży w Pizie.

– Powinnyśmy pozbyć się tego wszystkiego. Najlepiej przenieść to do składziku – proponuje Crystal.

– A co na to Joy?

– Trochę pozrzędzi, jak to ona, a potem przestanie. Czy Sabina nie chciałaby mieć domku do zabawy?

– Pewnie tak.

Wyciągamy z kąta spłowiałe leżaki i je odkurzamy.

– Popatrz, jakie fajne proporczyki. – Crystal trafia na zwinięty w kłębek sznur z różnokolorowymi chorągiewkami.

– Ładne.

– Rozwiesimy je między drzewami. Pomóż mi, Ayesho.

Crystal wyciąga składaną drabinkę. Pomagam jej przywiązywać sznur z chorągiewkami do gałęzi drzew i w ogrodzie powstaje kolorowa dekoracja.

– Cudo! – Przyjaciółka z dumą patrzy na naszą robotę. – Powinnyśmy to zostawić na całe lato. Od razu zrobiło się wesoło. Szkoda, że nie mamy lampionów. Zapytam o nie Haydena.

– Muszę zacząć przygotowywać jedzenie. – Otrzepuję ręce.

– Dziękuję za pomoc.

– Będzie fantastycznie – obiecuję. – Odpręż się i baw się dobrze.

– Nie potrafię. – Przyjaciółka dotyka mojego ramienia. – Naprawdę się martwię. Edgar mi się podoba, Ayesho, ale on przecież nie wie, czym się zajmowałam.

– Powiesz mu, gdy nadejdzie właściwy moment.

– A jeśli da nogę?

– Z pewnością zrozumie. Chyba że nie jest dobrym człowiekiem, za jakiego go bierzemy.

Oczy Crystal błyszczą od łez.

– Mam wiele tajemnic. Jestem nimi zmęczona – mówi.

Patrzę na nią z niepokojem, bo zwykle jest radosna i rozgadana, a teraz przycichła i posmutniała.

– Możesz mi co nieco powiedzieć, jeśli ci to pomoże. – Zamiast iść do kuchni siadam na rozkładanym krześle i zachęcająco wskazuję leżak obok siebie.

Crystal milczy przez chwilę, a ja jej nie popędzam. W oddali słychać kosiarkę u sąsiadów. Nad naszymi głowami ptaki prześcigają się w uroczych trelach.

– Miałam dziecko, Ayesho – mówi z ciężkim westchnieniem. – Chłopczyka. – Łzy płyną jej po policzkach. – Nigdy o nim nie mówię. – Znowu wzdycha. – Umarł, kiedy miał kilka miesięcy.

– Och, Crystal. Bardzo mi przykro. – Nie chcę sobie wyobrażać, jakie to uczucie stracić dziecko.

– Nagła śmierć łóżeczkowa. Tak się to nazywa. – Ociera łzy, ale w ich miejsce napływają nowe. – Bezsensowna nazwa dla niewyobrażalnej tragedii. Miałam wrażenie, że ktoś mi wyrwał serce bez znieczulenia.

– Jak miał na imię twój synek?

– Max, tak jak jego tata, który zresztą okazał się niezłym sukinsynem.

– Nie zostałaś z ojcem Maksa?

– Prawdę mówiąc, nigdy nie byliśmy parą. Spotkałam go pewnej nocy w klubie, gdzie wówczas pracowałam. Oczywiście, dużo bardziej eleganckim niż ten, który widziałaś. Max był człowiekiem z towarzystwa, powszechnie znanym. I, oczywiście, żonatym.

– Och.

– No, właśnie. Zawsze wybierałam najbardziej nieodpowiednich facetów. – Nawija pukiel włosów na palec. – Zakochałam się po uszy. Oczywiście wiedziałam, nawet kiedy zaszłam w ciążę, że nasz związek nie ma szans na szczęśliwy finał.

– Chciałaś, żeby zostawił dla ciebie żonę?

– Naturalnie. Jednak to nie wchodziło w grę. Myślałam, że mnie rzuci, gdy dowie się o ciąży, ale się pomyliłam. Był gotów pomagać mi finansowo i chciał kontynuować romans. Nie życzył sobie tylko widywać dziecka. Powiedział to jasno. Jego nieczułość złamała mi serce. Bo co to za ojciec, który nie chce znać syna? – Z niedowierzaniem pokręciła głową. – Kiedy rodziłam, nie było go przy mnie. Wynajmowałam mieszkanie z przyjaciółką z klubu, Billie. Pojechała ze mną do szpitala i towarzyszyła mi podczas porodu. Świetnie się spisała, ale to nie to samo, co ukochany.

– Okropna sytuacja.

– Miałam pieniądze, materialnie byłam zabezpieczona, ale nie tego chciałam. – Patrzy na mnie z bólem w oczach. – Powinnam zostać w domu z dzieckiem. Zajmować się maluszkiem jak dobra mamusia. Tymczasem ani mi to było w głowie. Ćwiczyłam jak szalona, żeby prędko wrócić do formy. Klub był jedynym miejscem, gdzie mogłam się spotykać z tatą Maksa. Miałam nadzieję, że jeśli nasz romans będzie trwał, to coś się zmieni, on zapragnie zobaczyć syna i z miejsca się w nim zakocha. Max był taki słodki. Ty to najlepiej zrozumiesz, Ayesho. – Uśmiecha się przez łzy. – Śliczny, doskonały w każdym calu. Potrafiłam godzinami patrzeć na te maleńkie paluszki u rąk i nóg, na malutkie usteczka. Urodziłam go. Nic mi się w życiu nie udało, aż nagle wydałam na świat takie doskonałe, rozkoszne malutkie stworzenie. Obiecałam sobie, że dla niego odmienię swoje życie. Wszystko dla Maksa. – Zapada się w leżaku.

– I co się stało?

– Pewnej nocy byłam w klubie, a Billie została z małym. Była świetną kumpelą. Kochała Maksa jak własne dziecko i pomagała mi, jak mogła. Wróciłam o trzeciej w nocy. Byłam cała w skowronkach. Jego ojciec zapowiedział, że przyjdzie zobaczyć małego. Wiedziałam, że się nim zachwyci. Spędziliśmy ze sobą pół nocy, byłam pewna, że od tej chwili wszystko wreszcie się ułoży. Byłam szczęśliwa. Dosłownie fruwałam w powietrzu. Pierwsze, co zrobiłam, to poszłam do dziecięcego pokoju, by popatrzeć na synka. Chciałam mu powiedzieć, że wkrótce przyjdzie do niego tatuś. - Crystal obejmuje się ramionami. – Przez chwilę stałam i patrzyłam na małego. W świetle nocnej lampki wydawało się, że śpi słodko jak mały cherubinek. Ale on nie spał. – Głos jej się łamie, a ja mam ochotę płakać razem z nią. – Dotknęłam jego policzka. Był zimny. Zimny jak lód. Kiedy wychodziłam wieczorem, był cieplutki i mięciutki... Kiedy wróciłam, był zimny jak marmur.

– Och, Crystal... – Pochylam się nad nią i tulę, gdy zaczyna szlochać.

Ociera twarz ręką.

– Kompletnie się rozsypałam. Nie byłam w stanie pracować, to oczywiste. Przestałam kontrolować własne życie. Za dużo piłam i brałam różne świństwa, żeby zapomnieć o bólu. Zadłużyłam się po uszy. Wróciłam na jakiś czas do klubu, ale nie miałam serca do tańca. Urządzałam sceny, a klienci to widzieli. Tej nocy, gdy wyszłam z Haydenem, byłam tam po raz ostatni. Wyszłam i już nie wróciłam, nigdy więcej nie widziałam się z ojcem Maksa. Trochę czasu zajęło mi odzyskanie jako takiej równowagi. Potem kierownictwo lokalu już mnie nie chciało. Byłam za stara, ot, atrakcja minionych sezonów, w dodatku więcej mieli ze mną kłopotów niż ze mnie pożytków. Jedyna praca, jaką znalazłam, to tancerka erotyczna w nocnym barze, który widziałaś. Przyjęłam ofertę. Tyle dobrego, żeby spłacać długi. Uważałam, że to pokuta za grzechy. Jakbym nie była warta lepszego losu.

– To nieprawda.

– Strata dziecka jest czymś przeciwnym naturze, Ayesho. Mój synek był taki niewinny. Istny aniołeczek. Nie zasłużył na nagłą śmierć.

– Nic nie mogłaś zrobić.

– Naprawdę? Przez lata torturowałam się tym pytaniem. Co by było, gdybym nie poszła do pracy tak szybko? Bardzo mi zależało, żeby widywać się z ojcem Maksa. Uważałam, że robię to dla dobra dziecka. Albo gdybym to ja była tej nocy w domu, a nie Billie? Może instynktownie bym przeczuła, że mój synek umiera? Matki wiedzą takie rzeczy, prawda?

– Czasem tak bywa. Co nie znaczy, że mogłabyś zapobiec temu, co się stało.

– Nie ma dnia, żebym o nim nie myślała.

– Pytania: „Co by było gdyby?" przynoszą wyłącznie cierpienie – mówię. – Rozumiem cię, bo ja też się zastanawiałam wiele razy, czy Sabina by mówiła, gdybym wcześniej odeszła od męża. Przez własną słabość pozbawiłam ją głosu.

– Teraz wszystko naprawiasz – odpowiada Crystal. – Ja nie mam tej szansy.

– Będziesz jeszcze miała dzieci. Żadne nie zastąpi ci Maksa, ale jestem przekonana, że któregoś dnia znowu zostaniesz mamą.

– Obyś miała rację. Niesamowicie dużo dała mi obecność Sabinki. Uświadomiłam sobie, jak wiele było we mnie smutku. Bardzo chcę mieć dziecko. Boję się tylko, że będę nadopiekuńczą mamą. Trudno mi będzie choć na moment stracić dziecko z oczu.

– Poradzisz sobie.

– Chciałabym cię zabrać na jego grób.

– Kiedy tylko będziesz gotowa. – I nagle przychodzi mi do głowy pytanie: – Czy Hayden o tym wie?

– Tak. Na początku siedzieliśmy i wspólnie opłakiwaliśmy utracone szczęście. Był pierwszym facetem, z którym byłam od... od tamtego czasu. Oboje byliśmy w żałobie. Może dlatego tu zamieszkałam. Dwie zbłąkane dusze razem.

– Joy nie wie?

– Nie, nie powiedziałam jej. Bałam się, że zaczęłaby mnie krytykować.

– Nie doceniasz jej. Jest do ciebie bardzo przywiązana.

– Może. – Crystal wzrusza ramionami. – Nie zasługuję na miłość i przywiązanie. Wstydzę się rzeczy, które w życiu robiłam.

– Czasem robimy coś, czego nie chcemy, tylko po to, żeby przeżyć. – Przypominam sobie cięgi, które obrywałam od Suresha, i moje pokorne przyzwolenie na wszystko, czego ode mnie chciał. Odpycham od siebie tę wizję. Obie z Crystal znamy smak cierpienia. – To już przeszłość – zapewniam. – Zaczynasz nowe życie. Nie musisz się spieszyć.

– Pośpiech i Edgar nie idą w parze. – Wywraca oczami.

– I dobrze. Będziecie mieli czas się lepiej poznać. – Przemawia teraz przeze mnie kobieta, która wyszła za mąż za zupełnie obcego mężczyznę. – Szukasz partnera na całe życie, a nie kochanka na jedną noc.

– Masz rację – wzdycha. – Przyzwyczaiłam się wskakiwać do łóżka na pierwszej randce. Ale z tym koniec. To należy do przeszłości. Nie chcę wysyłać fałszywych sygnałów. Szukam kogoś, kto będzie mnie kochał i szanował. Tym razem postąpię inaczej.

– Obie powinnyśmy zacząć od nowa – wyznaję.

– Dziękuję, że mnie wysłuchałaś. Ulżyło mi. Boże, psychicznie jestem całkiem wykończona.

– Dziś wieczorem będziemy się dobrze bawić. Porozmawiasz z Edgarem, pośmiejesz się, a czas pokaże, jak się między wami ułoży.

– Amen, siostro – odpowiada.

– Obie szukamy w życiu swoich dróg.

– To prawda – przytakuje. – Ale jeśli nie wrócisz do prozaicznych zajęć kuchennych, dziś wieczorem będziemy jej szukać z pustym żołądkiem.

Rozdział sześćdziesiąty szósty

Żar na grillu jest gotowy, jedzenie także. Hayden kręci się ze szczypcami, układa i przekłada kiełbaski i kawałki kurczaka. Apetyczne zapachy unoszą się w powietrzu, wszystkim nam leci ślinka. Crystal postanowiła zrezygnować z alkoholu i przygotowała poncz z soku pomarańczowego, żurawinowego i lemoniady. Nie może usiedzieć na miejscu. Po naszej rozmowie wróciła do domu, umyła twarz, włożyła białą letnią sukienkę i błyszczące klapki. Ma rozpuszczone włosy, prawie niedostrzegalny makijaż. Wygląda pięknie. Z całego serca życzę Crystal, żeby jej się udało. Oby tym razem trafiła na właściwego mężczyznę.

Pojawia się Edgar, od razu widać, że starannie się przygotował. Musiał się ogolić tuż przed przyjściem, ma zarumienione policzki i świeżo umyte włosy. Nawet koszulę ma porządnie włożoną w spodnie. W jednym ręku trzyma butelkę wina, a w drugim bukiet kwiatów, trochę przywiędniętych w tym upale. Jest równie zdenerwowany jak Crystal.

– Wejdź do ogrodu – mówię. – Czuj się jak u siebie w domu. Jesteś wśród przyjaciół.

– Nie spodziewałem się, że mieszkacie w takiej rezydencji – przyznaje.

– Pozory mylą – odpowiada Crystal. – Połowa pokoi świeci pustkami.

W ogrodzie Edgar nieśmiało wręcza bukiet mojej przyjaciółce. Kiedy nadchodzi Hayden, podaję mu wino.

– Miło cię poznać, Edgarze. – Hayden ściska dłoń gościa. – Cieszę się, że nie będę dziś jedynym facetem w tym towarzystwie.

– Moja córka Sabina – przedstawiam ją Edgarowi. Poważnie podaje mu rękę. – Nie mówi – uprzedzam. – Przynajmniej na razie.

– Miło mi cię poznać, Sabino. – Kłania się uprzejmie, co spotyka się z jej nieśmiałym uśmiechem. – Ja też mam małą córeczkę, Beatrise. Ma sześć lat.

– Córeczkę? – dziwi się Crystal. – Nigdy o niej nie mówiłeś.

– Naprawdę? – Edgar wyjmuje portfel i pokazuje nam zdjęcie. – To moje słoneczko.

Dziewczynka ma długie ciemne włosy i oczy podobne do ojca.

– Śliczna – chwali Crystal.

– Lubisz dzieci?

Crystal patrzy na mnie i uśmiecha się z wysiłkiem.

– Bardzo.

– Widuję ją prawie co tydzień – wyjaśnia Edgar. – Nocuje u mnie w weekendy. Zajmuję niewielkie mieszkanie w Constance Fields, na piętrze. Miłe miejsce, ale nie ma porównania z waszym królewskim luksusem. – Widać, że dom i ogród zrobiły na nim wrażenie. – Musicie mnie odwiedzić.

– Z przyjemnością – odpowiada Crystal.

– Włożę kwiaty do wazonu – mówię.

Odbieram jej bukiet i idę do środka, by poszukać odpowiedniego naczynia. Układam kwiaty tak ładnie, jak potrafię, po czym ustawiam na stole, na tarasie.

Ja także postarałam się wyglądać odświętnie na dzisiejsze przyjęcie. Włożyłam długą sukienkę, a Crystal upięła mi włosy w kok. Miło czuć powiew wiatru na obnażonej szyi. Dołącza do mnie Joy. Ona też jest elegancka. Ma bluzkę w kwiatki i białe spodnie. Do tego kapelusz z wielkim rondem.

– Ogród wygląda pięknie, Joy.

– Jest strasznie dużo pracy – skarży się. – Czasem się dziwię, że jeszcze znajduję na to siły.

– Chętnie ci pomogę – proponuję. – Wystarczy, że powiesz, co mam robić.

– Dziewczyno, masz wystarczająco dużo na głowie. Nie powinnaś brać na siebie kolejnych obowiązków.

– Może Hayden kogoś zatrudni?

– Nie zawracaj mu głowy – mówi z wymuszonym uśmiechem. – Poradzę sobie.

Ale to mnie utwierdza w przekonaniu, że powinna mieć pomocnika. Ten ogród wymaga mnóstwo pracy i jest jej za dużo na jedną starszą panią. Powinnam omówić to z Haydenem. Biorę ją pod rękę.

– Chodź, dołączymy do reszty. W prognozie pogody zapowiadano ciepły wieczór.

Crystal i Edgar pogrążeni są w rozmowie, a Hayden krząta się przy grillu.

– Gdzie znalazłaś te piękne chorągiewki? – pyta Joy. – Nigdy ich nie widziałam.

– Były upchnięte w altanie – wyjaśnia Crystal. – Nie mam pojęcia, skąd się wzięły.

– Zostały z urodzin Laury. Kiedy się wprowadziliśmy, urządziliśmy przyjęcie w ogrodzie – rzuca Hayden przez ramię.

– Och, Joy. Ty i twój długi język. – Crystal kręci głową.

– Przepraszam, Haydenie. – Joy jest zawstydzona. – Głupia jestem. Mogłam się zastanowić, zanim zapytałam.

– Jest okej – zapewnia Hayden. – Naprawdę. – Spogląda na mnie z uśmiechem. – Myślę, że wreszcie zacząłem żyć na nowo.

– Cieszę się z powodu nagrody. – Joy na wszelki wypadek zmienia temat. – Macie dużą szansę na główną wygraną.

– Nie robimy nic wielkiego – protestuje Crystal. – Malujemy paznokcie, nic więcej.

– Nawet nie wiecie, ile znaczą wasze wizyty – mówi Edgar. – To małe święto. Wszyscy się na nie cieszą. Gdybym mógł, zapraszałbym was każdego dnia. – Przy tych słowach się czerwieni.

– Za nasze piękne panie! – Hayden podnosi szklankę.

Wszyscy robimy to samo.

– Za zdrowie pań!

– Za nas. – Crystal stuka się ze mną. – Jesteśmy nadzwyczajne!

– Jedzmy, zanim wszystko spali się na węgiel – mówi Hayden. – Ayesho, podasz mi półmisek?

Nakłada na talerz całą górę kiełbasy, kawałków kurczaka i opiekanych warzyw.

Zbieramy się przy stole i pałaszujemy. Rozmowa toczy się wartko, wszyscy się śmieją. Edgar opowiada o swoim życiu na Łotwie i emigracji do Anglii dwa lata temu. Po przyjeździe, zanim został kierownikiem ośrodka, pracował w domu starców. Jest bardzo miłym i bezpośrednim człowiekiem. Podoba mi się, że okazuje tyle względów Crystal – podaje jej sałatę, dolewa ponczu. Gestykulując, wciąż dotyka jej ręki lub ramienia. Mam nadzieję, że im się uda.

Po posiłku podaję wszystkim kawę. Hayden wchodzi do salonu przez szeroko otwarte drzwi i zasiada przy fortepianie.

– Chodź do mnie, Sabinko – przywołuje ją, a ona słucha bez wahania.

Prezentują nam swój repertuar. „Pałeczki" odgrywają z zawrotną szybkością, potem kolej na dwie melodie, których nie znam. Najwyraźniej ćwiczyli je w sekrecie.

Wreszcie Hayden zaczyna grać swoje piosenki. Kiedy przychodzi pora na „Moją wieczną miłość", nawet ja rozpoznaję ją po pierwszych nutach. Moja córka wstaje i ustawia się twarzą do nas.

Hayden gra, a ona śpiewa głośno i czysto. Mam łzy w oczach. Jej głos brzmi pewnie, bez żadnych wahań. Śpiew znosi wszelkie blokady, a ja jestem szczęśliwa. Już się bałam, że ten dzień nigdy nie nadejdzie.

Przez łzy spoglądam na Crystal i Joy. One też ocierają oczy. Crystal ukradkiem ściska moją rękę. Joy wyciąga chusteczkę z rękawa i wyciera nos.

Kiedy Sabina kończy, bijemy brawo. Crystal gwiżdże jak ulicznik.

– Głos jak dzwon, Sabinko! – krzyczy. – Beyoncé zzielenieje z zazdrości!

Moja córeczka tylko się uśmiecha.

– Jeszcze jedna piosenka, Sabinko? Co ty na to? – pyta Hayden.

Ale ona kręci głową i siada obok mnie. Nie da się nią sterować, ma swoje zdanie. Hayden gra dalej, a ja przytulam Sabinę.

– Bardzo cię kocham – mówię. – Jesteś śliczna i mądra.

– Zupełnie jak jej mamusia – dodaje Crystal.

– Bardzo ładnie, malutka. – Joy wymachuje chusteczką.

Edgar jest zaskoczony erupcją emocji, nieświadomy znaczenia tego, czego był świadkiem.

Zapada zmierzch, więc popędzam Crystal i Edgara:

– Weźcie leżaki i posiedźcie w ogrodzie. Ja tu posprzątam.

Rozkładają się na trawniku przed tarasem. Crystal podwija pod siebie nogi. W jego towarzystwie wydaje się nieśmiała i cicha, zupełnie inna niż ta przebojowa, bezczelna dziewczyna, jaką widziałam w obskurnym klubie. Biorę to za dobry znak.

Joy przynosi świeczki o cytrynowym zapachu. Migotliwe światło rozjaśnia mrok. Orzeźwiający aromat niesie się w nocnym powietrzu. Sabina ziewa.

– Czas do łóżka – mówię. – Jutro szkoła. Przebierz się w piżamę. Przyjdę ci poczytać.

Sprzątam, kiedy Hayden przestaje grać i wychodzi do ogrodu.

– Zostaw. – Przyciąga mnie i ląduję mu na kolanach. Obejmuje mnie mocno. – To był magiczny wieczór.

– Dziękuję za wszystko, co robisz dla Sabiny.

– Korzyść jest obopólna – mówi. – Ona odzyskuje głos, a ja swoją muzykę. Coś we mnie odblokowałyście. Łączy nas specjalna więź. Mam nadzieję, że też to czujesz.

– Chyba tak. – Głaszczę go po twarzy drżącą ręką. Nie mam doświadczenia w sprawach sercowych, ale jestem pewna, że to miłość. Kocham Haydena z całego serca, chociaż nie mam odwagi mu tego powiedzieć. Zamiast tego wyznaję: – Jestem tu szczęśliwa. Bardzo szczęśliwa.

– Mam nadzieję, że to się nigdy nie zmieni.

Opieram głowę na jego ramieniu. Przy nim czuję się bezpieczna.

– Ja też mam taką nadzieję.

Chciałabym zatrzymać ten szczególny moment i trwać tak przez resztę życia.

Rozdział sześćdziesiąty siódmy

Minął tydzień, idziemy razem do ratusza na ceremonię rozdania nagród za działalność na rzecz lokalnej społeczności. To wielki gmach, więc czuję się onieśmielona. Edgar trzyma Crystal za rękę. Hayden, Sabina i Joy będą nam kibicować. Miło jest wiedzieć, że w tłumie publiczności oklaskuje nas grupa przyjaciół. Edgar zamówił zaproszenia dla pań i panów z ośrodka, którzy mieli ochotę nam towarzyszyć. To miłe z jego strony.

– Jak na oscarowej gali – szepce do mnie Crystal. – Na naszą skromną miarę, oczywiście.

Ma rację. Jeszcze nigdy nie czułam się tak uroczyście wyróżniona. Jakbym była kimś ważnym. Prowadzą nas do krzeseł tuż przed sceną. Są do nich przypięte kartki z naszymi nazwiskami. Obok zajmują miejsca dostojni goście. Ceremonię otwiera redaktor naczelny „Ham & High", a nagrody wręczać będzie rezydentka naszej dzielnicy, popularna aktorka grająca w jakiejś operze mydlanej, której niestety nigdy w życiu nie oglądałam.

Jestem zdenerwowana. Nie przywykłam do bycia w centrum zainteresowania, czuję się nieswojo. Prawie nie słyszę, co powiedziano na temat nagród za inne osiągnięcia. Zbieram siły na moment, gdy padną nasze nazwiska. Wczepiam się kurczowo w rękę Haydena i czekam na wielkie rozstrzygnięcie. Nie wiem czemu, ale nagle zaczęło mi bardzo zależeć na wygranej. Jakby to było potwierdzenie, że właściwie postępuję. Konkurs ma dla mnie większe i bardziej symboliczne znaczenie niż tylko jako wyraz uznania za pożyteczną pracę.

– Będzie dobrze. – Słyszę szept Haydena, ale jestem nieprzytomnie zdenerwowana i nie umiem wydusić ani słowa.

I nagle przychodzi pora na główną nagrodę. Prezenter odczytuje listę wszystkich finalistów i przedstawia krótkie informacje, co kto zrobił. Jest na niej człowiek, który urządził plac zabaw dla przedszkolaków. To przecież ważniejsze niż nasze skromne osiągnięcia? Nastawiam się na przegraną, przykro mi tylko, że zawiodę przyjaciół.

Przychodzi pora na nasze nazwiska.

– I wreszcie ostatnie na liście są panie Crystal Cooper i Ayesha Rasheed.

Crystal aż piszczy z podekscytowania i ściska mnie za rękę.

– Pani Cooper i pani Rasheed zostały zgłoszone do nagrody za wyjątkową troskę okazaną naszym seniorom.

– Podał moje prawdziwe nazwisko – mówię przyjaciółce na ucho.

– Podałam je Edgarowi. Uznałam, że nie chciałabyś mieć zmyślonego nazwiska na nagrodzie, w razie gdybyśmy wygrały. Źle zrobiłam? – niepokoi się Crystal.

– Zdziwiłam się, skąd on wie, nic więcej – uspokajam ją, choć ogarnia mnie niepokój.

– W Constance Fields, ośrodku dziennego pobytu dla emerytów, panie Cooper i Rasheed pracują jako masażystki i kosmetyczki. Kierownik ośrodka w pełnych wdzięczności słowach ocenił ich wkład w podnoszenie komfortu życia seniorów. Cytuję: „Pani Cooper i pani Rasheed pełnią w naszym ośrodku wyjątkową funkcję. Dzięki swej naturalnej serdeczności, optymizmowi i słonecznej osobowości wnoszą do życia pensjonariuszy mnóstwo radości. Ich cotygodniowe wizyty stanowią bardzo pożądane urozmaicenie zwykłego harmonogramu zajęć. Nie tylko świadczą usługi z profesjonalizmem najwyższej klasy, ale spędzają u nas czas jako wolontariuszki. Pani Rasheed przynosi znakomite egzotyczne potrawy i regularnie czyta na głos książki i gazety. Pani Cooper stała się ulubioną powierniczką wszystkich, którzy chcą zrzucić z serca dręczące ich problemy".

– Mówiąc prościej, zawsze można ze mną poplotkować – mruczy Crystal.

– To już ostatnia kandydatura – oznajmia prowadzący. – Niech wygra najlepsza lub najlepszy!

Wszyscy energicznie biją brawo. Ktoś z organizatorów wychodzi na środek sceny z bardzo ładną, młodą aktorką.

– Mam przyjemność poprosić Poppy Valentine o odczytanie nazwiska zwycięzcy.

Aktorka otwiera kopertę. Nachyla się do mikrofonu.

– W tegorocznym konkursie główną nagrodę za działalność na rzecz lokalnej społeczności dostają panie Crystal Cooper i Ayesha Rasheed z ośrodka Constance Fields.

W uszach mi szumi, a cała sala klaszcze. Edgar i Hayden z zapałem dołączają się do owacji na naszą cześć.

– Wygrałyśmy! – krzyczy Crystal. – Wstawaj, kobieto! Chodźmy grzać się w blasku sławy!

Bezwolnie podążam za przyjaciółką. Podczas wchodzenia na scenę ostrożnie podnoszę brzeg sukienki, żeby się nie potknąć i nie zrobić z siebie idiotki.

Aktorka wręcza mi nagrodę. To kryształowy puchar z plakietką, na której wygrawerowane są nasze nazwiska. Przesuwam po nich palcami. CRYSTAL COOPER I AYESHA RASHEED. Uśmiecham się do przyjaciółki. Udało się! Wygrałyśmy główną nagrodę.

Poppy Valentine wręcza Crystal kopertę, w której jest 250 funtów. Pieniądze bardzo nam się przydadzą, będziemy mogły spłacić nasz sprzęt. Aktorka całuje mnie w oba policzki i składa gratulacje. Błyskają flesze aparatów i mnie oślepiają. W uszach mi dzwoni, niewiele słyszę z życzeń wykrzykiwanych z każdej strony. Chwilę później schodzimy ze sceny. Ceremonia dobiega końca.

Otaczają nas przyjaciele i znajomi z ośrodka. Szukam wzrokiem Haydena. Przeciskają się do nas fotoreporterzy. Hayden łapie mnie za rękę.

– Mam ich powstrzymać? – pyta.

– Nie wiem. – Serce wali mi niespokojnie. – Mam wrażenie, że nie wypada się chować.

– Ayesho, to nasze pięć minut sławy – zachęca Crystal. – Nie wstydź się.

Daję Haydenowi znak, że pójdę z nią. Zawiodę Crystal, jeśli teraz powiem, że nie chcę zdjęć w gazetach. Jest taka szczęśliwa, to dla niej wielkie wyróżnienie. Dla mnie też, ale nie spodziewałam się tak dużego zainteresowania mediów. Jestem wystraszona chwilową sławą.

Hayden znika mi z oczu. Ja też chętnie rozpłynęłabym się w tłumie, ale fotoreporterzy bezceremonialnie ustawiają nas do zdjęć. Pstrykają, pokrzykując polecenia, w którą stronę spojrzeć i do kogo się uśmiechnąć.

Fotograf ignoruje mój opór, ustawia Crystal i mnie przed Edgarem, Joy i grupą pensjonariuszy ośrodka. Pozujemy, dumnie demonstrując puchar. Czuję suchość w ustach.

– Proszę o uśmiech – dyryguje nami reporter. – Jeszcze raz. A teraz proszę patrzeć w prawo. – Posłusznie wyszczerzam zęby w nieszczerym uśmiechu.

– Wszystko w porządku? – niepokoi się Crystal.

Kiwam głową, ale zna mnie dobrze, więc widzi, że jestem zdenerwowana.

– Nie martw się – szepcze mi do ucha. – To tylko lokalna gazeta. Rozchodzi się w paru dzielnicach Londynu. Jutro nikt nie będzie pamiętał o dzisiejszym wydaniu.

Cóż, to optymistyczny punkt widzenia. Nie jestem pewna, czy go podzielam. Jednak nie protestuję, nie chcę sprawić przykrości przyjaciołom i zamierzam przez chwilę cieszyć się własnym sukcesem. Słusznie czy nie, na chwilę zapominam o obawach i uśmiecham się do fotografa.

Rozdział sześćdziesiąty ósmy

Nasz piękny kryształowy puchar stoi na honorowym miejscu w Constance Fields. Kiedy następnego dnia pojawiamy się z Crystal w ośrodku, seniorzy pokazują sobie najnowsze wydanie gazety.

– O co chodzi? – pyta Crystal, odstawiając na bok nasze bagaże.

– O was – odpowiada jeden z emerytów. Rozstępują się, żebyśmy mogły zobaczyć, o czym mówi. – Trafiłyście na pierwszą stronę, moje panie.

I rzeczywiście. Na pierwszej stronie „Ham & High" opublikowano zdjęcie, na którym obie z Crystal dumnie prezentujemy kryształowy puchar.

– Jesteśmy sławne – mówi przyjaciółka.

– W naszym małym światku – dopowiadam.

– Ale nadal na tyle sławne, że zasługujemy na pierwszą stronę.

– W środku jest większy tekst – informuje nas jedna z pań. – Na rozkładówce.

Crystal otwiera gazetę. Rzeczywiście, są tu kolejne zdjęcia nas obu z pensjonariuszami ośrodka, Edgarem i Joy. Haydena, co oczywiste, nie ma na żadnej fotografii.

Byłam pewna, że skończy się na krótkiej notce w rubryce informacyjnej, może nawet nie będzie miejsca na fotografie, ale gazeta zrobiła z tego wydarzenie wielkiej wagi. Boję się o własne bezpieczeństwo, ale nie mogę zaprzeczyć, że moja próżność została mile połechtana. Do końca życia będę z zadowoleniem wspominała tę chwilę. A co zrobię, jeśli Suresh się dowie? Może już go nie obchodzi, co się dzieje z żoną i córką, które uciekły?

– Napisano mnóstwo miłych rzeczy na wasz temat – komentuje Edgar, który właśnie wszedł do pokoju. – I wszystkie bardzo zasłużone. – Widzę, że jego ręka dotyka pleców Crystal, a ona się uśmiecha.

Od tamtego przyjęcia w ogrodzie widują się codziennie. Wydaje mi się, że przyjaciółka jest zakochana. Nie poznała jeszcze córeczki Edgara, ale to tylko kwestia czasu.

– Mam w biurze egzemplarze gazety dla każdej z was – oznajmia Edgar. – Trzeba je oprawić w ramki i powiesić na ścianie.

Joy wróciła właśnie z ogrodu.

– Popatrz, Joy – mówię. – Piszą o nas.

– No, no. – Zakłada okulary. – Jak miło. Świetnie się spisałyście.

– Zabierajmy się do roboty – radzi Crystal – bo odbiorą nam nagrodę.

Oddaję gazetę Joy, która idzie pokazać artykuł swoim koleżankom, a my z Crystal rozstawiamy stoliki. Dopiero wtedy dzielę się z przyjaciółką czarnymi myślami, które dręczą mnie od wczoraj.

– Czy gazeta może trafić do Suresha?

– Nie. – Crystal zdecydowanie kręci głową. – To lokalne pisemko. Nikt poza mieszkańcami go nie czyta. Jeśli twój mąż nie trafi do Hampstead w tym tygodniu, się nie dowie o nagrodzie. Bo i skąd? – Wzdryga się. – Chyba rzadko przyjeżdża do Londynu?

– Sama nie wiem. – Suresh nigdy nie wtajemniczał mnie w swoje plany. W środku trzęsę się ze zdenerwowania. Nie chcę myśleć, że ktoś z jego kompanów mógłby mnie zobaczyć. – Mam nadzieję, że się nie dowie.

– Bardzo się zmieniłaś – pociesza mnie. – Pewnie nawet by cię nie poznał. Przede wszystkim uśmiechasz się. Spójrz na mnie.

Szczerzę się do niej posłusznie, chociaż to bardziej przypomina grymas.

– Wyglądałaś zupełnie inaczej, kiedy do nas przyszłaś. – Crystal przygryza wargę. – Teraz żałuję, że nie podałam twojego zmyślonego nazwiska. Ale zależało mi, żeby puchar był dla ciebie, a nie fikcyjnej osoby. Należała ci się nagroda za ciężką pracę.

– Nie przejmuj się, może nic się nie stanie. W końcu wtedy, gdy ktoś sfotografował w parku mnie i Haydena, skończyło się na strachu.

– A ryzyko było większe – zauważa.

– No właśnie. – Ale mój niepokój nie ustępuje.

– Z nami jesteś bezpieczna – zapewnia mnie Crystal. – Hayden nie dopuści, żeby ci coś zagroziło. Jego dom przypomina fortecę. Jest jak cholerny Fort Knox. Nikt się tam nie włamie. Bez obaw.

A jednak się martwię. Powinnam zrobić to samo co Hayden, cofnąć się, pozwolić Crystal grać pierwsze skrzypce. Pycha wzięła górę nad rozsądkiem. Pękałam z dumy, że to mnie dotyczą pochwały, że zrobiłam coś wartego uznania. A do tego nie chciałam zawieść ludzi, którzy mnie nominowali do nagrody. Jak by się poczuli, gdybym się schowała przed dziennikarzami?

A jeśli przez bezmyślność naraziłam siebie i Sabinę na niebezpieczeństwo?

– Ja też mam powody do obaw – zauważa Crystal. – W końcu klub jest niedaleko stąd. Co by było, gdyby któryś ze staruszków odkrył, że byłam striptizerką? Zszedłby na atak serca. – Wskazuje na jednego z sędziwych dżentelmenów. – Ted jest pierwszy w kolejce.

– Okropna jesteś. – Nie mogę się powstrzymać od śmiechu.

– Wiesz, że to prawda.

– Powiedziałaś Edgarowi?

– To i owo. – Uchyla się od odpowiedzi. – Zrobiłam małe wprowadzenie. Uprzedziłam go, że nie jestem dumna ze swojej przeszłości, mam różne grzeszki na sumieniu, ale nie podałam szczegółów.

– A jednak nadal jest tobą zainteresowany.

– Bardzo. – Uśmiech rozjaśnia jej twarz. – Jest słodki, Ayesho. Lubię go, naprawdę bardzo go lubię.

– Ma wiele fajnych cech.

Zauważamy, że niektóre starsze panie ostentacyjnie zerkają na zegarki.

– Nie ma czasu do stracenia. – Crystal cmoka. – Jesteśmy sławne, więc będziemy rozrywane. Gotowa?

– O, tak. Zaczynamy.

– Może powinnyśmy podnieść ceny, skoro piszą o nas w gazetach.

Parskam śmiechem.

– Tak trzymać – mówi. – Nie chcę, żebyś się zamartwiała.

– Nie będę – obiecuję.

Mimo wesołej miny nie jestem jednak w stanie pozbyć się dręczących wątpliwości. Jak długo i jak daleko muszę uciekać od męża, żeby mieć pewność, że nic nam nie grozi z jego strony? Czy do końca życia będę się bała, że wyskoczy na mnie z ciemnego kąta?

A może Suresh dawno machnął ręką na naszą ucieczkę? Minęło tyle czasu. Modlę się, żeby wymazał nas z pamięci.

Rozdział sześćdziesiąty dziewiąty

Druga w nocy, Suresha piekły oczy z niewyspania. Od godziny gapił się na plan sklepu jubilerskiego w centrum, starając się zapamiętać najdrobniejsze szczegóły. Wszystko było przygotowane. Smith zgodnie z umową dostarczył broń. W garażu w Netherfield stały dwa szybkie motocykle z podrabianymi tablicami rejestracyjnymi, na których pojadą Flynn i Smith z Sureshem i Arunją na tylnych siedzeniach.

Skok będzie dziełem jego życia – najbardziej ekscytującym, śmiałym, wręcz zuchwałym wyczynem, jaki można sobie wyobrazić. Już nie będzie pętakiem, z którym nikt się nie liczy. Stanie się superbohaterem. Będzie się nurzał w pieniądzach, wreszcie porzuci tę ruderę i kupi sobie dom. Żaden tam skromny bliźniak w rzędzie mu podobnych. Coś wielkiego i wystrzałowego, żeby na pierwszy rzut oka było wiadomo, gdzie ma resztę świata. Rodzice zaczną go szanować, nie będą mu stawiać za wzór tego głupka Arunję, swojego ulubieńca. Znajdzie sobie kobietę, Angielkę, która wie, jak się ubrać i umalować. Niech diabli porwą skromne myszki z zapomnianych przez Boga i ludzi wiosek. Łudził się, że jego żona doceni szczęście, które ją spotkało, okaże mu należny szacunek, a tymczasem okazała czarną niewdzięczność.

Trzeba jeszcze ustalić datę napadu. Im wcześniej, tym lepiej. Nie mógł się doczekać. Musi to obgadać z Flynnem, Smithem i Arunją.

Złożył plan i przysunął do siebie laptop. Adrenalina mu podskoczyła, będzie miał kłopoty ze snem. Nalał sobie kolejną szklaneczkę whisky, kliknął na Google. Rodzice już dawno spali. Nikt mu nie będzie przeszkadzał. W domu panowała martwa cisza. Dobra pora na pornosa. Ale wcześniej zamierzał jeszcze coś sprawdzić. Ustawił Google Alert na nazwisko Ayeshy i Sabiny Rasheed, codziennie sprawdzał efekty i codziennie spotykało go rozczarowanie.

Powinien sobie odpuścić. Wszyscy mu to mówili i pomału dochodził do tego wniosku. Co z tego, że go porzuciła? Lepiej mu bez tej wrednej suki. Kiedy wraca późno w nocy, nie spotyka go pełne wyrzutu spojrzenie żony. Nie pęta mu się pod nogami ponury, milczący dzieciak. Lepiej niech nie wracają. Wcale ich nie chce. Znajdzie sobie kobietę, która będzie go kochała, jak na to zasługuje. Seksowną babeczkę z czerwonymi ustami i dużym biustem, w łóżku gorącą i chętną. Taką jak tancerki z nocnych klubów, do których chadzał Arunja. Taką jak dziewczyny z filmów porno. Te kobiety zrobią dla mężczyzny wszystko.

Słowa rozmazywały mu się przed oczami, gdy przesuwał kursor w dół. A kiedy był gotów dać sobie spokój i zająć się czymś przyjemniejszym, jego wzrok padł na imię i nazwisko:

Ayesha Rasheed.

Nie wierzył własnym oczom, ale nie było mowy o pomyłce.

Ayesha Rasheed. Jego Ayesha?

Kliknął na link i czekał niecierpliwie, aż wyświetli się cały tekst. Krew krążyła mu żywiej, dłonie się pociły. To było internetowe wydanie jakiejś londyńskiej gazety, „Ham & High". Suresh podziękował szczęśliwemu losowi.

To ona, bez wątpienia. Serce mu łomotało.

Było nawet zdjęcie jej i jakiejś wyzywającej laski, trzymały kryształowy puchar. Przyjrzał się uważniej. Ayesha się zmieniła. Miała rozpuszczone włosy i uśmiechała się do kamery. Pomyślał, że jest piękna. Kiedy ostatnio to zauważył?

Przeczytał uważnie artykuł. A więc pracuje w domu opieki dla starych ludzi i wygrała jakąś nagrodę. Wygląda na to, że przestała zbijać bąki. Wkrótce więc się przekona, kto tu rządzi.

Musi zamknąć tę sprawę jeszcze przed skokiem na jubilera. Chłopcy będą pyskować, ale trzeba to załatwić. Kiedy żona i córka na zawsze znikną z jego życia, będzie w stanie trzeźwo myśleć.

W artykule była nazwa ośrodka. Constance Fields. Świetnie. Łatwo będzie znaleźć Ayeshę. Pokręcił głową z niedowierzaniem, że sprawa w końcu okazała się tak prosta. Flynn pójdzie za nią i ustali adres. Teraz musi podjąć decyzję, co z nią zrobić.

Zatarł ręce, uśmiechając się w ciemności. Dolał sobie whisky i wzniósł toast. Był pewien, że któregoś dnia wpadnie w jego łapy. Właśnie nadszedł ten czas. Teraz miał ją w garści.

Rozdział siedemdziesiąty

Przytulam się do Haydena na kanapie. Co wieczór, po ułożeniu Sabiny do snu, czytamy „Wielkie nadzieje" Karola Dickensa. To trzymająca w napięciu historia. Mam duszę na ramieniu, gdy poznajemy losy biednego Pipa, Estelli i tej okropnej panny Havisham. Współczuję Pipowi, który musi tyle wycierpieć. Mam nadzieję, że w końcu zazna szczęścia. Postanawiam przeczytać tę książkę swoim przyjaciołom w ośrodku, z pewnością im się spodoba.

Kończymy kolejny rozdział. Spoglądam na mężczyznę u mego boku. Nigdy nie byłam tak szczęśliwa. Jeśli to miłość, nie spodziewałam się, że okaże się tak piękna. Dotykam palcami jego policzka. Jest dziwnie zamyślony.

– O co chodzi?

– Tak sobie myślę… – całuje przegub mojej dłoni – że powinienem odwiedzić rodziców. Minęło sporo czasu od ostatniego spotkania, a przecież nie robią się coraz młodsi.

– Masz rację. To niedobrze, kiedy bliscy ludzie tracą ze sobą kontakt.

– Tęsknisz za rodzicami?

– Bardzo. Chciałabym ich zobaczyć, ale są na drugim końcu świata – mówię. – Twoja rodzina jest blisko. To źle, że ze sobą nie rozmawiacie.

– Wiem – zgadza się Hayden. – Zaniedbałem ich karygodnie. Powinienem szybko to naprawić. Mam zamiar ich odwiedzić w najbliższy weekend. Pojedziecie ze mną? Chciałbym, żeby poznali ciebie i Sabinę.

– Bardzo chętnie. – zgodziłam się, chociaż myśl o spotkaniu z rodzicami Haydena bardzo mnie peszy.

– Są naprawdę mili – zapewnia. – Nie masz się czym przejmować. To ja się izolowałem.

– Powinieneś najpierw do nich zadzwonić. Wyciągnąć rękę do zgody.

– Masz rację, nie można wpadać bez uprzedzenia. Za dużo czasu minęło. – Przyciąga mnie do siebie. – Pokochają ciebie i Sabinę. Jestem pewien.

– Boję się, że uznają moją córkę za dziecko specjalnej troski.

– Przestań się zamartwiać. Przecież widać, że Sabina jest mądra i bystra. Pewnego dnia zacznie mówić, jestem pewien. Potrzebuje czasu. Tymczasem ciesz się, bo masz zdrowe i szczęśliwe dziecko. Świetnie sobie radzi w szkole i ma wybitne zdolności muzyczne.

– Sama nie wiem, skąd jej się to wzięło. W rodzinie nie mamy muzyków. Dziękuję, że ją uczysz grać na fortepianie.

Sabina i Hayden grają na cztery ręce każdego dnia po jej powrocie ze szkoły. Są to coraz trudniejsze melodie. Od czasu do czasu on akompaniuje, a ona śpiewa piosenki. To jedyny moment, gdy wydaje z siebie głos, bo wciąż nie mówi. Na razie to mnie uszczęśliwia. Daje nadzieję, że pewnego dnia, całkiem niedługo, będziemy mogły ze sobą rozmawiać jak mama z córką.

– Przestałaś się zamartwiać artykułem w gazecie? – pyta Hayden.

– Minęło parę tygodni i nic się nie zdarzyło. Byłoby dziwne, gdyby Suresh jakoś na niego trafił. Miałeś rację, niepotrzebnie panikowałam.

– Mogę podwoić ochronę, jeśli cię to uspokoi.

– Nie trzeba.

Jest wysokie ogrodzenie, domofon przy wejściu, całodobowy monitoring. Nie wiem, co jeszcze Hayden mógłby zrobić. Wynająć dla nas ochroniarzy?

– Chciałbym, żebyś się czuła bezpieczna.

– Wystarcza mi twoja obecność. Nigdy w życiu nie czułam się bardziej bezpieczna. – Milczymy, ale Hayden nadal jest zasępiony. – Coś cię martwi?

– Odebrałem dziś niespodziewany telefon – mówi, ważąc każde słowo. – Od producenta „Gry o sławę". Tego programu telewizyjnego, od którego zaczęła się moja droga na szczyt. Zapraszają mnie do konkursu jako jurora.

– To dobra wiadomość? Chcesz tego?

– Sam nie wiem – przyznaje. – Wydawało mi się, że to zamknięty rozdział w moim życiu, ale znowu zacząłem komponować i niektóre piosenki są naprawdę dobre. Chciałbym, żeby ludzie je usłyszeli.

– Ja też chcę je poznać. Obiecałeś, że będę pierwszą słuchaczką.

– Jeszcze nie teraz – odpowiada, trochę za szybko, a potem dodaje łagodnie: – Zagram ci je, gdy będę gotowy. A ciągle nie jestem tego pewien. – Wzdycha ciężko. – Problem w tym, że chociaż fani z pewnością na nie czekają, nie mogę zapomnieć, jaka jest cena popularności. Jakie będzie miało dla nas konsekwencje to, że znowu moge się stać sławnym piosenkarzem,?

Jeśli mam być szczera, nawet nie chcę o tym myśleć.

Chyba widzi moją wystraszoną minę, bo szybko dodaje:

– Tylko głośno myślę. Ich zaproszenie było przyjemne, szczerze mówiąc, pochlebiło mi. Jakaś cząstka mnie jest wdzięczna, że wciąż o mnie pamiętają, ale z pewnością nie zapomniałem, jakie szaleństwo wiąże się ze sławą.

Bierze mnie za rękę i w zamyśleniu bawi się palcami.

– Cokolwiek się stanie, musi to być dobre dla ciebie i Sabiny. Znaczycie dla mnie więcej niż cokolwiek innego. Wiesz o tym, prawda? – Zagląda mi w oczy. – Powiedz, co myślisz?

– Powinieneś robić to, co ci daje szczęście. Muzyka sprawia, że twoja dusza śpiewa. Nawet dla mnie to oczywiste, a nie potrafię zagrać ani jednej nuty. – Nie spuszczam wzroku. – Jeśli pragniesz śpiewać, nie wyrzekaj się tego.

– Chcę śpiewać – oświadcza. – Tam, gdzie dawniej była martwa pustka, teraz rozbrzmiewa we mnie muzyka.

– To dobrze.

– Nie pozwolę, aby stało się coś złego. Obiecuję.

Ale jak mógłby powstrzymać nieszczęście, gdyby nadeszło? Naprawdę, nie wiem.

Rozdział siedemdziesiąty pierwszy

Dzisiaj mieliśmy wszyscy pojechać do rodziców Haydena, ale Sabina nie czuła się dobrze. Przez całą noc męczyła ją grypa żołądkowa, a teraz co prawda nie biega do łazienki, ale jest półżywa. Powinna spędzić dzień w łóżku i odzyskać siły. W tym stanie nie może podróżować i poznawać ważnych ludzi. Hayden chciał odwołać wizytę i zostać z nami, ale mu nie pozwoliłam. Dopiero co odezwał się do rodziców, czekają na niego, więc nie może ich zawieść.

– Będę tęsknił – mówi Hayden. Stoimy w holu przed drzwiami frontowymi. Jest gotów do drogi, a jednak się ociąga. Obejmuje mnie i przytula. – Zadzwonię, gdy dojadę na miejsce. Martwię się o Sabinę.

– Najgorsze już za nami – zapewniam go. – Teraz potrzebuje odpoczynku.

– Powinna dużo pić.

Kiwam głową. O pierwszej w nocy udało mi się wypędzić go na górę, bo niebezpiecznie jest prowadzić auto po nieprzespanej nocy.

– Przykro mi, że nie możemy z tobą pojechać – mówię. – Jestem pewna, że rodzice przywitają cię z otwartymi ramionami.

– To brzmi głupio, ale się denerwuję. Przydałoby mi się twoje wsparcie.

– Poradzisz sobie. – Muskam wargami jego usta. – Jesteś ich synem, kochają cię. Twój widok sprawi im radość.

Może to lepiej, że Hayden pojedzie sam, chociaż oczywiście wolałabym, żeby Sabina była zdrowa. Złożymy wspólną wizytę, gdy już ich rodzinne relacje wrócą do normy. Mają mnóstwo spraw do omówienia, nieporozumień do wyjaśnienia, więc, mówiąc szczerze, lepiej, że nie będziemy im wchodziły w paradę.

– Wrócę wieczorem – obiecuje. – Postaram się być na kolacji.

– Nie spiesz się. Nic tu się nie dzieje. Będziemy na ciebie czekały.

– Na to liczę. – Całuje mnie na pożegnanie.

Obserwuję, jak wsiada do auta. Brama się otwiera, macham mu jeszcze, gdy wyjeżdża na ulicę.

W kuchni zaparzam herbatę i idę na poszukiwanie Joy. Od rana jest na nogach. Znajduję ją w ogrodzie, przesadza roślinki koło szklarni.

– Herbata. – Stawiam kubek na ławce.

Odgarnia z oczu nieposłuszny kosmyk i zostawia smużkę ziemi na policzku. Wycieram ją kciukiem.

– Myślałam, że masz w planach wizytę u rodziców Haydena?

– Sabina źle się czuje. Przez całą noc bolał ją brzuch i biegała do łazienki.

– Biedactwo – mówi Joy. – Nic nie słyszałam. Spałam jak zabita. Hayden pojechał sam?

– Denerwował się trochę. Bardzo mi go żal. Mam nadzieję, że się pogodzą.

– Na pewno – uspokaja mnie Joy. – W rodzinie nie takie rzeczy trzeba sobie wybaczać. Biedny Hayden wiele przeszedł w ostatnich latach. Z ulgą myślę, że dochodzi do siebie. W głównej mierze dzięki tobie. Starałyśmy się z Crystal zrobić coś, żeby się otrząsnął z depresji, ale nam się nie udało. Jak dobrze, że wreszcie wraca do życia.

– Bardzo go kocham – wyznaję. – Czy to grzech? Nadal jestem mężatką.

– Twoje małżeństwo nie było udane, prawda? Moim zdaniem ten twój poślubiony łobuz nie zasługuje na lojalność.

- Chciałabym być dobrym człowiekiem, a mam sobie tak wiele do zarzucenia.

– Och, daj spokój, dziewczyno. Jesteś cudowną osobą. – Joy, która rzadko okazuje emocje, ma teraz łzy w oczach. – Wszyscy jesteśmy szczęśliwsi, od kiedy się tu wprowadziłaś.

– Jak miło, że mi to mówisz. – Ściskam ją, a ona się nie wzbrania.

– Oboje z Haydenem powinniście wykorzystać każdą chwilę, jaką los wam daje. – Serdecznie, po macierzyńsku, poklepuje mnie po plecach. – Stracony czas nigdy nie wróci.

– Masz rację.

– Oczywiście. Mądrość przychodzi z wiekiem.

– A jakie masz plany na dzisiaj, moja mądra i wiekowa Joy? – Śmieję się.

– To i owo. Trochę pielenia, trochę przesadzania – mówi. – Chcę zasadzić na grządkach późną odmianę kapusty i kalafiora. Trochę porów. Co prawda przy tej suszy trzeba wciąż je podlewać, inaczej wszystko więdnie w oczach. Nie chcę mieć pomarszczonych i zasuszonych warzyw takich jak ja. – Śmieje się. – Ciekawe, czy dobrze bym sobie radziła z upałem w Singapurze, jak myślisz?

– Wszędzie jest klimatyzacja – mówię.

– A w ogrodzie?

– W ogrodzie nie – przyznaję. – Zastanawiasz się nad wyjazdem?

Joy wzdycha i upija łyk herbaty.

– Moja droga, nie myślę o niczym innym.

– Rozmawiałaś o tym z synem?

– Nie. – Kręci głową. – Muszę najpierw zdecydować, czego właściwie chcę. Powiedział mi, że nie muszę się spieszyć z decyzją, ale też wspomniał, że szukają domu, który ma przybudówkę z osobnym wejściem.

– Zależy im, żebyś przyjechała.

– Czy własne mieszkanie to wszystko?

– Nikt nie podejmie tej decyzji za ciebie – mówię i zmieniam temat: – Czy mogę ci pomóc w ogrodzie? – Sabina śpi, za jakiś czas powinnam do niej zajrzeć, ale poza tym nie mam nic do roboty.

– Będzie mi miło.

Kończymy pić herbatę i Joy pokazuje mi, co mam robić. Ziemia w warzywniku jest czarna i wilgotna. Wsadzamy rozsadę w równych rzędach, prawie nie rozmawiamy. Wiem, że Joy ma wiele na głowie, ale nie ciągnę jej za język, nie chcę być wścibska. Staram się porządnie sadzić kapustę. Mam przy sobie komórkę, w razie gdyby Hayden zadzwonił.

Słońce jest już wysoko, gdy do ogrodu wychodzi Crystal. Ma na sobie białą kamizelkę i kuse szorty, głośno ziewa. Wczoraj wieczorem wyszła z Edgarem i wróciła bardzo późno.

– Co tam robicie? – pyta, przechylając się przez płotek, który oddziela warzywnik od ogrodu.

Joy prostuje się i opiera na szpadlu.

– Uczę Ayeshę robić szalik na drutach.

– Sarkazm jest najniższą formą dowcipu, Joy.

– Sadzimy kapustę – wtrącam z uśmiechem. – Chcesz do nas dołączyć?

– Paznokcie, moja droga. – Wyciąga do mnie ręce i demonstruje swój nienaganny manikiur. Dzisiaj jej paznokcie są białe, ozdobione różowymi połyskliwymi rombami. – To nie są ręce ogrodniczki.

– Masz rację. – Trzeba przyznać, że Crystal rozwinęła skrzydła od chwili, gdy podjęła pracę w salonie kosmetycznym. Okazała się najbardziej rozchwytywaną manikiurzystką, a jej kalendarzyk jest wypełniony na tygodnie naprzód. Chyba nie tęskni za pracą w nocnym klubie. Cieszę się, że tak rozkwitła. – Miałaś miłą randkę? – pytam.

– Tak. – Uśmiecha się z rozmarzeniem. – Obudziłam cię, wracając?

– Sabina zachorowała. I tak nie spałam.

– Och. Przeszło jej?

– Problemy z brzuszkiem. Złapała coś w szkole.

– Niedługo wakacje, prawda?

– Zaczynają się w przyszłym tygodniu.

– Oby tylko pogoda się nie popsuła. Będziemy urządzać pikniki. Uwielbiam śniadania na trawie. Co ty na to, Joy?

– Ja też.

– No właśnie. Lato na łonie natury. Rozkosznie. – Ziewa. – Umieram z głodu. Potrzebuję węglowodanów. Kto chce tosty?

– Ja proszę o herbatę – mówię. – Pić mi się chce. A ty, Joy? Chyba czas na odpoczynek?

– Też tak myślę.

Nie powinna pracować tak ciężko w upale.

– Ja zrobię – zgłasza się Crystal. – Nie chcę nawet myśleć, że w listopadzie zabraknie nam kapusty, bo wam teraz przeszkodziłam.

Joy kiwa głową z politowaniem.

– Tfu, tfu, nawet tak nie mów – przekomarzam się.

– Zawołam was, gdy śniadanie będzie gotowe.

Crystal drepcze do kuchni w swoich sandałkach na wysokich obcasach, a Joy i ja wracamy do sadzenia kalafiorów i porów.

Wreszcie praca jest skończona, Joy prostuje się i pociera krzyż, a w tej samej chwili Crystal nas woła.

– Herbata gotowa – mówię i biorę Joy pod ramię, po czym obie kierujemy się do domu.

Rozdział siedemdziesiąty drugi

Idę jeszcze na górę, by sprawdzić, jak się czuje Sabina. Siedzi w łóżku, czytając najnowszą książkę.

– Jak się miewasz, cukiereczku? – pytam.

Uśmiecha się do mnie słabo, ale opuszcza nogi na podłogę.

– Chciałabyś zejść na dół? Jest piękny i ciepły dzień. Ciocia Crystal robi dla nas tosty. Może skubnęłabyś kawałeczek?

Kiwa głową.

– Włóż szlafrok. Ubierzesz się później, jeśli poczujesz się lepiej.

Jest posłuszna jak zawsze. Otula się różowym szlafrokiem – kolejny prezent od Crystal, która uwielbia ją rozpieszczać.

Nogi się pod nią troszkę uginają, ale poza tym nic jej nie dolega. Długi sen czyni cuda. Jutro nie będzie śladu po chorobie.

– Oto nasza rekonwalescentka – mówię na dole. – Na szczęście czuje się lepiej.

– Chwała Bogu. – Crystal całuje ją w czubek głowy. – Nie chcemy, żebyś była chora. Zjesz tosta?

Sabina kiwa głową.

– Bez masła – uprzedzam. – Musimy się przekonać, jak się sprawuje twój brzuch. – Dodaję jej wody do soku.

Powinna pić jak najwięcej. Odzyskuje już zdrowy kolor skóry, co zauważam z ulgą.

– Marsz do ogrodu – popędza nas Crystal. – Świeże powietrze dobrze wam zrobi. Za minutę przyniosę tosty.

– Gdzie się podziała Joy?

– Wróciła do szklarni. Zebrała trochę warzyw na wieczór i chce je przynieść tutaj, bo tu chłodniej.

Crystal troskliwie zajmuje się Sabiną.

– Usiądź w cieniu. Tu, na leżaku, pod drzewem. Na tarasie byłoby za gorąco. Nie biegaj, żeby ci nie podskoczyła temperatura. Pomogę cioci Crystal i zaraz wrócę.

Sabina sadowi się wygodnie i przymyka oczy.

– Biedulka wciąż jest blada – mówi Crystal, gdy wracam do kuchni – ale najgorsze już za nią.

– Musi dojść do siebie – potakuję. – Będę pilnować, żeby się nie przegrzała i nie męczyła.

Crystal ustawia na dwóch tacach filiżanki z herbatą, półmisek z tostami, maselniczkę, różne dżemy i miód oraz talerzyki i sztućce dla wszystkich. Moglibyśmy wyżywić z dziesięć osób.

– Do diabła – jęczy. – Złamałam paznokieć. – Podtyka mi palec pod nos. – Muszę go natychmiast opiłować, bo zwariuję. Zanieś jedną tacę, ja zaraz przyjdę z drugą.

Zanim zdążyłam cokolwiek zrobić, słyszę swoją komórkę dzwoniącą na górze.

– Zostawiłam telefon w sypialni, a to na pewno Hayden. – Nikt nie zna tego numeru poza moimi domownikami.

– Biegnij, jeszcze zdążysz odebrać.

Pędzę po schodach, a Crystal idzie za mną do swojego pokoju po torebkę.

Komórka leży na łóżku, wyświetla się na niej numer Haydena. Udaje mi się odebrać w ostatniej chwili.

– Hej. Jak tam Sabina?

– Znacznie lepiej. – Łapię oddech i słyszę, że wzdycha z ulgą. – Właśnie wstała i siedzi w ogrodzie.

– To świetnie.

– A co u ciebie?

– W porządku. – Zniża głos, pewnie rodzice są w pobliżu. – Są szczęśliwi, że mnie widzą. Dobrze być w domu. Nie chce mi się wierzyć, że tak długo zwlekałem z odwiedzinami. Więcej tego nie zrobię. Obiecałem, że następnym razem was przywiozę . Chcą jak najszybciej was poznać.

– Bardzo mi miło.

– Wkrótce wracam – obiecuje. – Tęsknisz za mną?

Ale zanim zdążam odpowiedzieć, słyszę przerażający krzyk z ogrodu. Przeszywa ciepłe letnie powietrze i mrozi mi krew. To nie Crystal ani Joy. To krzyczy Sabina. Wszędzie na świecie poznałabym głos mojego dziecka.

– Mamo! – słyszę. – Mamo!

Porzucam telefon i już pędzę do kuchni, przeskakując po dwa schodki. Przy przeszklonych drzwiach na taras staję jak wryta na widok tego, co dzieje się w ogrodzie. Mam wrażenie, że ktoś wydusił z moich płuc resztkę powietrza. Sabina nie przestaje krzyczeć.

Do ogrodu dostało się dwóch osiłków, którzy – mimo upału – mają na głowach kominiarki. Od razu wiem, że jest źle. W ustach czuję żółć. Ziścił się mój najgorszy koszmar. Suresh nas odnalazł.

Boczna furtka, zazwyczaj zamknięta, teraz wisi krzywo, otwarta na oścież. Wiadomo, którędy dostali się do środka. Trzeci napastnik wysforował się do przodu. Jest niebezpiecznie blisko Sabiny, która uciekła aż pod altankę. Przed oczyma latają mi mroczki, gorączkowo myślę, co robić. Najchętniej zwinęłabym się w kłębek na podłodze, sparaliżowana strachem, ale teraz przyszła pora na działanie. Nikt poza mną nie ocali mego dziecka.

– Mamo! Mamo! – woła.

– Sabino! – wrzeszczę i już pędzę w jej kierunku. – Uciekaj! Uciekaj jak najszybciej!

Ale dokąd? Wokół ogrodu jest wysoki mur. Nasz azyl nagle zamienił się w więzienie. Nie ma dokąd uciekać. Muszę powstrzymać bandytów.

Moja córka wyślizguje się człowiekowi, który próbuje ją pochwycić, ale jej nogi są jeszcze słabe, więc się potyka. Rozglądam się za jakąś bronią. Co robić?! Jest ich trzech, a ja jedna. Za plecami słyszę Crystal. Biegnie na pomoc.

– O cholera! – Łapie mnie za ramię. – Co się dzieje?

– Nie wiem. Próbują porwać Sabinę.

– Po moim trupie – mówi.

– I moim.

– Któryś z tych gnojków to twój mąż?

– Nie wiem. – Trudno rozpoznać ludzi w kominiarkach. – Tak mi się wydaje. – Ale na pewno on ich przysłał.

Biegniemy.

Kątem oka widzę Joy. Leży na trawie po drugiej stronie ogrodu, przy tarasie. Krwawi z rany na głowie. Nie rusza się. Robi mi się niedobrze. Oberwała jako pierwsza.

– Nie dam im Sabiny. Jak jej bronić? – pytam Crystal.

– Walczymy na śmierć i życie – syczy moja przyjaciółka.

Na szczęście Joy się podnosi i na czworaka, niewidoczna dla napastników, przekrada się do płotka otaczającego warzywnik. Chowa się za ogrodzeniem. Mam nadzieję, że ma ze sobą komórkę i zadzwoni po pomoc.

Nigdy w życiu nie byłam tak bezsilna. Crystal atakuje jednego z bandytów, tamten ją łapie, ale udaje jej się zerwać mu kominiarkę. Boleśnie przeoruje mu twarz długimi, ostrymi paznokciami.

– Ty suko! – Mężczyzna spluwa i odpycha ją na bok.

– Kopa w jaja! – wrzeszczę.

Crystal ogląda się zdezorientowana, ale reaguje błyskawicznie. Rzuca się na niego i kolanem wymierza cios. Facet zgina się i pada na ziemię, łapiąc się za podbrzusze. Crystal korzysta z okazji i kopie go w żebra. Tamten jęczy z bólu i kuli się.

Już wiem, co robić. Sabina próbowała uciekać, ale jej prześladowca dopadł ją i przerzucił sobie przez ramię jak tobołek. Moja dzielna córka kopie i wrzeszczy jak opętana. Biegnę do nich z prędkością, o którą bym się nie podejrzewała.

Wskakuję mu na plecy, duszę go od tyłu. Jest zaskoczony, traci równowagę, wypuszcza Sabinę, a ja okładam go pięściami i drapię jak dzika kotka. Ciągnę za kominiarkę i udaje mi się ją zdjąć. Facet ma długie włosy związane w kucyk. Trzymam go z całych sił, gdy zaczyna podskakiwać i kręcić się w kółko, żeby mnie zrzucić.

– Uciekaj! – wołam do Sabiny, a sama atakuję bandziora z zajadłością osy. – Uciekaj. Zamknij się w łazience!

Sabinie plączą się nogi w trawie, ale odzyskuje równowagę i biegnie w stronę domu. Mężczyzna jest wielkim osiłkiem, potrząsa mną jak szmacianą lalką, nie wiem, jak długo zdołam się utrzymać. Czy mam z nim walczyć, czy uciekać w ślad za córką? Zanim się obejrzałam, dołączyła do mnie Crystal. Uwiesza się na dryblasie i próbuje go przewrócić. Szamoczemy się i szarpiemy, aż zaczyna mi wirować w głowie.

– Drap! – wrzeszczy Crystal. – Gryź w uszy!

Przestaję się kontrolować, czuję tylko, jak wbijam paznokcie w jego skórę. Z całej siły zaciskam zęby na mięsistym uchu. Mam w ustach metaliczny smak krwi. Facet miota się jak szalony, a mnie szumi w głowie. Jest dużo silniejszy niż my, mocno stoi na nogach.

Przegrywamy, brakuje mi pomysłów, co jeszcze można zrobić. Nagle bandzior wrzeszczy przeraźliwie i pada na ziemię jak podcięty. Trzyma się za kolano. Nad nim widzę Joy. Krew zalewa jej oczy, ale patrzy przytomnie, z błyskiem wściekłości. Jest przerażająca. Trzyma w rękach szpadel i zamierza się do kolejnego ciosu.

– Nie w głowę! – woła Crystal. – Zabijesz go!

Joy odwraca szpadel płaską stroną i wymierza mu potężny cios w tyłek. Mężczyzna krzyczy z bólu.

– W altanie – dyszy ciężko Joy – są jeszcze grabie i widły.

Upuszcza trzonek szpadla i podnosi z ziemi wiklinowy kosz. Oszołomiony oprych usiłuje się wyprostować, ale w tym momencie Joy bierze zamach i z głośnym trzaskiem wali go koszem w głowę. Bandzior chwieje się i, jak na zwolnionym filmie, pada jak długi twarzą w trawę. Przysięgłabym, że ziemia zadrżała pod moimi stopami.

Joy uśmiecha się do nas ponuro. Crystal i ja otrząsamy się z pierwszego szoku i pędzimy do altany. Wychodzimy uzbrojone w narzędzia ogrodnicze.

– Myślisz, że Joy wezwała pomoc? – pytam.

– Nie, inaczej coś by powiedziała. Jesteśmy zdane na własne siły.

Bardzo mi się to nie podoba. Ci mężczyźni to wielkie draby, bójki im niestraszne. Trzęsę się ze złości, ale w każdej chwili mogę rozpłynąć się we łzach. Dlaczego przyszli po moją córkę? Czy nie mogą zostawić nas w spokoju?

– Nie ma czasu – popędza mnie Crystal.

Dołączamy do Joy, gotowe rozprawić się z bandytami. Joy oddycha ciężko, ale w oczach ma i determinację i lekki błysk szaleństwa.

– Dokopiemy draniom – mówi.

Rozdział siedemdziesiąty trzeci

Widzę tylko jednego napastnika, ale zanim uda mi się wypatrzeć w ogrodzie drugiego, oprych atakuje nas z mrożącym krew w żyłach wrzaskiem. Oby któryś z sąsiadów go usłyszał i wezwał policję.

Wpada na nas z impetem, przewracamy się z Joy na ziemię. Na chwilę mnie zatyka. Crystal zdołała uskoczyć, a teraz wskakuje mu na plecy i dusi go trzonkiem grabi. Facet zaczyna charczeć, sinieje.

– Trzeba go związać – sapie Crystal. – Mamy sznur?

– Mamy linkę z chorągiewkami! – woła Joy.

Zrywam z gałęzi kolorową dekorację, którą niedawno zawiesiłyśmy.

– Zwiąż go mocno – mówi Crystal.

Obwiązuję z tyłu ręce mężczyzny, potem owijam liną nogi w kostkach, zaciskając z całej siły. Facet przeklina najgorszymi słowami. Gorszymi niż te, których używa Bridget Jones. Wije się na trawie jak robak, stara się odpełznąć jak najdalej. Wrzeszczy rozpaczliwie, gdy podnoszę widły do góry i uderzam nimi z całej siły. Zęby wideł przebijają materiał spodni i wbijają się głęboko w ziemię. Leży tak, przyszpilony do gruntu.

– Dobry Boże! – Crystal łapie się za serce. – Przez chwilę bałam się, że go dziabniesz w brzuch, Ayesho.

– To go na chwilę powstrzyma. Muszę znaleźć Sabinę. – Martwię się, że wszystkie trzy byłyśmy zajęte walką z dwoma napastnikami i straciłyśmy z oczu moją córkę.

Biegniemy do domu. W drzwiach salonu zderzamy się z ostatnim łajdakiem. Trzyma Sabinę za ramię i wlecze ją za sobą, mimo że mała opiera się, jak może.

– Mamo! Mamo! – krzyczy na mój widok.

Buzia mojej córki jej spuchnięta od płaczu, brudna od łez, i na ten widok serce mi krwawi. Nie po to wyrwałam swoje dziecko z łap jej ojca, żeby jakiś zbir podniósł na nią rękę. Po moim trupie.

Kątem oka widzę Joy, która kryje się za drzwiami. Daje mi znak wzrokiem. Staram się zasygnalizować to samo Crystal.

– Z drogi – warczy mężczyzna – to nic się nikomu nie stanie!

– Zostaw moją córkę – ostrzegam go.

Parska niemiłym śmiechem i idzie prosto na nas. Crystal i ja cofamy się o krok, robimy mu miejsce.

Wychodzi na taras pewien swojej przewagi, jednak nie widzi Joy, która wspięła się na murek za drzwiami. W rękach trzyma masywną donicę z kwiatkiem. Gdy ma faceta w zasięgu ramion, z impetem spuszcza mu doniczkę na głowę.

Naczynie pęka na kawałki, bandyta chwieje się na nogach, cały obsypany ziemią i deszczem drobnych żółtych chryzantem.

Oszołomiony puszcza Sabinę, a ona rzuca się w moje ramiona. Trzęsiemy się ze strachu, ale ściskam ją mocno, całując. Już nigdy w życiu nie spuszczę jej z oka.

– Ani kroku – ostrzega Crystal napastnika. – Policja w drodze.

Tego chyba było za wiele niedoszłemu porywaczowi, bo gramoli się z trudem i zmyka w kierunku bramy. Po drodze pomaga pierwszemu bandycie pozbierać się z trawnika. Uciekają, kulejąc.

– Gonić ich? – pyta Crystal.

– Lepiej nie. Nie chcę, żeby ciebie też poturbowali. Został nam jeden. – W tym momencie słychać trzask. Ostatniemu napastnikowi udaje się rozerwać przyszpiloną widłami nogawkę i podrywa się z ziemi. Najwyraźniej nie skrępowałam go wystarczająco mocno, bo udało mu się poluzować więzy i biegnie w ślad za kompanami.

Crystal zrzuca sandałki i pędzi za nim na bosaka, ale zanim udaje jej się go dogonić, facet znika za furtką.

– Zostaw go! – krzyczę, ale nie zwraca na mnie uwagi.

Słyszę trzaśnięcie drzwiami i wizg opon. Odjechali.

Po sekundzie wraca Crystal, jeszcze się trzęsie z wściekłości.

– Nie zdążyłam zapamiętać numerów rejestracyjnych – prycha ze złością. – Odjechali dużą czarną półciężarówką, zbyt szybko.

– Wiem, kto za tym stoi – mówię. – Detale nie grają roli. – Dziwię się tylko, że Suresh sam po nas nie przyszedł. Ale to do niego podobne, wysłać innych, żeby zrobili za niego brudną robotę.

Teraz uginają się pode mną kolana. Klękam przed córką i ocieram jej twarz rękawem.

– Już ich nie ma. Uciekli. Znów jesteśmy bezpieczne. Dobrze się czujesz, córeczko?

– Tak, mamo – mówi jasnym, mocnym głosikiem.

Mogę sobie pozwolić na łzy. Przyciskam do siebie Sabinę i szlocham. Kiedy podnoszę wzrok, widzę, że Crystal i Joy też płaczą. Dołączają do nas i wszystkie tulimy się do siebie.

To było najokropniejsze, najbardziej przerażające przeżycie, ale jak to mówią, nie ma tego złego, co by na dobre nie wyszło. Moja córka odzyskała głos.

Przytulam ją i dziękuję wszystkim znanym i nieznanym bogom, że jest bezpieczna i znowu może mówić.

Rozdział siedemdziesiąty czwarty

Prowadzimy Joy do kuchni. Rana na głowie bardzo krwawi. Ma też brudne, podrapane ręce.

– Byłaś niesamowicie odważna. – Siadam przy niej, czując, że się trzęsie. Nie wiedziałam, jak poważnie została zraniona. – Co byśmy bez ciebie zrobiły?

– Nie mogłam pozwolić, żeby zabrali naszą małą Sabinkę. – Bierze dziecko pod brodę.

Sabina zarzuca Joy ręce na szyję i daje jej całusa.

– Dziękuję, ciociu Joy. Poradziłaś sobie z niedobrym człowiekiem.

Wszystkie jesteśmy bliskie płaczu.

– Cios donicą to wyższa szkoła jazdy, Joy – mówi z uznaniem Crystal, pociągając nosem. – Będziemy cię przezywać Rambo.

– Ani mi się waż, moja droga – ostrzega Joy.

Uśmiecham się przez łzy. Miło widzieć, że nic nie straciła ze zwykłej czupurności.

– Szkoda, że udało im się prysnąć – mówi Crystal. – Skurczybyki. Och, przepraszam. Muszę uważać, jak się wyrażam, żeby Sabina nie nauczyła się brzydkich słów.

– Nie mówiła, ale zawsze cię słyszała – przypominam.

– Nigdy, przenigdy nie powtarzaj tego, co mówi ciocia Crystal. – Żartobliwie grozi Sabinie palcem.

Mała uśmiecha się nieśmiało i przytula do Crystal.

– Bardzo się bałaś?

– Tak – szepcze Sabina. – Myślałam, że mnie stąd zabiorą.

– Jesteś bezpieczna. – Crystal spogląda na mnie nad głową dziecka.

Nie jestem pewna, czy słowami da się zakląć rzeczywistość.

Skoro Suresh wie, gdzie jesteśmy, nigdy nie będziemy bezpieczne. Łudziłam się, że o nas zapomni, pozwoli żyć w spokoju. Teraz wiem z całą pewnością, że to nigdy nie nastąpi. Nie poprzestanie na tym, żeby odebrać mi Sabinę, tego jestem pewna. Przeraża mnie myśl o tym, jaki los by nam zgotował , gdyby udało się nas porwać.

– Zadzwoń do Haydena – mówi Crystal. – Założę się, że umiera ze strachu. Masz. – Podaje mi swoją komórkę, już wybrała numer z listy.

Ręce mi się trzęsą. Hayden odbiera natychmiast.

– Nic ci nie jest?

– Nie. – Drży mi głos, nie tylko ręce. – Wszystko w porządku.

– Co się stało?

– Wdarli się tu jacyś ludzie i próbowali porwać Sabinę.

– Udało im się?

– Nie. Jest bezpieczna.

– Dzięki Bogu. – Wzdycha z ulgą. – Czułem, że stało się coś złego, więc zadzwoniłem na policję.

– Jeszcze nie przyjechała – mówię. – Ale udało nam się przepędzić drani.

– Jestem w drodze do domu – mówi. – Natychmiast wskoczyłem do auta. Niedługo przyjadę.

– Dziękuję. – Czuję taką ulgę, że jestem gotowa się rozbeczeć. – Śpiesz się.

– Nie zniósłbym, gdyby wam coś się stało – mówi zmienionym głosem. – Kocham cię, Ayesho.

– Ja też cię kocham – odpowiadam.

Marzyłam o takim wyznaniu, chciałam je usłyszeć i chciałam je wypowiedzieć. Dzisiaj emocje są zbyt wielkie. Jestem wycieńczona. Kończę rozmowę i oddaję Crystal telefon.

– Co u Haydena? – pyta.

– Właśnie wraca.

– To dobrze.

– Najważniejsze to teraz opatrzyć Joy.

Na jej twarzy jest krew. Włosy są posklejane krwią i pobrudzone ziemią.

– Czuję się nieszczególnie – mówi Joy z typowo brytyjską flegmą.

Zostawiam Sabinę na kolanach Crystal, a sama przygotowuję czysty ręcznik i miskę ciepłej wody. Linię włosów Joy przecina brzydka rana, w dodatku rośnie jej wielki guz.

– Powinnyśmy cię zabrać do szpitala i upewnić się, że nie masz poważniejszego urazu. Może potrzebne jest zszycie rany.

– Nie, nie. – Opędza się ode mnie. – Nic mi nie będzie.

Joy powinna przynajmniej poleżeć w ciepłej kąpieli i zrelaksować się, inaczej trudno jej będzie się ruszać, ale boję się zostawić ją samą, zwłaszcza w wannie pełnej wody.

– Pozwolisz, że pomogę ci się umyć i położyć? – pytam ją.

– Nie jestem dzieckiem – sarka, ale widzę, jaka jest blada. – Potrzebuję tylko mocnej herbaty.

– Wstawiam wodę – zapowiada Crystal. – Nie wiem jak wy, ale ja doleję sobie brandy. Jestem zupełnie rozdygotana.

– Dobry pomysł – mówi Joy. – Dla mnie podwójna porcja.

Crystal znika w salonie i wraca z zakurzoną butelką i trzema kieliszkami.

– Dawno nie było takiej potrzeby. – Stawia kieliszki na stole i je napełnia.

Sabinie podaje szklankę soku. Wręcza Joy brandy, drugą porcję przysuwa do mnie. Chcę jej zwrócić uwagę, że nie piję alkoholu, ale widać na wszystko jest właściwa pora i miejsce. Biorę więc brandy bez protestu.

Crystal podnosi swój kieliszek, a ja i Joy ją naśladujemy.

– Za nas. Kobiety bez strachu i bez skazy.

– Strasznie się bałam – przyznaję.

– Wszystkie się bałyśmy, ale jakie to ma znaczenie? – I nagle zaczyna chichotać. – Kopa w jaja? Skąd, u licha, znasz takie słowa, Ayesho?

– Od Bridget Jones – mówię i nagle robi nam się bardzo wesoło.

– A nasza Joy? Śmiertelnie niebezpieczna i perfidnie pomysłowa.

Joy podnosi kieliszek i z zadowoleniem przyjmuje pochwały.

– Byłyśmy przerażone. I należymy do słabszej płci. Ale zwycięstwo należy do nas – kontynuuje Crystal. – Jesteśmy wojowniczkami ninja. A chociaż trzęsły się nam kolana, dałyśmy popalić trzem bykom. Podkulili ogony i uciekali, aż się za nimi kurzyło. To zasługuje na toast.

– Za nas! – wołamy chórem. – Bez strachu i bez skazy!

– Miejmy nadzieję, że już nigdy nie zakłócą nam spokoju – mówi tryumfalnie Crystal.

Brandy przyjemnie piecze mnie w gardle. Mniej przyjemna jest myśl, że to tylko pobożne życzenie. Zbiry wrócą.

Rozdział siedemdziesiąty piąty

Jeszcze nie skończyłyśmy, a już słychać gwałtowne pukanie do drzwi. Wszystkie się podrywamy.

– Ja pójdę. – Crystal podnosi się z miejsca. – Wy zostańcie.

Przez głowę przelatuje mi myśl, że powinnam wyciągnąć nóż ze stojaka, ale Sabina siada mi na kolanach i chowa buzię w moim ramieniu, więc nie chcę jej straszyć. Mocno ją tulę. Nikt mi jej nie odbierze, chyba że odrąbie mi ręce. Joy staje przed nami i zasłania nas własnym ciałem.

Crystal wraca w towarzystwie dwóch policjantów. Wyjaśniają, że wezwał ich pan Daniels.

– Trochę za późno – mówi Crystal. – Bandyci zdążyli uciec. – Relacjonuje im, co się działo, a oni robią notatki i współczująco kiwają głowami.

Wyjaśniam, w jakiej znalazłam się sytuacji, i zeznaję, że mężczyźni najprawdopodobniej zostali wysłani przez mojego męża i mieli porwać Sabinę, a może też i mnie. Policjanci zapowiadają, że wezwą Suresha na przesłuchanie. Wolałabym, żeby tego nie robili, bo wścieknie się jeszcze bardziej. Obiecują mi ochronę prawną. Cóż, nie zawsze to jest skuteczne.

Policjanci przyglądają się Joy i są wyraźnie zaniepokojeni. Próbują ją namówić na wizytę w szpitalu, ale bezskutecznie. Joy trzęsie się, jest blada jak ściana, bo pierwszy szok pomału ustępuje. Pomagam jej usiąść, bo chwieje się na nogach. Była dzielna, ale wysiłek kosztował ją więcej, niż chce po sobie pokazać.

Policjanci oglądają ogród i wyłamaną furtkę. Mówią, że kamery od ulicy zostały rozbite lub przestrzelone z wiatrówki, a furtkę wyważono łomem.

Nieważne, jakie zabezpieczenia wymyśli Hayden, nic nie powstrzyma zdeterminowanych bandytów.

Po półgodzinie policjanci odjeżdżają, zapowiadając, że kolejna ekipa będzie zbierała odciski palców i dokumentowała ślady włamania. Nie wiem po co, skoro nie ma wątpliwości, kto za tym stoi. Nic nie powstrzyma Suresha.

Kiedy Crystal odprowadza policjantów do drzwi, przed dom zajeżdża Hayden.

Biegniemy mu z Sabiną na spotkanie. Nie wiem, która z nas jest bardziej uradowana. Hayden wpada do kuchni, jest przybity. Obejmuje mnie mocno.

– To moja wina – mówi.

– Skądże – zapewniam. – Nie mów głupstw.

– Nie powinienem cię zostawiać samej.

– Nie byłam sama. Miałam Joy i Crystal. Dom jest otoczony wysokim murem i ma monitoring. Wydawało się, że nic nam nie może grozić.

– Opowiedz dokładnie, co tu się działo.

Nie pomijam żadnych szczegółów i wychwalam pod niebiosa bohaterstwo Joy i Crystal. Bez nich byłabym zgubiona. Przechodzi mnie dreszcz grozy.

– Wiedziałam, że dzieje się coś okropnego, gdy usłyszałam krzyk Sabiny.

– Sabina krzyknęła? – Patrzy z niedowierzaniem raz na mnie, raz na nią.

– Musiałam. – Mała włącza się do rozmowy. – Strasznie się bałam, Haydenie.

– Och, mój Boże! – Pada przed nią na kolana. Uśmiecha się od ucha do ucha. – Powiedz coś jeszcze!

Sabina nagle się zawstydziła.

– Nie wygłupiaj się – prosi ze śmiechem.

– Jedyna dobra rzecz w tej sytuacji, to że moja córka odzyskała głos.

– Amen – dodaje Joy.

Odwracam się do niej i dostrzegam, że jest szara na twarzy.

– Musisz odpocząć, Joy. – Kładę jej rękę na ramieniu. – Pomogę ci w kąpieli, a potem się położysz. Poczujesz się lepiej.

Ku memu zdziwieniu odstawia brandy i kiwa głową.

– Dobrze, chodźmy.

– Zajmiecie się Sabiną? – proszę Crystal i Haydena. – Nie spuścicie jej z oczu?

Hayden bierze Sabinę na kolana.

– Musimy się lepiej poznać. Teraz, skoro już Sabina mówi, zamierzam ją o wszystko wypytać.

– Zaraz wrócę – zapowiadam, ale nie chcę popędzać Joy.

Zasługuje na to, żeby poświęcić jej szczególną uwagę i troskę.

Na schodach podtrzymuję Joy. Porusza się z trudem. Obawiam się, że uderzenie w głowę było mocniejsze, niż nam się zdawało.

Zabieram ją do głównej łazienki, a ona poddaje się moim zabiegom bez protestu. To duże pomieszczenie ze staromodną wanną na czterech nogach w kształcie łap, stojącą pośrodku. W pobielanej dębowej podłodze wmontowano oświetlenie. W rogu stoi miękki fotel.

Zamykam drzwi, a Joy przysiada na brzegu wanny.

– Trochę mi się kręci w głowie – przyznaje, przykładając dłoń do czoła.

– Nie chcę cię zostawiać samej, Joy. Pozwolisz mi zostać?

Kiwa głową w milczeniu. Odkręcam kurki i puszczam wodę do wanny, po czym pomagam jej zdjąć brudne i zakrwawione ubranie.

– Bolą mnie wszystkie kości – przyznaje.

Próbuje rozpiąć guziki bluzki, ale palce jej zesztywniały, więc robię to za nią. Zazwyczaj wydaje się krzepka i żywotna, jednak teraz garbi się i sprawia wrażenie bardzo zmęczonej.

– Walczyłaś o moją córkę jak lwica – mówię. – Jestem ci nieskończenie wdzięczna.

– Każdy by to zrobił na moim miejscu. To dziecko zasługuje, by o nie walczyć.

Boję się, że mój mąż też doszedł do podobnego wniosku.

– Myślałam, że ją porwą. – Joy nagle się rozkleja i zaczyna płakać. Przytulam ją. – Bałam się, że nam się nie uda.

– Ale się udało – przypominam. – Dzięki tobie.

– Po wszystkim człowiek sobie uświadamia, jak to się mogło skończyć. – Szuka chusteczki do nosa, a ponieważ gdzieś ją zgubiła, podaję jej papier toaletowy. Wyciera oczy. – Głupia starucha ze mnie – zrzędzi.

– Wszystkie się przeraziłyśmy. Nie chciałabym tego przeżyć jeszcze raz. – Za drugim razem wynik mógłby być inny. Jak mam ochronić Sabinę? To okropne uczucie. – Kąpiel prawie gotowa – mówię. – Zaraz poczujesz się lepiej.

– Gorzej już bym nie mogła – przyznaje wreszcie.

Zdejmuje buty, pomagam jej ściągnąć spodnie. Trochę się waha przy majtkach, ale pozwala się podtrzymać. Nigdy nie widziałam jej tak bezbronnej, w tak kiepskim stanie. Pod butami na płaskim obcasie i bluzkami konserwatywnej pani domu kryje się krucha, stara kobieta. Owijam ją w ciepły ręcznik i razem czekamy, aż wanna wypełni się po brzegi.

Potem pomagam jej zanurzyć się w wodzie. Wyciąga się w wannie z głośnym westchnieniem. Dolałam sporo płynu do kąpieli, żeby powstała piana. Nie będzie się czuła obnażona. Biorę gąbkę i myję jej ramiona i plecy. Potem podtrzymuję głowę, najdelikatniej jak mogę, i spłukuję krew z włosów. Woda robi się różowa. Joy ma cienkie, rzadkie włosy, prześwituje przez nie biała skóra. Nic dziwnego, że wystarczył jeden cios, a pękła tak boleśnie.

Siadam w fotelu i obserwuję Joy, gdy przymyka oczy i cieszy się kąpielą. Woda działa kojąco i ją uspokaja. Długa drzemka powinna postawić Joy na nogi, tak myślę.

Kiedy wreszcie jest gotowa, pomagam jej wyjść z wanny i osuszam ręcznikiem. Wycieram włosy. W szafce znajduję opatrunek, który przyklejam na ranę. Na szczęście już nie krwawi. Owijam Joy w suchy ręcznik, jak to robię z własną córką, i prowadzę do sypialni. Tam siada na łóżku i wzdycha.

– Gdzie masz nocną koszulę, Joy?

– Tutaj. – Wskazuje na szufladę.

Wyciągam czystą koszulę nocną i pomagam ją włożyć przez głowę. Wreszcie otulam Joy kołdrą. W swoim łóżku sprawia wrażenie małej i niepewnej siebie. Bardzo jej współczuję, nigdy nie zauważałam jej wieku, a teraz jest oczywisty. Przykro mi, że to wszystko stało się z mojego powodu.

– Posiedzieć z tobą, dopóki nie zaśniesz?

– Mowy nie ma. Zamartwiałabyś się o Sabinę. Potrzebuje cię bardziej niż ja.

– Przyniosę ci później talerz gorącej zupy.

– Zjem z przyjemnością.

– Dziękuję, Joy. – Całuję ją w czoło i poprawiam kołdrę.

Łapie mnie za rękę.

– To ja dziękuję tobie, Ayesho. Ubogaciłaś nasze życie.

Chce mi się płakać, bo mówiąc szczerze, nie wiem, jak długo zostanę w tym gościnnym domu.

– Śpij dobrze, droga przyjaciółko – mówię.

Na palcach podchodzę do drzwi, a gdy je zamykam, dobiega mnie ciche pochrapywanie.

Rozdział siedemdziesiąty szósty

Jestem bardzo zmęczona. Dziś wieczorem nie mam ochoty sprawdzać, jakie jeszcze nieszczęścia ma w zanadrzu Karol Dickens dla biednego Pipa, chociaż już prawie kończymy książkę.

Leżymy na kanapach w salonie. Hayden, Sabina i ja na jednej, przytuleni do siebie, a na drugiej Crystal i Edgar. On trzyma jej głowę na kolanach i pieszczotliwie głaszcze włosy. Mamy na sobie piżamy. Pierwszy raz pozwoliłam sobie na nocny strój w towarzystwie obcych ludzi. Okazuje się, że nawet taka niewielka rzecz może uprzyjemniać życie, stwarzać poczucie komfortu. W telewizji jest film o tańczących pingwinach, ale żadne z nas go nie ogląda. Moje myśli są ciężkie, pełne zgryzot, jednak staram się ich nie ujawniać.

Kładę głowę na ramieniu Haydena, a on całuje mnie w łuk brwiowy, i jest w tym geście żar i niepokój.

Od powrotu do domu chodzi za mną krok w krok. Powiedział parę słów o pojednaniu z rodzicami, poszło gładko. Żałuję, że musiał wracać wcześniej, niż planował, ze względu na wydarzenia w domu.

Wcześniej zaniosłam Joy talerz rosołu, a ona zjadła z apetytem. Z ulgą dostrzegłam, że wygląda lepiej, ale bardzo rozsądnie zdecydowała się zostać w łóżku.

– Jeśli Joy do jutra nie odzyska pełni sił, powinniśmy ją zabrać do lekarza.

– Mam prywatną opiekę – mówi Hayden. – Zamówię wizytę domową. Będę spokojniejszy, jeśli lekarz obejrzy Joy.

– To dobry pomysł. Ostrożności nigdy za wiele. – Robi mi się słabo na myśl o potencjalnych nieszczęściach, które nam groziły. Każdy z bandziorów mógł poważnie zranić Joy, Sabinę, Crystal albo mnie. A gdyby mieli noże albo pistolety? Następnym razem mogą przyjść uzbrojeni. Kto nas wtedy obroni?

– Nie martw się. Nic jej nie będzie – uspokaja mnie Hayden. – Zadbam o to.

– Dziękuję. – Klepię go po ręce.

Mam na ciele siniaki i zadrapania. Myślałam, że już nigdy nie będę poobijana, ale to i tak nic w porównaniu z tym, jakie ślady zostawiał mi mój mąż. Wspomnienia nadal bolą, nawet jeśli nie jest to już ból fizyczny. Sabina ma siniaka na ramieniu, gdzie zbir, który ją wlókł za sobą, mocno je ścisnął. Z ulgą myślę, że to jedyna przemoc, której doświadczyła. Mogło być dużo gorzej. Odtwarzam w pamięci ostatnie wypadki i tak mnie przepełnia niepokój, że nawet tańczące pingwiny nie są w stanie go rozproszyć.

Oglądamy film do końca. Sabina zaczyna ziewać.

– Połóżmy się wcześniej – proponuję.

– Padam na nos – wtóruje mi Crystal i przytula się do Edgara.

Jest mężczyzną, na którego ramieniu może się wesprzeć, silnym i opiekuńczym. Bardzo się z tego cieszę. Znalazła w sobie odwagę i opowiedziała mu o swojej przeszłości, a on nadal z nią jest. Dowiódł mi, że jest porządnym facetem, cieszę się, że moja wiara nie była źle ulokowana. Edgar odnosi się do Crystal z szacunkiem i czułością. Lubię na nich patrzeć. Będzie ją kochał i chronił, nie mam wątpliwości.

A co ze mną? Jestem pewna miłości Haydena, ale czy będzie w stanie mnie obronić? Nikt i nic nie ocali mnie przed zemstą Suresha. W żołądku czuję ciężar zimnego, mdlącego strachu. Nie rozpuścił się w gorącej czekoladzie.

Hayden wyłączył telewizor, idziemy spać. Edgar w tym tygodniu nie gości swojej córki, więc nocuje u nas. Wszyscy całujemy się na dobranoc i rozchodzimy do pokoi.

Sabina jest tak zmęczona, że pozwalam jej położyć się do łóżka bez kąpieli. Weźmie prysznic rano.

Kładziemy się razem: Hayden z brzegu, ja w środku, Sabina z drugiej strony.

– Dobranoc, moja śliczna – mówię do niej.

– Dobranoc, mamo – odpowiada.

Już to wystarczy, abym miała chęć rozpłynąć się we łzach radości. Tak długo obawiałam się, że blokada psychiczna nie ustąpi, że już nigdy nie usłyszę jej słodkiego głosu, tymczasem Sabina mówi, jakby nigdy nie przestała.

Hayden przechyla się nade mną i daje jej całusa na dobranoc.

– Dobranoc, Sabinko. Kocham cię.

– Dobranoc, Haydenie. I ja cię kocham.

Jest wzruszony, ale ukrywa łzy.

Moja córka zasypia, kciuk wędruje do buzi, a ja nie zamierzam jej tego zabraniać. Parę chwil później oddycha głęboko i spokojnie. Jest już w krainie snów.

Hayden podłożył ramiona pod głowę. Przytulam się do niego, kładę mu głowę na piersi. Ma ciepłą skórę, słyszę miarowe uderzenia jego serca. To jednak nie zmniejsza mojego lęku.

– Ma piękny głos – mówi miękko.

– W moich uszach brzmi jak muzyka.

– Czy czuje się dobrze? – pyta mnie przyciszonym głosem. – Wiesz, naprawdę dobrze?

– Tak mi się wydaje. Jak na razie ostatnie wydarzenia nie zostawiły śladu.

– I znowu mówi. Nie mogłem uwierzyć własnym uszom.

– Spadł mi kamień z serca – przyznaję. – To cud, bez dwóch zdań. W ogromnej mierze dzięki tobie. Wszystkie lekcje śpiewu, podczas których odzyskiwała głos, teraz przyniosły efekt.

– Kocham ją – mówi tak po prostu. – Tak samo, jak kocham ciebie. W tym krótkim okresie, gdy z nami mieszkacie, uratowałyście mi życie. Byłem całkiem zagubiony, a wy wskazałyście mi drogę. Znowu komponuję. Mam nawet energię, by zmierzyć się po raz wtóry z wielkim, złym światem.

To prawda, świat jest wielki i zły. Nie chcę teraz myśleć, jakie to będzie miało skutki dla naszej prywatności.

– Wiem, co cię trapi. – Podnosi rękę. – Pierwsze, co zrobię jutro rano, to zadzwonię do firmy ochroniarskiej i dowiem się, jak wam zapewnić maksimum bezpieczeństwa. Obiecaj mi, że nie będziesz się martwiła.

– Obiecuję. – Ale lęk mnie nie opuszcza. – Przytul mnie mocno, proszę.

Chciałabym zostać tutaj, w jego objęciach, na resztę życia.

– Nie pozwolę, żebyś kiedykolwiek czuła się zagrożona – mówi Hayden.

Ale ja się boję. I nic na to nie mogę poradzić.

Rozdział siedemdziesiąty siódmy

Rano Joy gospodaruje w kuchni, obudziła się przed nami. Ma na skroni wielkiego fioletowego siniaka - dowód jej bohaterstwa . Zmieniła opatrunek na głowie, ale krew z rany wciąż się przesącza. Przed sobą na stole położyła świeże tosty i słoiczek miodu.

– Zamierzałam podać ci śniadanie do łóżka – mówię. – Co tu robisz tak wcześnie?

– Czuję się znacznie lepiej – upiera się. – Nie zawracaj sobie głowy.

– Oszczędzaj się, Joy. Mocno oberwałaś. Nie powinnaś tego bagatelizować, jak to masz w zwyczaju. Może ci się zakręcić w głowie, przewrócisz się i zrobisz sobie krzywdę.

– Nie chcę tkwić bezczynnie w domu. W ośrodku mogę pogadać z przyjaciółmi, a tutaj od razu by mnie ciągnęło do ogrodu.

– Policjant uprzedził, byśmy niczego nie ruszali, dopóki teren nie zostanie starannie przeszukany. – Za przeszklonymi drzwiami widać gliniane skorupy, grudy ziemi i krew Joy na tarasie. Odwracam wzrok.

– Właśnie dlatego nie powinnam się tu kręcić. Zapytam Edgara, czy mnie podwiezie.

– Dobry pomysł. Wróć do domu wcześniej, gdybyś poczuła zmęczenie lub słabość. Hayden chce ci zamówić lekarza.

– Wy, młodzi, ze wszystkiego robicie problem – gdera Joy.

Miło widzieć, że wraca do formy. Mam tylko nadzieję, że naprawdę odzyskała wigor, a nie udaje ze względu na mnie.

Sabina bierze prysznic, więc robię jej śniadanie. Parę minut później Hayden schodzi do kuchni. Jest starannie ubrany, jak do wyjścia.

– Jak się miewasz, Joy? – pyta.

– Dobrze. Nie potrzebuję tego twojego doktora.

Hayden szuka we mnie wsparcia, ale wzruszam ramionami.

– Musisz mi powiedzieć, gdy zauważysz u siebie nietypowe objawy – nalega.

– Dobrze. – Joy niechętnie się zgadza.

Hayden jest wystylizowany. Włożył dżinsy i podkoszulek, ale dość oryginalne, bardziej odlotowe niż zazwyczaj. Wygląda jak z reklamówki w telewizji. Crystal powiedziałaby, że jak hipster. Ma na głowie wełnianą czapkę, a na niej ciemne okulary. Pierwszy raz, odkąd go znam, przypomina mi gwiazdę pop. Czuję niepokój.

– Śpieszysz się?

– Zapomniałem powiedzieć, że mam spotkanie. – Robi skruszoną minę. – Ze swoją starą ekipą. Myślałem nawet, żeby je odwołać…

– Musisz pójść – przerywam mu zdecydowanie.

– Nie chcę cię zostawiać. Chodź ze mną.

– To twoja praca. Nie ma tam miejsca dla mnie. Pewnie będziecie omawiać swoje sprawy.

– To prawda – przyznaje. – Ale szybko wrócę i wszystko ci opowiem. Przedstawiciele firmy ochroniarskiej przyjdą o drugiej, by rozejrzeć się po posesji. Będę wcześniej.

– Masz czas na śniadanie?

– Proszę czarną kawę. Nic więcej. – Uśmiecha się. Nigdy nie widziałam go tak podekscytowanego, cały promienieje. – Denerwuję się, jeśli mam być szczery.

To mnie martwi. Mam wrażenie, że oddala się od nas. Tracę go.

Pomyślę o tym później. Teraz nalewam mu kawy. Wypija ją na stojąco, duszkiem. Sabina przychodzi tuż przed jego wyjściem. Porywa ją na ręce.

– Do zobaczenia, Sabinko. Opiekuj się mamusią.

– Dobrze – obiecuje moja córka.

– Siemka, żabko. – Przybija jej piątkę.

– Siemka, koleś – odwzajemnia się Sabina.

– Trzymaj za mnie kciuki – prosi mnie Hayden.

– To ci niepotrzebne.

Znika za drzwiami, a ja zostaję, przepełniona niepokojem.

Teraz schodzą na śniadanie Edgar i Crystal, dwa gruchające gołąbki.

– Dzień dobry! – Crystal opada na krzesło, jednocześnie podkradając kawałek tostu z talerza Joy. Dostaje za to po łapie.

– Cześć. – Edgar sprawia wrażenie zawstydzonego. Pierwszy raz pojawił się na śniadaniu w naszym domu.

– Dokąd to popędził nasz pan i władca o tej rannej porze? – pyta Crystal, przełykając ukradziony kęs tosta.

– Ważne spotkanie ze starą ekipą – powtarzam słowa Haydena.

– Za wcześnie. – Kręci głową. – Dopiero wyszedł z dołka. Co on sobie myśli? Niepotrzebny mu cały ten zgiełk.

– A ja myślę, że potrzebny – upieram się.

– Teraz powinien się zająć tobą i Sabiną.

– Kawy? Więcej grzanek? – Zmieniam temat, bo o czym tu dyskutować.

– Jedno i drugie – odpowiada Crystal. – Mam wilczy apetyt. – Przyciąga mnie do siebie. – A ty jak się dzisiaj czujesz?

– W porządku.

– Nie panikujesz?

– Nie. Nie.

– Kłamczucha – mówi, ale zaraz odwraca się do Sabiny. – A jak moja mała panienka?

– Jestem szczęśliwa – oznajmia Sabina.

– Cieszę się. Ciekawe, co powiedzą twoje koleżanki, gdy usłyszą, że mówisz. Kapcie im spadną z wrażenia!

Mała uśmiecha się rozbawiona.

– Jeśli pozwolisz, przejdę się dziś z wami do szkoły – zapowiada Crystal. – Masz jakieś plany na przedpołudnie?

– Nie.

– Chciałabym ci coś pokazać, dopiero później pójdę do pracy.

– Edgarze, czy mógłbyś mnie podwieźć do ośrodka? – pyta Joy.

– Kobieto, nie powinnaś wstawać z łóżka – burczy na nią Crystal. – Powiedz jej coś, Ayesho.

– Już mówiłam.

– Nie ma najmniejszego powodu, żeby mnie niańczyć – upiera się Joy. – Robicie wiele hałasu o nic.

– Miej na nią oko, Edgarze – przykazuje mu Crystal, chrupiąc grzankę. – Jesteś za nią odpowiedzialny.

– Postaram się stanąć na wysokości zadania – obiecuje Edgar.

– Rozmawiacie o mnie, jakbym nie siedziała między wami – narzeka Joy. – Nie jestem głucha ani zdziecinniała.

– Kochamy cię, głuptasie. – Crystal kradnie jej sprzed nosa następny kawałek tosta. – Nie lubię miodu. Czemu nie smarujesz dżemem, jak normalni ludzie?

– Miód jest zdrowy – stwierdza Joy.

– Podobnie jak byczenie się w łóżku, gdy człowiek oberwał w łeb od chuligana – zauważa Crystal. – A tego nie chcesz zrobić.

Podaję kawę i nową porcję tostów.

– Za pięć minut czas do szkoły – przypominam.

– Już kończę. Sabina nie może się spóźnić z powodu ciotki grzebuły.

Crystal przełyka ostatni kęs, wstaje, cmoka Joy w policzek, a Edgara całuje namiętnie w usta.

– Sabino – mówię – włóż buty.

Mała kończy pić mleko i posłusznie odchodzi od stołu.

Szczerze mówiąc, nie chcę jej zostawiać w szkole. Wolałabym jej pilnować w domu. Do tej pory niebezpieczeństwo miało dla mnie twarz Suresha. Teraz już wiem, że cios może zadać nieznajomy. Nie chcę mijać przechodniów na ulicach i zastanawiać się, który jest zbirem wynajętym przez mojego męża. Chcę mieć ochroniarzy i kamery śledzące każdy mój krok. Dopiero wtedy poczuję się bezpiecznie. Jednak, po zastanowieniu, zadaję sobie pytanie, czy naprawdę chcę żyć w ten sposób? Przecież mam zapewnić córce spokojną normalność.

– Jestem gotowa, mamo. – Sabina ma na nogach buty, a na ramieniu plecak Hello Kitty.

Uśmiecha się radośnie. Zapomniała już o wczorajszych kłopotach.

Niestety, ja nie mogę zapomnieć.

Rozdział siedemdziesiąty ósmy

W szkole idę z Sabiną do klasy i proszę wychowawczynię, panią Baranek, o parę chwil rozmowy. Opowiadam w skrócie, co wydarzyło się wczoraj. Wyjaśniam, dlaczego drżę o bezpieczeństwo dziecka. Upewniam się, że szkoła nie wyda Sabiny nikomu obcemu – tylko ja, Crystal i Hayden mamy prawo ją odbierać. Nauczycielka okazuje pełne zrozumienie i ogromnie się cieszy na wiadomość, że moja córka pod wpływem szoku zaczęła mówić.

Nie mogę dłużej zwlekać. Zostawiam Sabinę pod opieką nauczycielki. Mała sprawia wrażenie zadowolonej z życia i wesoło paple z przyjaciółkami, które uważają za zupełnie naturalne, że między nimi pojawiła się kolejna katarynka.

Dołączam do Crystal na boisku, idziemy, trzymając się pod rękę.

– Głowa do góry – mówi. – Nasza mała sobie poradzi.

– Martwię się – przyznaję. – Z trudem spuszczam ją z oczu. Może powinnam zostawić ją w domu, dopóki nie złapią porywaczy.

To ostatni tydzień przed końcem roku, nie chcę, żeby straciła ten czas, ale nie mogę oprzeć się wrażeniu, że zbyt wcześnie przyprowadziłam ją do szkoły. W końcu co znaczy kilka opuszczonych lekcji? Boję się, że na siłę wracam do normalności.

– Policja może nigdy nie złapać tych sukinsynów – mówi Crystal. – Zresztą wiemy, kto jest ich zleceniodawcą. Trzeba go wsadzić do więzienia.

– Wiem.

– Może powinnyśmy napuścić na niego Joy z jej śmiercionośną doniczką?

Udaje mi się roześmiać. Dociera do mnie, że Suresha mogę pokonać jedynie na drodze sądowej. Ale czy powstrzyma go zakaz zbliżania się do nas? To człowiek, który prawo ma za nic. Jeśli będzie chciał porwać mnie i Sabinę, zrobi to, niezależnie od konsekwencji.

Gdy oddalamy się od szkoły, moją uwagę zwraca lśniący czarny samochód z przyciemnianymi szybami, który niespiesznie jedzie ulicą. Zwalnia tuż przy nas. Mam duszę na ramieniu. Gapię się w szyby, choć wiem, że nic nie zobaczę. Zatrzymuję się i szarpię Crystal za ramię.

– O co chodzi?

– To auto. Śledzi nas?

– Nie wiem. Chyba nie.

A jeśli to kolejni najemnicy Suresha? Czy spróbują porwać Sabinę na przerwie ze szkolnego boiska?

– Chyba już widziałam ten wóz przed szkołą – zastanawia się Crystal. – Czy to nie jest mamusia tej tam...?

Samochód zatrzymuje się przy krawężniku i gdy walczę z odruchem, żeby popędzić do szkoły i zabrać stamtąd Sabinę, ze środka auta wyskakuje dziewczynka w mundurku i biegnie do szkolnej bramy.

– Jest spóźniona – zauważam, a krew pulsuje mi w skroniach.

– Pięć minut – odpowiada Crystal. – Nie możesz trzymać Sabiny pod kloszem przez dwadzieścia cztery godziny na dobę. Musi prowadzić normalne życie. Jeśli każdy cień zacznie cię przyprawiać o atak paniki, twoje dziecko będzie się bało wszystkiego. Nie mówiąc o tym, że któregoś dnia szlag cię trafi. A przecież musisz być zdrowa i silna.

Jestem spocona. Zimny pot łaskocze mnie w okolicach kręgosłupa. Paraliżuje mnie strach.

– Co mam robić? – pytam rozpaczliwie.

– Zrobimy dziś naradę wojenną z Haydenem – zapowiada. – Co trzy głowy, to nie jedna. Nie martw się. Nic się nie stanie ani tobie, ani Sabinie.

Nadal jestem spłoszona. Rozglądam się na wszystkie strony; mam wrażenie, że ktoś mnie śledzi.

– Czeka nas długi spacer – zauważa Crystal. – Dasz radę?

Jest piękna, słoneczna pogoda, na niebie ani jednej chmurki. Dobrze mi zrobi przechadzka. Uspokoi nerwy.

– Tak, chętnie się rozruszam. A dokąd idziemy?

– Zobaczysz – odpowiada zdawkowo.

Przecinamy Rosslyn Hill i zapuszczamy się w boczne zaułki. Po drodze plotkujemy o Edgarze i zastanawiamy się, jaka jest szansa, że Joy wybierze się do synów.

Wreszcie po półgodzinie Crystal staje pod wysoką kutą bramą.

– Jesteśmy na miejscu.

Zadzieram głowę i odczytuję tabliczkę. CMENTARZ HAMPSTEAD.

– Chciałam cię przyprowadzić do Maksa Juniora.

Wymieniamy wymowne spojrzenia, ściskam ją za ramię. Idziemy alejkami dobrze utrzymanego miejskiego cmentarza. Jest tu bardzo zielono. Joy z pewnością by nam powiedziała, jak się nazywają poszczególne drzewa.

– Jaki spokój – mówię.

– Tak – wzdycha Crystal. – Może to dziwne, ale lubię tu przychodzić. Siedzę i rozmawiam z Maksem. Opowiadam mu o tym, co moglibyśmy dzisiaj robić, gdyby żył.

Skręcamy w wąskie przejście i po paru metrach Crystal się zatrzymuje.

– Tu jest. Moje dziecko.

Mały biały kamień nagrobny z wyrzeźbionym na płycie pluszowym misiem. MAX COOPER. A pod nazwiskiem daty, w których się zawarło jego krótkie życie. Na grobie leżą białe goździki. Crystal poprawia je i grucha coś cicho do małego chłopczyka, który spoczywa w ziemi. Mam ochotę płakać.

– Kupiłam kwiaty kilka dni temu. Bałam się, że zwiędły, ale trzymają się nieźle.

– Są bardzo ładne. Też bym przyniosła, gdybym wiedziała, dokąd idziemy.

Siadamy na ławeczce przy grobie, w cieniu rozłożystego drzewa.

– Nie chciałam robić zamieszania. Uznałam, że zgodzisz się, by mi towarzyszyć. Ostatnio opowiadałam Edgarowi o Maksie, więc teraz ciągle o nim myślę.

Nie oznacza to, że wcześniej o nim nie pamiętała.

– Będziesz miała kolejne dzieci, Crystal.

– Mam nadzieję. Ale żadne z nich nie zastąpi Maksa. Miałyby starszego brata. A ty, może też urodzisz kolejne dzieci? Jeśli o mnie chodzi, nawet brudne pieluchy mnie nie zniechęcą.

– Chciałam mieć więcej dzieci, ale jakoś nie wyszło.

– Całe szczęście – zauważa trzeźwo. – Z dwójką byś nie uciekła. Byłabyś uziemiona.

Wzdrygam się.

– Z Haydenem może ci się udać. Jest w świetnej formie. Założę się, że ma plemniki pierwszej klasy.

Jestem zaszokowana, ale nie mogę się powstrzymać od śmiechu, choć na cmentarzu nie przystoi takie zachowanie.

– Crystal, jesteś okropna.

– Ale to prawda. Nie mów mi, że ci to nie przeszło przez głowę. Widziałam, jakim łakomym wzrokiem na niego spoglądasz.

– Do szczęścia wystarczy mi Sabina. To jedyne dobro, jakie wyniosłam z małżeństwa z Sureshem. Zawsze będę za nią wdzięczna. Jest całym moim światem.

– Dziecko to największy skarb – mówi Crystal. – Nie ma nic gorszego niż jego utrata. Nie wiedziałam, jak mam żyć bez Maksa. A jednak człowiek potrafi się do wszystkiego przystosować.

– Jestem pewna, że czeka cię szczęście u boku Edgara.

– Obyś to wypowiedziała w dobrą godzinę. Tobie życzę tego samego. Oczywiście z Haydenem.

Nie wiem, czy to możliwe. On marzy o rzeczach, które nie staną się moim udziałem. Jeśli wróci do dawnego życia, Sabina i ja staniemy się obiektem zainteresowania wścibskich dziennikarzy. Nie mogę narażać Sabiny dla niczyjego dobra, nawet Haydena. Ona jest moim absolutnym priorytetem. Powinnam się dla niej poświęcić. Nie mogę prosić go o to samo. Nie powinien się dla nas wyrzekać sławy i fortuny. Nie chcę go skazywać na wieczne życie w ukryciu. Skoro poczuł, że odzyskał siebie, kim jestem, aby mu to odbierać?

Crystal przymyka oczy i opiera głowę o drzewo. Powiew wiatru przyjemnie nas chłodzi. Wpatruję się w dal, jakbym mogła zobaczyć przyszłość. I przez chwilę wydaje mi się, że coś mi świta. Jeśli zostanę z Haydenem, podejmę ryzyko, którego się boję.

I nagle, w jednej chwili, wiem, co muszę zrobić.

Rozdział siedemdziesiąty dziewiąty

Spędzamy godzinę nad grobem małego Maksa, potem Crystal spieszy się do pracy. Idziemy razem na Hampstead High Street i zatrzymujemy się koło salonu Na Wysoki Połysk.

– Masz swoje ubranko?

– W torbie – mówi. – Zaraz się przebiorę.

– Dziękuję, że zabrałaś mnie do Maksa. – Nie jestem w stanie jej wyjaśnić, jak to mną wstrząsnęło. Gdybym musiała pochować Sabinę, jak Crystal swoje dziecko, chybabym padła trupem na jej grobie.

– Jest częścią mnie – wyjaśnia. – Stale noszę go w sercu, tak jak ciebie i Sabinkę.

Głos więźnie mi w gardle.

– Zawsze będziemy przyjaciółkami – zapewnia Crystal. – Niezależnie od tego, jak się potoczą nasze losy.

– Na śmierć i życie – obiecuję jej. – Pamiętaj. – Obejmuję ją mocno.

– Hej! – Przygląda mi się uważnie. – Jesteś pewna, że wszystko w porządku?

– Tak. – Uśmiecham się, choć miałabym ochotę się rozpłakać.

– Porozmawiamy później. – Głaszcze mnie po policzku, a ja przytrzymuję jej dłoń w swojej ręce.

Crystal jest najlepszą przyjaciółką, jaką miałam w życiu. Jest mi bliska jak rodzona siostra. Mam nadzieję, że wybaczy to, co zamierzam zrobić.

– Pędzę. Szefowa się wścieka, gdy klientka musi czekać. – Całuje mnie na pożegnanie. – Do wieczora.

– Do wieczora – powtarzam jak echo. – Kocham cię.

– Coś mi tu nie gra. – Crystal marszczy brwi. – Dziwnie się zachowujesz.

– Wszystko w normie – zapewniam. – Jestem tylko trochę smutna.

– Mam zadzwonić do Haydena, żeby wcześniej wrócił?

– Nie, nie trzeba.

– Przyniosę ciastka – obiecuje. – Słodycze zawsze poprawiają humor. Mam nadzieję, że Joy nie wykorkuje niespodziewanie. To by dopiero odebrało nam apetyt.

– Och, Crystal. – Będzie mi jej bardzo brakowało i z trudem się powstrzymuję, żeby tego nie powiedzieć.

Zerka przez ramię w kierunku salonu. Widzę, jaka jest rozdarta. Nie wie, czy powinna zostać ze mną, czy iść do pracy.

– Jest dobrze – zapewniam ją. – Czas na ciebie.

– Nie martw się. Jakoś się wszystko poukłada. Zaufaj Haydenowi. On nie pozwoli zrobić ci krzywdy.

Stoję i patrzę w ślad za nią. Macham do niej, gdy się ogląda. A kiedy znika w drzwiach salonu kosmetycznego, wracam do domu najszybciej, jak potrafię.

Wyjmuję spod łóżka torbę, z którą przyjechałam. W środku wciąż mam część pieniędzy pozwijanych w ruloniki. Liczę. Na szczęście wystarczy mi na to, żeby dojechać tam, gdzie się wybieram. Utykam mój majątek w kąciku torby, jak to zrobiłam tamtej nocy, gdy uciekałam od Suresha, pełna wiary, że nigdy nas nie znajdzie.

Mimo wszelkich wysiłków wytropił mnie i przyszedł po swoje. Raz jeszcze muszę zatrzeć za sobą ślady.

Szybko pakuję nasze rzeczy. Staram się zmieścić jak najwięcej ślicznych ubrań, które kupiła nam Crystal, ale miejsca jest niewiele. Muszę stąd zniknąć, zanim wrócą domownicy. Hayden, Joy czy Crystal nie puściliby mnie łatwo. Zaczęliby prosić, żebym z nimi została, a ja nie miałabym siły oprzeć się ich naleganiom, tym bardziej, że w głębi duszy o niczym innym nie marzę. Ale czy jest lepsze wyjście?

Sabina i ja jesteśmy w wielkim niebezpieczeństwie. Suresh wie, gdzie mieszkamy. Co mu przeszkodzi, by wysłać po nas kolejnych bandytów, tym razem silniejszych, bardziej bezwzględnych? Mężczyzn, którzy nie wystraszą się trzech kobiet, z których jedna jest dość leciwa. Mogą być uzbrojeni w noże lub pistolety. Tym razem miałyśmy szczęście, ale następny atak może się źle skończyć.

Im dłużej tu jestem, tym większe zagrożenie stwarzam dla wszystkich domowników. Hayden nie zasługuje na kolejne kłopoty. Dopiero co zaczął znów śpiewać, grać, komponować. Odzyskał dawne życie. Świat stoi przed nim otworem i życzę mu, żeby z tego skorzystał. Dobrze wiem, że muzyka jest dla niego ważniejsza niż ja i Sabina. Tworzenie i występowanie jest dla artysty tak niezbędne jak oddychanie – bez muzyki nie istnieje. Tymczasem ja i Sabina nie możemy żyć na świeczniku, to zbyt niebezpieczne. A skoro nie możemy z nim być, trzeba znaleźć inny sposób na życie.

Muszę ukryć Sabinę. Nie pozwolę, by spotkało ją nieszczęście. Powinnyśmy prowadzić cichy, anonimowy żywot z dala od Londynu. Może wtedy uda mi się uniknąć mściwych zakusów mojego męża.

Crystal będzie wściekła. Znam ją. Pomyśli, że stchórzyłam i uciekam przed problemami, zamiast się z nimi zmierzyć. Mam tylko nadzieję, że nadejdzie czas, gdy znowu się spotkamy. Wszyscy czworo. Będę za nimi straszliwie tęskniła. Dobrze, że Crystal ma Edgara. Wypełni w jej sercu miejsce po mnie.

Patrzę na zegar i zdaję sobie sprawę, że nie mam czasu do namysłu. Widzę swoje odbicie w lustrze. Crystal miała rację. Wyglądam dziś zupełnie inaczej. W lustrze widzę przerażoną kobietę o nieprzytomnym spojrzeniu. Myślałam, że zostawiłam ją daleko stąd. Ale nie, wróciła.

Upycham ciuchy na siłę. Biorę nawet spłowiały *salwar kamiz*, w którym przyjechałam do Londynu. Jak dawno to było… Byłam tu szczęśliwa. Bardzo szczęśliwa. Teraz pora ruszać w drogę. Tak musi być.

Sabina będzie zrozpaczona, mogę to przewidzieć. Nie wiem, jak poradzi sobie bez Haydena. W ciągu tych kilku miesięcy stał się dla niej ukochanym tatą, jakim nigdy nie był prawdziwy ojciec. Będzie za nim straszliwie tęskniła. Tak jak ja. Na samą myśl robi mi się niedobrze. Mogę się tylko modlić, żeby się znowu nie pogrążyła w milczeniu. Jeśli tak się stanie, nigdy sobie nie wybaczę. Wolę jednak, żeby była niema, ale żywa i zdrowa, niż narazić ją na porwanie albo coś gorszego, o czym nie chcę nawet myśleć. Staram się więc zapomnieć o wpływie stresu na mutyzm i działam zgodnie z planem.

Rozglądam się po pustej sypialni, serce mi się kraje. Zbiegam na dół do salonu. Na stoliku leży egzemplarz „Wielkich nadziei": to książka, którą z taką przyjemnością czytywaliśmy z Haydenem. Szkoda, że nie doczytamy jej do końca. Czuję mdłości, kolana się pode mną uginają. Jestem fizycznie chora na myśl o rozstaniu. Myślę o tych wszystkich godzinach, podczas których cierpliwie uczył mnie, jak doskonalić czytanie, jak być z siebie dumną. To dowodzi, jakim jest dobrym człowiekiem. Jak bardzo mnie kocha.

A jeśli nie spotkam go już nigdy? To myśl gorsza niż uderzenie w brzuch. Może zobaczę jego występy w telewizji i przypomnę sobie, jaką byłam szczęściarą, że go w ogóle poznałam, że właśnie mnie pokochał.

Straciłam w życiu zbyt wiele kochanych osób. Zostawiłam siostrę, mamę, tatę, a teraz Haydena. A jednak muszę poświęcić własne szczęście dla dobra Sabiny. Nigdy nie byłabym szczęśliwa, gdyby ktoś któregoś dnia porwał moje dziecko. Przekonałam się o tym przy grobie małego Maksa. To znak. Crystal jakimś cudem to przeżyła i nie oszalała. Pozostała silną, radosną i pełną życia kobietą. Mnie by się to nie udało. Nie jestem tak dzielna i żywotna jak ona. Bez Sabiny byłabym jak pusta skorupa.

Dlatego muszę uciekać.

Biorę ze stołu papier i długopis. Piszę starannie, najładniej, jak potrafię:

Bardzo żałuję. Przepraszam. Proszę, pozwólcie mi odejść.

Ayesha xx

Rozdział osiemdziesiąty

Do szkoły prawie biegnę, staram się nie oglądać za siebie. Na miejscu wyjaśniam sekretarce, że muszę wcześniej odebrać Sabinę. Kiedy prowadzi mnie korytarzem, z trudem powstrzymuję się, żeby jej nie popędzać.

Czekam przed klasą, Sabina wychodzi, idziemy zabrać jej plecak z szafki.

– Co się dzieje, mamo? – pyta niespokojnie, gdy sekretarka zostawia nas same.

– Musimy wyjechać – wyjaśniam. – Natychmiast. Tak jak poprzednio.

– Pojedziemy autobusem?

– Tak.

– Z powodu tych złych ludzi?

– Tak.

Wychodzimy ze szkoły. Przy bramie Sabina ogląda się w kierunku domu.

– Hayden pojedzie z nami?

– Nie. Nie może – odpowiadam z trudem.

– Ale będzie smutny, gdy go zostawimy. – Jest pełna niepokoju.

– Dorośli czasem bywają smutni. Tak już w życiu jest – mówię poważnie, przyklękając przy niej.

– Z tatą byłaś smutna, ale bez Haydena będziesz jeszcze smutniejsza.

Z całych sił próbuję się nie rozpłakać. Muszę być silna dla mojej córki. Suresh dowiedział się, gdzie mieszkamy, więc nie możemy tam zostać.

– Zaufaj mi, Sabino. Nie ma innego wyjścia.

– Ale on nas kocha – mówi mała.

– Wiem.

Widzę, że desperacko próbuje wymyślić inne rozwiązanie na swój dziecięcy sposób. Ale i ona ponosi porażkę tam, gdzie mnie się nie udało, choć jestem jej mamą.

– Musimy się spieszyć.

– Ciocia Crystal i ciocia Joy też nie chcą, żebyśmy sobie poszły. Już raz wypędziły tych złych ludzi.

Jak mam wyjaśnić Sabinie, że następnym razem możemy nie mieć tyle szczęścia? Nie chcę jej straszyć, ale naprawdę jestem przekonana, że grozi nam wielkie niebezpieczeństwo. Suresh nie znosi przegrywać. Porażkę traktuje jak osobistą obrazę. Następnym razem przyjdzie po nas sam i będzie dobrze przygotowany.

– Już nigdy ich nie zobaczymy?

– Mam nadzieję, że jeszcze się spotkamy, i to szybko. – Nie mam siły przyznać, że równie dobrze nie spotkamy się już nigdy. Bo w jaki sposób wytłumaczyć dziecku, że bezpieczniej jest zerwać kontakt z ludźmi, których zdążyłyśmy pokochać?

Sabina płacze. Buzię wykrzywia jej bolesny grymas, z oczu płyną łzy, jest strasznie nieszczęśliwa. Mocno ją przytulam.

– Nie chcę stąd wyjeżdżać – szlocha.

Przez chwilę myślę sobie, że byłoby mi łatwiej, gdyby Sabina nie mówiła. Dałabym wszystko, żeby nie słyszeć bólu w jej głosie. Wolałabym, aby stała w milczeniu, gdy ja własnymi rękami burzę to, co udało nam się zbudować. Jej słowa zostawiają w mojej duszy bolesne rany.

– Na razie musimy być tylko we dwie, ty i ja – szepczę. – Rozumiesz?

– Tak.

Patrzy na mnie żałośnie i wiem, że złamałam jej serce. Mam nadzieję, że kiedyś zrozumie wszystkie powody mojej decyzji i wtedy mi wybaczy.

Rozdział osiemdziesiąty pierwszy

Suresh wpadł do domu z hukiem. Zaniepokojona matka wyjrzała ze swojego pokoju.

– Siedź tam i nie kręć mi się pod nogami! – warknął. – To dotyczy was obojga. Nie wychodźcie, póki wam nie pozwolę.

Matka schowała się wystraszona. Suresh uśmiechnął się z zadowoleniem. Już wkrótce nie będzie czuł na sobie pełnego wyrzutu wzroku rodziców.

Wprowadził chłopaków do kuchni i zatrzasnął drzwi. Serce wciąż mu radośnie łomotało. Znalazł butelkę whisky i cztery szklanki, choć pora była wczesna. Kumple się zaśmiewali, teraz przyszła pora na odreagowanie napięcia, wciąż jeszcze byli jak narkomani na haju, serce pompowało czystą adrenalinę, czuli euforię. Udało się. Dopięli swego. Skok był niewiarygodnym sukcesem, nawet Sureshowi wydawało się, że to sen.

Rozlał bursztynowy płyn do szklanek, wzniósł swoją wysoko i zaproponował toast:

– Nasze zdrowie! Złoto dla zuchwałych!

Wypił duszkiem. Alkohol go uspokoił. Kolejna porcja nie zawadzi. Dolał sobie i znowu wychylił do dna.

Każdy po kolei opróżniał torbę z łupem na kuchenny stół. To był strzał w dziesiątkę. Prawdziwie filmowa akcja. Wszystko odbyło się tak, jak zaplanował. Sam, bez niczyjej pomocy. Z rykiem motorów wjechali do centrum handlowego, mijali kolejne lśniące wystawy, ludzie uskakiwali przed nimi na boki, ale gapiów było niewielu, bo był ranek, sklepy dopiero się otwierały. Chciało mu się śmiać na wspomnienie min oszołomionego personelu, gdy motocykliści nie zatrzymali się przed drzwiami, tylko wdarli się do środka na dwóch warczących maszynach. Ludzie sikali po nogach ze strachu. To niesamowite uczucie, gdy tłucze się szyby w gablotach i zgarnia do toreb wszystko, co się podoba. Nigdy nie doświadczył podobnej ekstazy. Nic na świecie nie daje takiego kopa. Już wiedział, że jest uzależniony i będzie chciał to zrobić jeszcze raz. Wkrótce.

– Świetna robota, chłopaki – powiedział, grzebiąc ręką w lśniącej stercie biżuterii.

Znajdowały się w niej ciężkie, błyszczące pierścionki z diamentami, bransoletki i naszyjniki. Brał głównie zegarki, same najlepsze marki – Rolex, Tag Heuer, Cartier, Breitling. Każda obrobiona gablota oznaczała kolejne sto tysięcy zysku. Spojrzał na stos zegarków. Było ich mnóstwo, każdy będzie mógł wziąć sobie jeden czy dwa. I złoto. Stół aż uginał się od złota. Suresh usłyszał chichot, po czym zdał sobie sprawę, że to on się śmieje. Zatrzyma niektóre fanty dla siebie. Parę ciężkich łańcuchów na szyję, jakieś bransolety. Na pamiątkę udanej roboty. Nikt – ani Arunja, ani żaden członek bandy – nie może mu odmówić zasług.

Tylko jedna chmura zmąciła błękitne niebo – inna akcja zakończyła się całkowitą klapą. Dlatego Suresh nagle stracił humor i nie był w stanie dołączyć do chłopaków, którzy rechotali i zanurzali ręce po łokcie w skradzionym złocie. Myśl o porażce zostawiła gorzki posmak w ustach i leżała mu na żołądku.

Powinien sam nadzorować akcję, ale chciał zachować bezpieczny dystans. To okazało się błędem. Ludzie, których posłał po Ayeshę i Sabinę, zawiedli na całej linii. Myślał, że można na nich polegać, że są zawodowcami, ale bardzo się pomylił. Pokonały ich trzy słabe kobiety, w dodatku jedna stara. Spieprzyli robotę jak nowicjusze. Następnym razem zrobi to sam. Raz na zawsze usunie ze swego życia tę zmorę, która zatruwa mu każdy dzień. A kiedy pozbędzie się żony i dziecka, weźmie sobie nową kobietę, która będzie wdzięczna i uległa, bez okazywania mu odrazy. Nowa kobieta urodzi całą gromadę zdrowych, dorodnych synów.

Poczeka na dogodny moment. Ayesha jest śmiertelnie przerażona. Już wie, że po nią przyjdzie. Jeszcze się przekona, że przed nim nie można uciec.

Rozdział osiemdziesiąty drugi

Spotkanie się przeciągnęło i Hayden marzył tylko o jednym: jak najprędzej wrócić do domu. Musiał co prawda odwołać wizytę przedstawicieli firmy ochroniarskiej, ale powinien zdążyć pójść z Ayeshą do szkoły po Sabinę. Oznaczało to kontakt ze stadkiem chichoczących matek, ale trudno.

Spotkanie było bardzo udane. Mimo że długo pozostawał poza branżą, jego zespół wciąż był pełen entuzjazmu. Wszyscy mu kibicowali, chcieli, żeby powrócił na scenę w jak najlepszej formie. Cynik, który w nim drzemał, podpowiadał: a któż by nie chciał powrotu dojnej krowy? W końcu to od niego zależy, czy do ich kieszeni kasa popłynie szerokim strumieniem.

Podobały im się nowe piosenki, które im zagrał, snuli wielkie plany. Było fantastycznie. Wyszedł ze studia nabuzowany pozytywną energią. Dopiero później zaczęło w nim kiełkować ziarno wątpliwości.

Zniknięcie ze sceny na parę lat położyło tamę medialnemu szaleństwu. Czy głośny powrót wywoła je na nowo? Czy otworzy się puszka Pandory? Tym razem może przewidzieć scenariusz wydarzeń. Próbuje przekonać sam siebie, że potrafi okiełznać media, ale czy to w ogóle możliwe? W jaki sposób powstrzyma paparazzich, którzy osaczają swoje ofiary jak stado hien? Wielu celebrytów próbowało, ale nikomu się nie udało. Dlaczego on miałby wyjść z tego obronną ręką?

Jakie zagrożenie stwarza jego sława dla Ayeshy i Sabiny? One są najważniejsze. Nie powinien pojawiać się w świetle reflektorów, gdy jego dziewczyny wciąż się ukrywają przed Sureshem. Trzeba raz na zawsze rozwiązać tę kwestię. Mogą mieć sądowy zakaz zbliżania się, ale tego pokroju typ z pewnością zlekceważy prawo. Może przemówią do niego pieniądze? Hayden sam nie wiedział, dlaczego nie wpadł na to wcześniej. Ayesha z pewnością zaprotestuje, ale będzie musiała ustąpić. Jej mąż zastrzyże uszami, gdy usłyszy o gratyfikacji finansowej i pewnie da się go kupić. Bezpieczeństwo Sabiny było najważniejsze. Hayden nie zniósłby, gdyby coś złego przydarzyło się Ayeshy lub jej córce.

Wjechał na podjazd, brama zamknęła się za nim. Do wczoraj był przeświadczony, że wysoki mur i kamery powstrzymają nieproszonych gości. A jednak się mylił. Martwiło go, że monitoring okazał się zaskakująco nieskuteczny. Firma ochroniarska musi zrobić z tym porządek.

Może powinni wyjechać na prowincję, osiedlić się z daleka od Londynu? Może mógłby zabierać Ayeshę i Sabinę w trasy? Niektórzy muzycy tak robią. Trzeba jednak przyznać, że to nie najlepsze dla dzieciaków. One potrzebują bezpiecznego, stabilnego otoczenia, a nie ciągłych zmian. To nie byłoby dobre dla Sabiny.

Im dłużej się zastanawiał, tym bardziej idiotyczne wydawało się to rozwiązanie. Nienawidził wszystkiego, co wiązało się z przemysłem muzycznym, poza samym śpiewaniem. Dlaczego więc rozważał powrót do tego stylu życia, skoro tyle już stracił? Chyba oszalał. Z pewnością nie będzie narażał dwóch najdroższych osób na ryzyko. Dzisiaj rano, przed wyjściem z domu, dostrzegł na twarzy Ayeshy cień lęku, ale postanowił to zignorować, podekscytowany perspektywą nowego początku. Teraz wydawało mu się to idiotyczne. Nie mógł się doczekać spotkania z Ayeshą, żeby ją uspokoić. Nie powinna się niczym martwić, jest najważniejsza.

Z takimi myślami i intencjami wyskoczył z auta i wszedł do domu.

– Ayesho! – zawołał, ale powitała go dziwna cisza.

Żadnej odpowiedzi. Pewnie Ayesha wyszła do ogrodu. Przypomniał sobie, że Crystal jest w pracy, a Edgar zabrał Joy do ośrodka. Będą mieli dom dla siebie przez godzinę albo dwie. Jak miło.

Wszedł do kuchni, ale i tam nie było śladu Ayeshy. Położył torbę z laptopem na stole, nalał sobie soku pomarańczowego. Uśmiechnął się na myśl, że od wielu miesięcy nie było tu tak spokojnie. To dziwne, ale polubił nowe, gwarne życie w swoim domu.

W ogrodzie słońce przyjemnie grzało mu twarz. Klimatyzacja w biurze impresaria była ustawiona na arktyczne zimno, z przyjemnością więc pławił się w słonecznym cieple. Jeśli Ayesha nie ma innych planów, mogliby znowu urządzić grilla. Zaczynał mieć wprawę w przypiekaniu kiełbasek bez spalania ich na węgiel. Można by zaprosić Edgara. Miło dla odmiany nie być jedynym facetem w domu, a on wygląda na porządnego gościa. Sprawiali z Crystal wrażenie zakochanych po uszy. Najwyższy czas, żeby też znalazła szczęście.

– Ayesho! – zawołał. – Ayesho, gdzie jesteś?!

W warzywniku nikogo nie było. Powinien bardziej interesować się swoim otoczeniem. Nie wiedział, co Joy posadziła w donicach, a co uprawiała w szklarni, ale naszła go ochota, żeby jej trochę pomóc. Praca w ogrodzie może być relaksująca, a do tego z jakiegoś niejasnego powodu zapragnął spędzić z Joy trochę czasu. Wczoraj po raz pierwszy dotarło do niego, że jest zmęczoną starszą panią, której życie pomału dobiega kresu, więc jeśli jej nie okaże, jak jest dla niego ważna, być może nie będzie miał okazji.

Gdzie jest Ayesha? Hayden zaczął się niepokoić. Może na chwilę wyszła z domu, ale to do niej niepodobne. Bała się wychodzić sama, a spodziewał się, że po wczorajszych wydarzeniach jej lęk jeszcze się nasili. Zadzwonił, nie odebrała. Od razu włączyła się sekretarka.

Powinni gdzieś wyjechać . Zrobić sobie dłuższe wakacje w ciepłych krajach. Może spodoba jej się pomysł wyprawy na wyspę Cejlon, do jej ojczystej Sri Lanki. Ayesha bardzo chce zobaczyć rodziców, a dla Sabiny to będzie okazja, by wreszcie poznać drugich dziadków. Trzeba będzie załatwić paszporty. Był pewien, że dziewczyny nie mają dokumentów.

Zaczął się snuć po pokojach. To zadziwiające, jak szybko człowiek przyzwyczaja się do obecności ludzi. Trudno mu było zrozumieć, jak wytrzymywał tyle czasu w swojej samotni, gdy z rzadka schodził na dół i jeszcze rzadziej otwierał do kogoś usta.

Postanowił usiąść przy fortepianie i trochę pograć, wypróbować parę nowych pomysłów. Zabije czas, zanim wrócą domownicy.

Nagle zauważył kartkę na okładce „Wielkich nadziei", które ostatnio czytali. Podniósł ją i zrobiło mu się słabo. List pożegnalny – tego się nie spodziewał.

Rozdział osiemdziesiąty trzeci

– Przecież nie mogła wyjechać – powiedziała Crystal.

Hayden wręczył jej krótki list Ayeshy.

– Treść mówi sama za siebie.

Bardzo żałuję. Przepraszam. Proszę, pozwólcie mi odejść. Ayesha.

Miał te słowa pod powiekami.

– I nic więcej?

– Na to wygląda.

Crystal podała liścik Joy, która zmarszczyła brwi i pokręciła głową z niedowierzaniem.

– Dokąd mogła pojechać?

– Tego nie wiem.

Siedzieli przy kuchennym stole. Żadne z nich nawet nie pomyślało o herbacie.

Crystal wyjęła komórkę i zaczęła dzwonić do Ayeshy.

– Chyba jej odbiło. Wydawało mi się, że dziwnie się zachowuje, gdy się żegnałyśmy dzisiaj rano.

– Więc czemu zostawiłaś ją samą? – Słowa Haydena zabrzmiały dużo bardziej agresywnie, niż zamierzał.

– Musiałam iść do pracy, Hayd – odparowała Crystal. – Zaproponowałam, że do ciebie zadzwonię, abyś był w domu wcześniej, ale nie chciała o tym słyszeć. – Rozłączyła komórkę. – Nie odbiera.

– Ja też próbowałem – przyznał.

Prawdę mówiąc, dzwonił z milion razy. Najwyraźniej nie chciała z nim rozmawiać.

Przeczesał ręką włosy i ciężko westchnął. Może Ayesha wini go, bo jej nie obronił, choć tyle obiecywał. Bóg jeden wie, że był swoim najsurowszym sędzią.

– Myślisz, że ktoś ją zmusił do napisania tego listu?

– Nie. – Hayden pokręcił głową. – Przeszukałem jej pokój. Zabrała wszystkie rzeczy. Gdyby stał za tym jej mąż, nie dałby czasu na pakowanie. Dzwoniłem do szkoły. Powiedzieli, że zachowywała się normalnie, kiedy przyszła odebrać Sabinę. Musimy zaakceptować jej decyzję.

– Głupstwa gadasz! Ja nigdy tego nie zaakceptuję! – wybuchła Crystal. – Musisz ją odnaleźć, Hayd. Po prostu musisz!

– Ona tego nie chce – stwierdził sucho. – Chyba potrafisz czytać.

– Wcale tak nie myśli – upierała się Crystal. – Kobiety często mówią jedno, a myślą drugie. Musisz jej poszukać. Jak ona sobie poradzi bez nas?

– Nie mogę jej ścigać, jak robi to mąż – odparł Hayden. – Musiałaby się ukrywać przed dwoma prześladowcami. Poza tym nie chcę jej narażać. Wbrew najlepszym intencjom mógłbym ujawnić jej kryjówkę. Lepiej jej będzie beze mnie.

– Nie masz jaj – mruknęła Crystal. – To jasne, że nie będzie jej lepiej w pojedynkę.

– Więc dlaczego odeszła?

– Jest przerażona. Spanikowała. Bardziej niż kiedykolwiek nas potrzebuje.

– Tak zdecydowała. Wyraźnie prosi, żebyśmy zostawili ją w spokoju.

– Nie – zaprzeczyła Crystal ze złością. – Może ty poddajesz się bez walki, ale ja nie. Jest moją przyjaciółką, najlepszą, jaką w życiu miałam. Wyciągnęła mnie za uszy z tego gównianego klubu. Jestem jej coś winna. Obudziła cię do życia, Hayden. Przed jej przybyciem snułeś się po domu jak cień człowieka. Ty też jesteś jej dłużnikiem.

Zwiesił głowę. W słowach Crystal było wiele prawdy, ale nie zamierzał tropić Ayeshy. Skoro uznała, że powinna zniknąć ze względu na bezpieczeństwo Sabiny, powinien to uszanować.

– Czy nie okazuję wdzięczności, stosując się do jej woli?

– Nie wtedy, gdy ona nie wie, co robi! – zawołała zniecierpliwiona Crystal. – Mężczyźni! Wszyscy jesteście beznadziejni. Na twoim miejscu wynajęłabym najlepszych detektywów,poleciła ją odnaleźć i sprowadzić do domu.

– Wtedy w niczym nie byłbym lepszy od jej męża – stwierdził. – Ayesha jest wolnym człowiekiem. Nie mogę jej zatrzymywać na siłę.

– Joy, odezwij się. Powiedz, co myślisz.

– Haydenie – westchnęła Joy. – Przykro mi, ale ja też uważam, że nie masz jaj.

Wieczorem Crystal zrobiła kolację, która okazała się kompletną porażką. Miał to być makaron zapiekany z serem, bo tak było napisane na opakowaniu. Gdy zsunęła na talerz kleistą breję, stół zadrgał pod jej ciężarem.

Joy spojrzała i zalała się łzami.

– Och, do diabła. – Crystal także pociągnęła nosem. – Rozumiem, że nie opłakujesz mojej porażki kulinarnej, Joy.

Starsza pani ocierała oczy chusteczką i nie reagowała na słowa pociechy.

Hayden mógł wyczuć jej ból. Wszyscy troje cierpieli, jakby otaczały ich toksyczne wyziewy. Siedzieli ponuro przy stole i każde po swojemu przeżywało nieobecność Ayeshy i Sabiny.

– Tak nie może być – buntowała się Crystal.

Hayden nie miał ochoty schodzić na kolację, ale Crystal go zmusiła. Całkiem stracił apetyt, a już na pewno nie był w stanie przełknąć tej nieapetycznej potrawy.

– Musisz ją znaleźć i sprowadzić do domu. – Crystal patrzyła tępo na katastrofalny wynik swoich kuchennych wyczynów. – Inaczej umrzemy z głodu. – Z niesmakiem grzebała widelcem w talerzu. – Jakim cudem przeżyliśmy, zanim Ayesha z nami zamieszkała?

Hayden żywił się kanapkami i powietrzem. Zepchnął emocje do miejsca, do którego nikt nie miał dostępu. Po drodze znów stracił muzykę i pogrążył się w ciszy. Nikt i nic nie mogło go dotknąć. Nie widział przed sobą innej drogi niż powrotu do uprzednich zwyczajów. Pustka, która wysysała z niego siły niczym czarna dziura, wróciła z jadowitą mocą. Myślał, że się jej pozbył, ale był w błędzie. Czekała przyczajona. Czuł się jeszcze bardziej zagubiony, jeszcze bardziej samotny niż poprzednio.

Ayesha i Sabina odeszły na dobre. Im prędzej się do tego przyzwyczai, tym lepiej.

Rozdział osiemdziesiąty czwarty

Minął miesiąc i nie było żadnej wiadomości od Ayeshy. Pozostawiła po sobie ziejącą pustkę, której nie dało się niczym wypełnić.

Joy większość czasu spędzała w ogrodzie, a kiedy wracała do domu, przemykała jak duch po korytarzach. Talenty kulinarne Crystal nie doznały cudownej przemiany. Nie próbowała się kajać, gdy stawiała przed nimi podgrzewane w mikrofalówce mrożonki. Zresztą i tak nikt nie miał apetytu.

Hayden wrócił do starych nawyków i spędzał całe dnie zamknięty w pokoju. Schodził na dół tylko nocami. Gdy mijała północ, pierwsza, druga w nocy, a sen nadal nie przychodził, szedł do siłowni i ćwiczył do upadłego.

Nic nie pomagało. Nie był w stanie wymazać Ayeshy z głowy. Myślał o niej bez ustanku. Śnił o niej. Wszystko wokół miało jakiś związek z Ayeshą. Tkwił w błędnym kole.

Stara ekipa Haydena, podekscytowana jego niespodziewanym pojawieniem się, przyjęła z filozoficznym spokojem równie raptowne zniknięcie. Po tygodniu czy dwóch przestali nękać go telefonami. Kontrakt na udział w programie telewizyjnym „Gra o sławę" leżał na biurku - niepodpisany.

Środki bezpieczeństwa zainstalowane wokół posesji były teraz ekstremalne, że czasem czuł się w domu jak w więzieniu. Albo w złotej klatce, z której nie miał zamiaru uciekać. Byliby tu bezpieczni we trójkę, ale pewnie podusiliby się z braku powietrza. Hayden miał wrażenie, że tu się nie da oddychać.

Siadał przy fortepianie z rękoma ułożonymi na klawiaturze i nie był w stanie zagrać ani jednego akordu. Muzyka, która jeszcze niedawno go przepełniała, wręcz w nim kipiała, teraz znowu zniknęła. Zdaje się, że jedyną inspiracją była miłość. Nie potrafił tworzyć, kiedy jej zabrakło. A jednocześnie była to jedyna rzecz, która mu umykała, przeciekała między palcami.

– Napijesz się herbaty? – Joy weszła przez drzwi do ogrodu i właśnie ściągała rękawice.

– Zaparzę. Ty sobie usiądź – zaproponował.

Wyglądała na zmęczoną. Tak było od dnia, gdy odeszła Ayesha.

Poszli razem do kuchni. Hayden włączył czajnik i przygotował dwa kubki herbaty.

– Nadal ani słowa? – spytała Joy bez wielkiej nadziei.

Pokręcił głową i postawił kubki na stole.

– Tęsknię – powiedziała. – Za nią i za Sabiną.

Nie dodał: „Ja też", bo te słowa nie przeszłyby mu przez gardło. Tęsknota za nimi była jak lodowa skorupa wokół serca, jak sztylet wbity między żebra, jak straszliwy, wyniszczający nałóg dla organizmu. Ból był bardzo realny, niemal fizyczny. Nieustająca tortura.

– Zdałam sobie sprawę, że tęsknię też za wnukami – ciągnęła Joy. – Człowiek się przyzwyczaja, że ich nie widuje, ale to nie jest dobry układ. Powinnam pojechać, odwiedzić dzieci. Skoro nie obejdzie się bez lotu samolotem, trudno, muszę się zmierzyć z własną fobią. Nie chcę, żeby wnuki rosły, nie znając swojej babci.

– Pojedź na długie wakacje – zaproponował Hayden. – Jeśli ci się nie spodoba, wrócisz.

– Nie ma co ukrywać, bardzo się boję – przyznała Joy. – Ale od tamtego włamania, kiedy bandyci usiłowali porwać Sabinę, prześladują mnie różne ponure myśli. Gdyby byli bardziej brutalni, mogłabym już nie żyć. Nikt nie lubi przypominania, że jest istotą śmiertelną. Dla mnie to nauczka: nie wolno niczego odkładać na później.

– Zarezerwować ci bilet przez internet? – zaproponował Hayden.

– Zadzwonię do synów. Muszę wiedzieć, jaki termin będzie najbardziej dogodny.

– Moglibyście porozmawiać przez Skype'a.

– Rzeczywiście – odparła ku jego zdziwieniu. – Uczeszę się i włożę czystą bluzkę. – Uśmiechnęła się. – Telefon ma tę wyższość, że nie widać, jak bardzo się człowiek zapuścił.

– Jestem pewny, że dla nich to nieistotne szczegóły. Ucieszą się na twój widok. – Serdecznie położył dłoń na jej splecionych rękach.

– Coś mi umknęło? – spytała Crystal, która w tym momencie wróciła do domu i rzuciła torebkę na kuchenny stół. – Macie miny, jakbyście wygrali na loterii.

– Joy planuje wyjazd do Singapuru.

– Fantastycznie! – ucieszyła się Crystal. – Ale czy to znaczy, że zostawisz mnie na pastwę Pana Smutasa?

– Nie na długo – zastrzegła Joy. – Najwyżej miesiąc.

– Dzięki Bogu. – Crystal wlała do kubka resztkę herbaty z czajniczka.

Zdążyła wystygnąć i zgorzknieć. Ayesha nigdy by do tego nie dopuściła. Zaparzyłaby natychmiast dla wszystkich świeżą herbatę. Teraz nikomu na tym nie zależało. Crystal skrzywiła się, pijąc niesmaczny napar.

Hayden przymknął oczy. Nie może wiecznie rozpamiętywać, jak by to czy tamto zrobiła Ayesha. W ten sposób nie ściągnie jej do domu.

– Wrócę za pięć minut – oznajmiła Joy i wyszła z kuchni, zostawiając ich samych.

Crystal spojrzała na niego surowo.

– Tylko nic nie mów – ostrzegł Hayden.

Ilekroć znaleźli się sam na sam, wierciła mu dziurę w brzuchu, że powinien szukać Ayeshy. Robiła tak przez ostatni miesiąc i było jasne, że nie zamierza przestać.

– Martwię się o ciebie – powiedziała. – Wróciłeś do niezdrowych nawyków. Prawie nie wychodzisz ze swojego pokoju.

– Właśnie wyszedłem.

– Wiesz, o czym mówię, Panie Przemądrzały. Zaszywasz się tam na całe dnie i wypełzasz w nocy, gdy ci się wydaje, że obie z Joy już śpimy.

– Potrzebuję trochę czasu dla siebie.

– Nic podobnego – odparła z przyganą. – Musisz odszukać Ayeshę. Jest gdzieś i na ciebie czeka. Ja to wiem. Martwię się o nią, Haydenie. Nie miała grosza przy duszy. Dzwonię i dzwonię, ale nie odbiera. Jest moją przyjaciółką. Dlaczego nie chce ze mną rozmawiać? A jeśli stało jej się coś złego?

Wolał się nad tym nie zastanawiać, bo mógłby oszaleć.

– A Sabina? – nalegała Crystal. – Nawet jeśli jakoś sobie radzą, na pewno za tobą tęskni. Musisz mieć choć cień pomysłu, dokąd mogły pojechać.

Hayden nie miał najmniejszego pojęcia.

– Nie chcesz być świadkiem, jak to dziecko rośnie i się rozwija?

– Oczywiście, że chcę.

– Więc je znajdź.

– To nie takie proste.

– Mam ochotę walić głową w ścianę z desperacji, Hayd. Przez ciebie mam nieustające wyrzuty sumienia. Jestem z wzajemnością zakochana w Edgarze, powinniśmy chodzić na randki, pić koktajle, tańczyć całymi nocami i świetnie się bawić. Robić to, co robią wszyscy młodzi… no, jeszcze młodzi ludzie.

Hayden nie zamierzał polemizować, że to ostatnie, na czym by jemu zależało. Najlepiej czuł się wtedy, gdy przytulali się z Ayeshą na kanapie, czytając na głos książki, albo gdy uczył Sabinę gry na fortepianie. To była jego definicja szczęścia.

– Nie chcę tkwić w miejscu i cię niańczyć.

– Przecież nie musisz.

– Właśnie że tak. – Crystal odgarnęła niesforny kosmyk włosów za ucho i wbiła wzrok w kubek. Odchrząknęła. – Przecież wiesz, że od zawsze cię kocham, prawda?

Przełknął ślinę z wysiłkiem, zanim odpowiedział:

– Tak.

– Więc mnie uwolnij, Haydenie. Uwolnij mnie, żebym mogła kochać Edgara. Znajdź Ayeshę.

Rozdział osiemdziesiąty piąty

To pragnienie od wielu tygodni paliło wnętrzności Suresha i wreszcie nadszedł moment, aby się zmaterializowało. Większość łupu z poprzedniego skoku udało się spieniężyć – zwłaszcza zegarki poszły jak woda. Kto nie chciałby okazyjnie kupić wypasionego szwajcarskiego zegarka, z ręki do ręki? Tym razem zamierzał brać towar, który szybko schodzi. Zbyt dużo czasu upłynęło od ostatniego skoku. Napięcie narastało, aż stało się nieznośną presją. Potrzebował kolejnego włamania, kolejnej dawki adrenaliny. Czy tak czują się narkomani na głodzie?

Flynn i Smith byli już na miejscu. Teraz wszyscy czekali na Arunję, żeby we czterech pojechać do garażu, w którym przechowywali motocykle. Dochodziła ósma. Brat powinien być już dawno, żeby dogadać ostatnie szczegóły, ale spóźniał się, jak to on. Typowa dla Arunji bezmyślność i niefrasobliwość. Jeśli się nie zmieni, Suresh nie weźmie go do następnej roboty. Może to podziała jak zimny prysznic.

Arunja należy do rodziny, ale to nie znaczy, że może traktować brata per noga. To Suresh był mózgiem całej akcji i nie uznawał nieposłuszeństwa. Kiedy mówi: „Skacz", chce w odpowiedzi usłyszeć: „Jak wysoko?", a nie pyskowanie. Ma dosyć ludzi, którym się wydaje, że można mu wchodzić na głowę. Położy temu kres, a już z pewnością nauczy młodszego brata moresu.

– Komu w drogę, temu czas. – Flynn zirytowany patrzył na zegarek. – Zadzwoń do Arunji. Jeśli poczekamy jeszcze dłużej, stracimy okazję. Mowy nie ma, żebym się pchał do centrum handlowego, gdy zlezą się tam tłumy.

– Musimy być natychmiast po otwarciu – potwierdził Smith.

Suresh zaklął pod nosem. Wyciągnął komórkę i zaczął wybierać numer, gdy odezwał się dzwonek i matka, powłócząc nogami, powlokła się do drzwi wejściowych, żeby wpuścić Arunję. Jemu nigdy tak nie nadskakiwała jak młodszemu bratu.

Kiedy skończyła ckliwe powitania, Arunja wszedł do kuchni.

– O której się przychodzi, do cholery – burknął Suresh. – Mieliśmy już zaczynać bez ciebie.

– Nie czepiaj się. – Brat wzruszył ramionami bez cienia skruchy. – Miałem sprawy w domu. Wiecie, jak to jest. Spóźniłem się najwyżej pięć minut. – Suresh z trudem się powstrzymał, żeby go nie uderzyć. – Plan znam, taki jak ostatnio.

– Ruszajmy – powiedział Flynn krótko. – Tracimy czas na wasze głupie kłótnie. Jak tak dalej pójdzie, utkniemy w porannych korkach. Nawet motory niewiele pomogą.

Suresh złapał torbę. Dzisiejsze zajście przesądza sprawę. Po tym skoku Arunja wypada z gry. Na jego miejsce znajdą zawodowca, który poważnie potraktuje zobowiązania wobec kumpli. Nie potrzeba im kogoś, kto się załapuje na krzywy ryj. Udział w pokaźnych zyskach wymaga zaangażowania na sto procent. Odepchnął brata i poszedł do auta, trzęsąc się ze złości.

Flynn prowadził, obok niego siedział Suresh. Arunja i Smith zajęli miejsca z tyłu. Do garażu jechali w milczeniu.

Suresh kipiał wściekłością. Po tym skoku, kiedy będzie bogaty jak nabab, odetnie się od wszystkich darmozjadów, którzy rzucają mu kłody pod nogi: brata, rodziców, no i wreszcie zrobi porządek ze swoją głupią żoną. Tym razem nie zleci roboty amatorom. Pójdzie po nią sam i wytnie jej serce. Jej i temu bachorowi. Zakończy nieudany epizod i zacznie nowe życie. Nie mógł się już tego doczekać.

Dziesięć minut później byli w swojej melinie. Suresh otworzył drzwi i natychmiast wykrzyknął:

– Ktoś tu był! – Zauważył, że jeden motocykl został przestawiony.

– To ja – przyznał się Arunja. – Chcę prowadzić. Przejechałem się parę razy, odświeżyłem umiejętności.

– Co takiego?! – warknął Suresh. – Jak śmiałeś to zrobić za moimi plecami?!

– Jakiś problem?

– Ktoś mógł cię zobaczyć, zanotować numery.

– Nikt mnie nie widział – odparł Arunja. – Byłem ostrożny.

– Coś się mogło rypnąć.

– Przesadzasz. Wyluzuj, Suresh.

Wyluzuj? Suresh z trudem nad sobą panował. Jego brat jest idiotą. Niczego nie traktuje poważnie. Cóż, później się z nim policzy. Gnojek zgrywa ważniaka. Trzeba mu będzie przypomnieć, kto tu rządzi.

Suresh rozejrzał się po garażu i nabrał pewności, że nic więcej nie zostało przestawione. Ostrożności nigdy dość, w okolicy kręciło się wielu drobnych złodziejaszków.

Mężczyźni przebrali się w czarne motocyklowe skóry. W złowieszczych kaskach z lustrzanymi szybkami wyglądali groźnie. Nikt przy zdrowych zmysłach nie stanie im na drodze.

Wzięli torby, schowali w nich obrzyny. Ostatnim razem nie musieli używać broni; wystarczyło, że nią pogrozili, a wszyscy wykonywali ich polecenia. Arunja i Smith wsadzili za pazuchy ciężkie młotki kamieniarskie.

– Chcę prowadzić motor – upierał się Arunja. – Kiedyś mi obiecałeś.

– Nie ma czasu na kłótnie. Wskakuj na siodełko za Smithem.

– Obiecałeś. – Brat się obraził.

W dzieciństwie zawsze był nieznośnym bachorem.

– Zamknij się i wskakuj na ten cholerny motor! – wrzasnął Suresh.

– Jazda! – popędzał Flynn niecierpliwie.

Znowu spojrzał na zegarek. Rolex był jego trofeum z poprzedniego skoku.

Tym razem zamierzali okraść znany sklep jubilerski, otwarty po generalnym remoncie. Cała frontowa ściana była przeszklona, szerokie drzwi zapraszały do środka. Powinno się je łatwo staranować, ale z drugiej strony sklep znajdował się dalej od głównego wejścia do centrum handlowego. Trzeba się będzie uwijać. Tym razem nie mieli wśród ekspedientów informatora. Suresh z Flynnem parę razy odbyli wizję lokalną i uznali, że nie będzie niespodzianek. To ostatni skok w tym miejscu, kolejny wiązałby się ze zbyt wielkim ryzykiem, bo ochrona się przygotuje. Następny napad zrobią na zupełnie dziewiczym terenie, z zaskoczenia. Wysoko podnieśli sobie poprzeczkę, więc adrenalina w nich aż buzowała, Suresh wciąż jednak czuł się nieswojo. Coś mu nie grało.

Chodziło o Arunję. Nie pasował do ferajny, trzeba by go wykopać. Flynn znajdzie kogoś na jego miejsce i młodszy brat się przekona, że pokrewieństwo to nie wszystko.

Wyprowadzili motocykle i zaryglowali drzwi. Arunja niechętnie wskoczył na siodełko za plecami Smitha, Suresh zajął miejsce za Flynnem. Z rykiem motorów włączyli się w gęstniejący ruch uliczny i skręcili w kierunku centrum handlowego.

Rozdział osiemdziesiąty szósty

Hayden siedział przy komputerze w swoim gabinecie, Joy – obok niego. Kliknął parę razy, potwierdzając operacje na stronie, zanim się z niej wylogował.

– Załatwione – powiedział.

– Naprawdę?

– Nie przyjmują zwrotów. – Uśmiechnął się do niej.

– Na samą myśl zaczynam się denerwować – przyznała.

Drukarka ożyła i wypluła z siebie kartkę papieru, którą Hayden podał Joy.

– I to wszystko? – Skrzywiła się. – Żadnej eleganckiej okładki i kartonowych biletów?

– Nie, to wszystko. E-bilet. Na tym polega postęp.

Joy zrobiła pogardliwą minę.

– Wszystkie beznadziejne nowe pomysły nazywa się postępem. Niewiele dostajemy w zamian za wygórowaną cenę.

– Jak by na to nie patrzeć, masz bilet lotniczy do Singapuru. Jesteś jedną nogą za drzwiami, Joy. Za tydzień o tej porze będziesz szczęśliwie i bezpiecznie gościła w domu swojego syna.

– Obyś miał rację, mówiąc „szczęśliwie".

– Bardzo ci się tam spodoba – zapewnił ją Hayden.

Joy po naradzie z synami postanowiła pojechać do nich na miesiąc i sprawdzić, jak się odnajdzie w nowych warunkach. Hayden miał nadzieję, że ten pierwszy krok pozwoli Joy przyzwyczaić się do myśli o przeprowadzce na stałe do rodziny.

– Całe szczęście, że wylot jest za parę dni. – Joy wpatrywała się w wydruk. – Nerwy by mnie zjadły, gdybym musiała czekać dłużej. A tak, mam mnóstwo spraw na głowie przed podróżą.

– Spakuj kosmetyczkę i parę ulubionych rzeczy na zmianę – poradził jej Hayden. – Całą resztę możesz kupić na miejscu.

– Mówisz jak doświadczony globtroter.

– Właśnie. Jestem człowiekiem, który objechał pół świata. Stąd wiem, że wielki bagaż to tylko przeszkoda.

– Naprawdę się cieszę – przyznała Joy. – Co nie znaczy, że nie umieram ze strachu.

– Kiedy już znajdziesz się w powietrzu, najbardziej będzie ci dokuczała nuda. Dobrze, że w pierwszej klasie jest trochę gadżetów, które umilają podróż, i więcej miejsca na drzemkę.

– Bardzo dziękuję, że zapewniłeś mi takie luksusy. – Joy popatrzyła na niego z wdzięcznością.

Hayden zapłacił za bilet pierwszej klasy, bo miał ochotę to dla niej zrobić.

– Nie byłoby mnie stać na lot w najlepszej klasie. Aż mi głupio, że naraziłam cię na koszty.

– Cała przyjemność po mojej stronie. Uznaj to za drobny rewanż za pracę, jaką wykonujesz w ogrodzie.

– Ale kto teraz się nim zajmie?

– Spróbuję zakasać rękawy – obiecał Hayden. – Nie jestem wprawdzie Alanem Titchmarshem, ale się postaram.

– Chodź ze mną dzisiaj do ogrodu – zaproponowała. – Pokażę ci, co trzeba robić. Od paru tygodni nie wychodziłeś z domu, a tam jest naprawdę pięknie.

Spojrzał przez okno na błękitne niebo, niewielkie białe obłoczki i pomyślał, że świat wydaje mu się obcy.

– Nie dzisiaj, Joy – westchnął. – Może jutro.

Zanim zdążyła odpowiedzieć, w holu rozległ się głos Crystal, głośny i niecierpliwy:

– Hayd! Hayd! Gdzie jesteś?!

Spojrzeli na siebie porozumiewawczo i oboje wznieśli oczy do nieba.

– O co znów jej chodzi? – spytała Joy.

– Hayd! Hayd!

– Lepiej się dowiedzieć, zanim się wścieknie.

Wyszli do holu, gdzie Crystal miotała się jak oszalała. W ręku ściskała pocztówkę.

– Wszędzie cię szukam. Widziałeś już? – Pomachała widokówką. – Nie, oczywiście, że nie. Znalazłam ją w skrzynce pocztowej na furtce.

Wręczyła mu, wykonując tryumfalny taniec.

– Zobacz tylko, kto ją wysłał!

Kartka została nadana w Lyme Regis. Hayden nie musiał jej odwracać, żeby zgadnąć, kto jest nadawcą. Nagle zabrakło mu powietrza i musiał się przytrzymać poręczy, żeby nie osunąć się na podłogę.

Spojrzał na piękny widoczek, zatokę i falochron dumnie wychodzący w morze. Wrócił myślami do rozkosznie szczęśliwego dnia, który spędzili tam razem.

Nie zdziwił się, że Ayesha upatrzyła sobie właśnie to miasteczko. W głębi duszy od początku podejrzewał, że tam pojechała. A jednak potwierdzenie przyniosło mu niewymowną ulgę. Wiedział, że są bezpieczne, tylko to się liczyło.

Odwrócił pocztówkę. Nie było na niej tekstu. Tylko dwie duże litery *A & S* i całusy *xx*. To wystarczyło, żeby zachciało mu się płakać ze wzruszenia.

– No i? – spytała Crystal, biorąc się pod boki. – Gdzie radosne pląsy? Gdzie śpiewy i okrzyki? Może chociaż lekki uśmiech?

– Jestem zadowolony – powiedział Hayden. – To oczywiste.

– Zadowolony? – wycedziła Crystal i powtórzyła głośniej: – Tylko zadowolony? Powinieneś być w siódmym niebie. Przecież to oczywiste, tępa pało, że na ciebie czeka. Inaczej po co by ci przysłała wiadomość?

– Chce mi dać znać, że sobie poradziły. To nic nie zmienia. Nie mogę do niej pojechać. Gdybym to zrobił, naraziłbym ją na niebezpieczeństwo.

– Chyba nie mówisz serio?

– Śmiertelnie serio.

– Joy, powiedz mu, że jest kretynem.

– Musi być jakiś sposób, Haydenie. Ja też mam wrażenie, że Ayesha cię przyzywa.

– Nie możesz, nie wolno ci wpaść znowu w depresję, Hayd. Nie pozwolimy ci, obie z Joy. Całymi dniami przesiadujesz w tym cholernym pokoju i marnujesz życie. Trzynastolatki mogłyby się od ciebie uczyć, jak snuć się z kąta w kąt z nadąsaną miną. Wszedłeś w stare koleiny. Zachowujesz się jak wtedy, kiedy zginęła Laura.

Zachwiał się, jakby go spoliczkowała, ale to jej nie powstrzymało.

– Teraz jest inaczej, Hayd. Ayesha żyje. Jest tam i czeka na ciebie. Wszystko może się dobrze skończyć.

– Mogę być obserwowany – powiedział beznamiętnym tonem. – Gdy pojadę do Ayeshy, zdradzę miejsce jej pobytu. Dopadną ją. To zbyt duże ryzyko. Wiem, że jest bezpieczna. I to mi wystarcza.

– Jesteś pieprzonym robotem – prychnęła Crystal. – Nie zasługujesz na miłość.

– Prawdopodobnie masz rację.

– Joy, na Boga, zrób coś – błagała Crystal. – Przemów do tego zakutego łba.

– Samotność nie jest dobrą rzeczą – westchnęła Joy. – Czy naprawdę nie widzisz innej możliwości?

– Nie widzę. Ayesha uznała, że beze mnie będzie jej lepiej. Dlatego odeszła. Teraz chce mnie uspokoić, żebym się nie martwił.

– Zadzwoń do niej – prosiła Crystal. – Może odbierze telefon.

– Wykluczone – powiedział. – Jeśli usłyszę jej głos, już się nie powstrzymam.

– I o to, do cholery, chodzi!

Nie może ustąpić. Gdyby do niej zadzwoni, porozmawia z nią, wtedy będzie stracony. Popędzi do niej natychmiast, a jeśli to zrobi, ryzykuje, że przywlecze za sobą Suresha.

– Crystal, nic nie rozumiesz. Tak być musi i kropka.

– No kurrrrka wodna! – wrzasnęła Crystal. – Nie ma i nie było bardziej upartego człowieka na świecie. Jeśli do niej nie zadzwonisz, ja to zrobię. Powiem jej, że zupełnie się rozsypałeś. Że jak wampir egzystujesz w mroku. Albo się głodzisz, albo ja zatruwam cię moim gównianym jedzeniem. Wróci do nas biegiem.

– Nie zrobisz tego – nakazał jej surowo Hayden. – Opuściła nas, bo miała ważny powód. Musiała postawić na pierwszym miejscu bezpieczeństwo swoje i Sabiny. – To były najtrudniejsze słowa, jakie kiedykolwiek musiał wypowiedzieć, ale w nie wierzył i zamierzał się ich trzymać, żeby nie wpaść w obłęd: – Jeśli ją kochamy, musimy ją zostawić w spokoju.

Rozdział osiemdziesiąty siódmy

Gdy dojechali do centrum handlowego, silniki zawarczały ogłuszająco. Suresh poczuł gwałtowny skok adrenaliny. Nie mógł się doczekać rozpoczęcia akcji.

Przechodnie odskakiwali na boki, gdy z ulicy wjechali w asfaltową alejkę, łukiem omijając fontannę. Szklane drzwi otworzyły się przed nimi bezszelestnie. Silniki motorów znowu ryknęły, płosząc klientów.

Korytarze w centrum handlowym były gładkie i szerokie. Jechali obok siebie, rozdzielając się tylko wtedy, gdy trzeba było wyminąć ustawione na środku marmurowe donice z egzotycznymi drzewkami. Z winy Arunji dotarli tu później, niż zamierzali; pół godziny robiło różnicę, ludzi było więcej. Na szczęście uskakiwali z drogi, przyklejali się do ścian i witryn sklepowych, żeby nie wchodzić im w paradę.

Ze swojego miejsca za plecami Flynna Suresh wykrzykiwał groźby i machał obrzynem na dowód, że to nie przelewki. Sprawiał mu frajdę strach na twarzach ludzi. To jest życie! Do tego został stworzony. Niektórych nakręca czynienie dobra, jego rajcowało zło.

Flynn przyspieszył i zgodnie z planem zajechał przed sklep jubilerski tuż za pierwszym motocyklem. Zatrzymał się na sekundę, po czym zwiększył obroty i z rykiem silnika wjechał do środka.

Wystraszone ekspedientki skuliły się w głębi sklepu. Suresh zeskoczył z siodełka, a Flynn puścił maszynę ślizgiem; uderzyła tyłem w lśniącą szklaną gablotę, rozbijając ją na tysiąc odłamków. Diamentowe kolie rozsypały się na podłogę.

Suresh wymierzył broń w spanikowanych ludzi, którzy usiłowali schować się za masywną ladą.

– Cofnąć się!

Posłusznie wykonali rozkaz. Nie mieli zamiaru się narażać. Cały towar i tak był ubezpieczony. Nikt na tym nie ucierpi.

Flynn zgarniał naszyjniki, a Suresh rozwalał gabloty z zegarkami kolbą obrzyna. Brał tace i zsuwał ich zawartość do torby.

Smith i Arunja rozbijali szyby wystawowe ciężkimi młotkami i zwijali towar. Młody zeskoczył z motoru i szedł od witryny do witryny, tłukąc je. Tego nie było w planie. Mieli opróżnić z towaru dwie wystawy, te najbliżej motocykla, gdzie znajdowały się najdroższe zegarki, i być przygotowani do ucieczki. Arunja tłukł szkło, bo go poniosło. Suresh przeklinał brata pod nosem. Patentowany dureń.

Na zewnątrz zebrał się tłumek gapiów, wyciągali szyje, chociaż zdawali sobie sprawę z niebezpieczeństwa. Suresh poczuł suchość w ustach. Pół godziny spóźnienia mogło ich drogo kosztować. A wszystko to wina Arunji.

– Zwijamy się – zakomenderował Flynn.

Przerzucił torbę przez ramię i wskoczył na motor.

– Jeszcze chwila – zaoponował Suresh. - Trzeba nadrobić stracony czas.

– Teraz! – warknął Flynn. – Mamy dosyć.

Ale czy można być nasyconym, skoro wszędzie są gabloty pełne drogich zegarków i diamentowej biżuterii? Bogactwa, o którym biedni ludzie nie mogą nawet pomarzyć. Klejnoty błyszczały i wabiły. Zapraszały, by je brać.

Flynn odpalił motor, a Suresh ciągle jeszcze miotał się, opróżniając kolejne gabloty. Miał setki tysięcy funtów w zasięgu ręki, mógł je zdobyć bez wysiłku.

Silnik ryknął, Flynn się niecierpliwił.

– Czekaj, czekaj! – krzyknął Suresh. – Już kończę. – Kosztowności były tak piękne. Nie mógł ich tu zostawić.

– Spadam. Nie czekam dłużej – powiedział Flynn. _ Robi się gorąco. Jak chcesz, zostań z Arunją. Ja wezmę Smitha.

Zanim Suresh zdążył odpowiedzieć, Flynn dodał gazu i już był na zewnątrz. Zatrzymał się tylko na moment, żeby Smith zdążył wskoczyć na siodełko.

Arunja i Suresh zostali sami. Nie taki był plan. Jak Flynn mógł go tak wystawić?

Brat chyba się wystraszył, bo porzucił witryny i wskoczył na motor, kopniakiem uruchomił silnik. Podjechał do drzwi sklepu. Nawrócił. Torba na jego ramieniu była pełna skradzionych zegarków i biżuterii. Jednak przyłożył się do roboty.

– Jedziemy! – wrzasnął. – Słyszę syreny.

To był ostatni dzwonek, żeby się zmyć. Suresh patrzył łakomym okiem na ostatnią gablotę z zegarkami najbardziej ekskluzywnych marek na rynku – Hublot, Patek Philippe, Jaeger-LeCoultre. Znajdowały się w głębi sklepu, dlatego jeszcze się do nich nie dobrał. Nie mógł ich zostawić.

Z łatwością je sprzeda. Jeden zachowa dla siebie jako trofeum, w nagrodę za zuchwałość.

Ruszył w kierunku wystraszonego personelu, wymachując bronią. Cofnęli się przed nim. Rozbił szybę w gablocie i zgarnął zegarki do torby. Kiedy nachylił się, żeby sięgnąć głębiej, jeden z pracowników skoczył mu na plecy. Suresh zachwiał się, upuścił torbę i próbował zrzucić napastnika, a tamten usiłował powalić go na podłogę. Ten bohater z przypadku był silny, ale nie na tyle, żeby obezwładnić

Suresha. Przewrócili się i mocowali na dywanie pełnym odłamków szkła, pierścionków, naszyjników i bransoletek.

Arunja odwrócił się na motorze i wycelował w nich broń.

– Won, sukinsynu, bo zastrzelę! – ryknął.

Mężczyzna pojął, że niewiele nic wskóra, i podniósł ręce do góry. Suresh poturlał się na bok. To jednak nie powstrzymało Arunji. Wystrzelił. Kula trafiła mężczyznę prosto w pierś. Na białej koszuli pojawiła się szybko rosnąca plama krwi. Ludzie w sklepie zaczęli histerycznie krzyczeć.

– Ty cholerny idioto! – wrzasnął Suresh. Nie mógł uwierzyć własnym oczom. – Po co to zrobiłeś?

Zanim zdołał wstać, Arunja zwiększył obroty silnika. Zdążył jeszcze spojrzeć bratu prosto w twarz.

– Przepraszam! – zawołał i ruszył pełnym gazem, roztrącając spanikowanych, krzyczących gapiów.

Suresh leżał oszołomiony wśród drogocennej biżuterii. Jego pieprzony brat uciekł. Ten kretyn go zostawił. Po tym wszystkim, co zrobił dla Arunji, ten śmierdzący tchórz porzucił go w chwili, gdy był mu potrzebny.

Spojrzał na człowieka leżącego obok. Jego krew utworzyła wielką plamę, powoli wsiąkającą w dywan. Dziura w piersi oznaczała, że już nigdy nie wstanie.

Suresh podniósł się i otrząsnął z odłamków szkła. Krew płynęła mu ze skaleczeń na rękach i twarzy.

– Każdy idiota, który mnie zaatakuje, skończy tak samo – powiedział groźnie, ale głos mu się łamał.

Personel sklepu zbił się w grupę w najdalszym kącie. Wszyscy byli przerażeni, już nikt nie odważył się obezwładnić rabusia. Suresh uznał, że lekcja przyniosła skutek, ale nie na długo. Na zewnątrz gromadził się coraz większy tłum. Bez Arunji nie miał szans na ucieczkę, tkwił tu jak szczur w pułapce.

– Rzuć broń i wyjdź z rękami nad głową – rozległ się głos z megafonu.

Policja. Co teraz? Suresh podkradł się do wybitej szyby wystawowej. Na zewnątrz dostrzegł mur z czarnych mundurów. Policjanci mieli kamizelki kuloodporne i tarcze; jedni trzymali wycelowane w niego karabiny, drudzy przekradali się pod ścianami i zajmowali wyznaczone pozycje. Stały ich chyba trzy rzędy. Tłum gapiów został odsunięty, ludzi przeprowadzono w miejsce poza główną alejką centrum handlowego. Teren przed sklepem został oczyszczony do dalszych działań.

Suresh zaśmiał się. Tyle dni starannego planowania, rozpatrywania wszelkich wariantów – i taki finał? Powinien posłuchać Flynna i zmyć się razem z nim.

Spojrzał na trupa na podłodze. Arunja go zastrzelił i uciekł, żeby cała wina spadła na Suresha. Jeśli jakimś cudem wyjdzie z tego żywy, zabije brata gołymi rękami.

Słyszał odgłosy ciężkich butów na marmurowej posadzce. Policja go osaczała. Dłonie mu się spociły, palce ślizgały się po zimnym metalu obrzyna.

To się nie może dobrze dla niego skończyć. Tyle wiedział. Przegrał na całej linii. Co robić? Wyjść z rękami podniesionymi do góry, poddać się?

Dostanie wieloletni wyrok. Więcej, jeśli nie wskaże brata jako mordercy. Nie zostanie kapusiem. Takiego upokorzenia nie zniesie. Nikt by go nie szanował. Może też odejść w chwale, strzelając do wszystkiego, co się rusza. Jeszcze raz spojrzał na policyjne szeregi. Ludzie w czerni w swoim bojowym szyku, ukryci za tarczami, byli gotowi do akcji.

Wyciągnął garść diamentów z torby. Patrzył, jak szlachetne kamienie skrzą się i połyskują na jego dłoni, aż trudno oderwać od nich wzrok. Czy były tego warte? Przez chwilę, tak. Potem Suresh opuścił rękę, rozrzucając kosztowności u swoich stóp.

Spojrzał na broń w drugiej ręce. Nie tak to zaplanował. Teraz nie miał wyjścia. Podjął decyzję. Lufa z łatwością zmieściła się pod brodą, w szparze między szyją a kaskiem. Suresh pociągnął za spust.

Rozdział osiemdziesiąty ósmy

– Nie panikuj, Joy – powiedziała Crystal. – Mamy mnóstwo czasu, żeby cię odwieźć na lotnisko. Jeśli jeszcze raz chcesz sprawdzić, czy wszystko wzięłaś, proszę bardzo.

Joy sprawiała wrażenie półprzytomnej ze strachu. Bezustannie szukała czegoś w bagażach, sprawdzając po raz kolejny, czy ma pieniądze, paszport i bilet.

– To prawda – potwierdził Hayden. – Odprawa zaczyna się trzy godziny przed odlotem, a my będziemy tam wcześniej. Zdążymy napić się kawy przed kontrolą paszportową.

– Chciałabym już być na miejscu – narzekała Joy.

– Powinniśmy ci podać jakieś środki uspokajające – westchnęła Crystal.

– Nie, nie. Nie uznaję tabletek. Poza tym chcę myśleć trzeźwo i zachować pełnię władz umysłowych w tej podróży.

– Stewardesy się tobą zaopiekują, Joy – zapewniał ją Hayden. – Zadbałem o to.

Zadzwonił do linii lotniczych i uprzedził, że Joy jest starszą osobą, lecącą po raz pierwszy, w dodatku bez towarzystwa.

W okresie swojej popularności, gdy latał w tę i z powrotem po całym świecie, był częstym gościem na pokładach samolotów tych linii i miał status VIP-a. Nie wątpił, że wyświadczą mu przysługę i serdecznie zajmą się jego przyjaciółką. Podniósł walizkę, a Joy po raz ostatni sprawdziła zawartość podręcznej torby.

– Gdy przejdziesz kontrolę bezpieczeństwa, dostaniesz osobę do pomocy, która dostarczy cię bezpiecznie na pokład samolotu. Pewnie ci się to spodoba.

– Dziękuję, Haydenie. – Uśmiechnęła się. – Jestem ci naprawdę wdzięczna. – Wygładziła bluzkę. – Czy dobrze wyglądam?

– Wspaniale – zapewniła ją Crystal. – Kto wie, może jeszcze poderwiesz jakiegoś faceta.

– Doprawdy – Joy cmoknęła z dezaprobatą. – Jak ty czasem coś powiesz…

Hayden uśmiechnął się pod nosem. Joy uległa namowom Crystal i pozwoliła zrobić sobie dyskretny makijaż. Miała też nową fryzurę, odnowioną garderobę i nienaganny manikiur.

– Odmłodniałaś o dziesięć lat – powiedział. – Synowie będą z ciebie dumni.

Napaść na ich dom wstrząsnęła Joy bardziej, niż dawała po sobie poznać. Rany się zagoiły, siniaki zniknęły, ale wydarzenia odcisnęły swoje piętno. Joy była teraz mniej zadziorna, bardziej lękliwa. Hayden miał nadzieję, że wyjazd dobrze jej zrobi.

Nie rozmawiali na temat tamtego dnia. Policja wciąż prowadziła dochodzenie, ale jak dotąd Hayden nie miał od nich żadnych dobrych wieści.

Ayesha nie ponowiła próby kontaktu. Pocztówka z Lyme Regis leżała na jego nocnej szafce. Spoglądał na nią każdej nocy przed snem. Próbował sobie wyobrażać, co obie robią. I co noc walczył z pokusą, by się skontaktować z Ayeshą.

Kiedy zamykał oczy, widział Ayeshę i Sabinę spacerujące po plaży, grające w minigolfa, jedzące ryby i frytki na przystani. Ciekawe, jak się miewa Ayesha? Czy przestała oglądać się za siebie w poszukiwaniu potencjalnego napastnika? Oby tak było. Rozumiał, że bezpieczeństwo dziecka było jej priorytetem. Na jej miejscu zrobiłby to samo. Akceptacja decyzji Ayeshy nie łagodziła bólu rozstania.

– Jestem gotowa – oznajmiła Joy.

– W takim razie ruszamy. – Włożył walizkę Joy do bagażnika.

Crystal spisała się na medal. Wszystko, co potrzebne, zmieściło się w niewielkiej walizce na kółkach, z którą starsza pani z łatwością sobie poradzi.

Kiedy zajęli miejsca w aucie, Hayden otworzył bramę. Na ulicy czatował jeden znudzony fotograf. Gdy podniósł aparat, wszyscy troje, bez umawiania się, pokazali mu środkowy palec.

Po godzinie zaparkowali przed lotniskiem Heathrow. Hayden sprawdził tablicę odlotów. Lot do Singapuru już się na niej pojawił, nie przewidywano opóźnień. Bez problemu nadali bagaż.

– Napijemy się kawy, czy chcesz od razu przejść kontrolę paszportową? – spytał.

– Idziemy na kawę – zarządziła Crystal. Objęła Joy ramieniem. – Nie ma powodu do pośpiechu, staruszko. Chcę się z tobą porządnie pożegnać. – Była wyraźnie wzruszona. – Do diabła, nienawidzę lotnisk.

– Chętnie przysiądę na pięć minut – przyznała Joy. – Wciąż jestem zdenerwowana. Straszne tłumy.

– Tak będzie do momentu, gdy przejdziesz kontrolę bezpieczeństwa – zapowiedział Hayden. – Później zajmą się tobą, zaprowadzą cię do saloniku dla VIP-ów, a to oaza spokoju.

W rzędzie kawiarni i barów wypatrzyli Costa Coffee, gdzie były wolne miejsca. Hayden zajął dla nich stolik w kącie. Podszedł do kontuaru, zostawiając Joy i Crystal pogrążone w przyjemnej pogawędce. Musiał przyznać, że będzie im brakowało Joy,. Dom opustoszeje. Tylko we dwoje będą się snuć po wielkim domostwie. Powinien pomyśleć o sprzedaży i przeprowadzce się do mniejszego domu. Szczerze jednak mówiąc, nie uśmiechała mu się myśl o mieszkaniu w pojedynkę. Przywykł do obecności ludzi. Dobrze jest w razie czego z kimś pogadać.

Zamówił kawę. Pomyślał, że Crystal i Edgar świetnie się dobrali. Ona traktuje go poważnie i zdaje się, że z wzajemnością. Ciekawe, czy Crystal zamierza wyprowadzić się do Edgara? A może Edgar mógłby przenieść się do nich? Powstałby dość dziwaczny układ… W tej chwili nie chciał tego rozważać.

Szkoda, że Ayesha musiała go opuścić. Życie wydawało się łatwiejsze, gdy była w nim z Sabiną. Co się stało, to się już nie odstanie.

Wziął tacę od baristy i ruszył do stolika. Crystal i Joy rozmawiały z ożywieniem, Joy się śmiała, więc uznał, że sobie poradzi. Crystal była niezawodną przyjaciółką. Trzymała Joy za rękę, jak zawsze lojalna i oddana.

Podał im kawę. Na sąsiednim stoliku leżała gazeta, Hayden odruchowo po nią sięgnął. Rzadko sprawdzał, co się dzieje na świecie. Większość informacji była nieznośnie przygnębiająca. Po śmierci Laury w gazetach napisano tyle głupot o ich życiu, że przez dłuższy czas do nich nie zaglądał. Całymi tygodniami obchodził się bez prasy. Ostatnio wertował dzienniki, gdy się spodziewał, że mogą opublikować zdjęcie jego i Ayeshy w parku.

Gazeta jak na brukowiec przystało, pełna była wielkich czerwonych tytułów. Hayden nie znosił takich gazet. Przerzucił parę stron. Wiadomość dnia była, jak można się spodziewać, odpowiednio krwawa, żeby przyciągnąć uwagę czytelników. Uzbrojony bandyta strzelił sobie w łeb podczas nieudanego napadu na sklep jubilerski. Hayden pokręcił głową.

– Skąd ta ponura mina? – spytała Crystal.

– Czy gazety muszą pisać tylko o wypadkach, katastrofach i tragediach? – Podsunął jej artykuł, a ona zmarszczyła brwi, czytając nagłówek.

– „Podczas napadu uzbrojony bandyta się zastrzelił". I co z tego? Krzyżyk na drogę. – Crystal wzruszyła ramionami. – Obsługa sklepu musiała być przerażona. Biedni ludzie.

Przebiegł wzrokiem po tekście, właściwie go nie czytając. Paskudne, przygnębiające informacje. Naprawdę nie mają o czym pisać?

Już odkładał gazetę, gdy nagle jego wzrok padł na nazwisko zastrzelonego bandziora. Suresh Rasheed! Hayden znieruchomiał. Czy nie tak nazywał się mąż Ayeshy? To chyba niemożliwe?

– Co się stało? – zaniepokoiła się Crystal. – Zbladłeś jak ściana.

Podał jej gazetę, wskazując palcem nazwisko. Crystal nie mogła powstrzymać okrzyku.

– To musi być mąż Ayeshy. Na pewno. – Podała gazetę Joy. – Napad w centrum handlowym w Milton Keynes – mówiła dalej. – Tam mieszkała Ayesha, zanim uciekła do Londynu. To nie może być nikt inny.

– Niemożliwe, żeby chodziło o innego człowieka o tym samym nazwisku – przytaknęła Joy.

– Myślicie, że Ayesha wie? – Crystal zaczęła teraz uważnie czytać artykuł. – To on. Jestem pewna. Myślicie, że widziała tę gazetę? Zadzwoni do nas, prawda? To dzisiejsze wydanie?

Hayden sprawdził datę.

– Sprzed dwóch dni. – Krew pulsowała mu w skroniach. – Czy to na pewno on?

– Jest jeden sposób, żeby się upewnić – stwierdziła Crystal.

– Co mam robić? – Spojrzał na nią bezradnie.

Obie kobiety popatrzyły na niego, jakby postradał zmysły.

– Jedź do niej. Jeśli to jej mąż, bo któż by inny, Ayesha jest wolna. Możecie wreszcie być razem. Nic jej nie grozi.

Serce mu waliło. Są wolni i nic nie stanie im na przeszkodzie? Szok go paraliżował, a w głowie miał gonitwę myśli.

– Kochani, nie bardzo chcę was teraz zostawiać, ale na mnie już pora. – Joy wymownie wskazała na zegarek.

– Odprowadzimy cię – odparł Hayden.

Przed kontrolą paszportową Joy i Crystal pożegnały się, pochlipując.

– Daj spokój, głuptasie, jadę tylko na miesiąc. – Joy ocierała oczy.

– Kto będzie mnie stawiał do pionu? – użalała się nad sobą Crystal.

Hayden także się wzruszył. Nadszedł czas zmian i nic już nie będzie takie samo. Joy zaczynała nowe życie, Crystal również. I chyba kolej na niego.

– Baw się dobrze. Odezwij się przez Skype'a, gdy będziesz na miejscu. Przysięgnij, że to zrobisz.

– Och, Crystal – fuknęła Joy. – Zamierzam tam dotrzeć cała i zdrowa.

– Będę się denerwowała, dopóki cię nie usłyszę.

– Poradzę sobie – zapewniła ją Joy.

Kiedy przestały wylewać hektolitry łez, przyszła kolej na Haydena.

– Baw się dobrze.

– Mam taki zamiar.

– Daj znać, gdybyś czegoś potrzebowała.

– Wystarczająco dużo dla mnie zrobiłeś.

Pocałował Joy w czoło i wypuścił ją z objęć.

– Obiecaj mi, że pojedziesz do Ayeshy – powiedziała Joy. – Najszybciej, jak tylko się da. Uszczęśliwisz tym starą kobietę.

– Obiecuję.

Machali jeszcze do Joy, gdy stała przed okienkiem kontroli paszportowej. Potem zniknęła im z oczu.

– Wracajmy do domu – westchnęła Crystal. – Będzie śmiertelnie nudno , zwłaszcza z takim smutasem jak ty.

– Jest jeszcze Edgar – przypomniał jej.

– Całe szczęście. Kocham go, wiesz?
– Tak.

Crystal uroniła jeszcze parę łez, gdy opuszczali terminal, więc ją objął i przytulił. Chociaż smutno było żegnać się z Joy, wypełniała go radość, a krok nabrał sprężystości.
– Jadę do Ayeshy – oznajmił.
– Wreszcie! Musiałabym cię zabić, gdybyś stwierdził, że nie pojedziesz.
– Nadszedł czas wielkich zmian. – Roześmiał się.
– I nigdy już nie będzie tak, jak było. – Crystal wytarła nos w rękaw.
Wziął przyjaciółkę za ramiona i spojrzał jej w twarz noszącą jeszcze ślady łez. Nie poradziłby sobie kiedyś bez niej, ale miała rację, powinien pozwolić jej żyć własnym życiem.
– Byliśmy zawsze dobrymi przyjaciółmi, prawda?
– Najlepszymi. – Pociągnęła nosem.
– Chcę zostawić dom tobie i Edgarowi – powiedział.
Stali na środku ruchliwego chodnika, blisko ulicy, na której co i rusz zatrzymywały się autobusy, a słowa zagłuszały odgłosy lądujących i startujących samolotów.
– Czekaj, chyba źle cię zrozumiałam. – Pokręciła głową. – Ale dlaczego…?
– Zrobicie z nim, co uznacie za stosowne. Jeśli chcecie w nim mieszkać sami, w porządku. Jeśli będziecie dawać schronienie kobietom, które potrzebują czasu, żeby stanąć na nogi, jeszcze lepiej. Decyzję zostawiam wam. Przeleję ci na konto odpowiednią sumę, żebyś mogła pokrywać stałe koszty.
Na ponurym betonowym parkingu lotniska Heathrow Crystal rozpłakała się na dobre. Tym razem to był nieprzerwany potok łez, jakby puściły wszystkie tamy. Hayden nie miał chusteczki, więc wy-

cierała twarz w jego biały podkoszulek, zostawiając na materiale smugi czarnego tuszu. Wcale mu to nie przeszkadzało.

– Dziękuję – powiedziała, gdy odzyskała głos. – Bardzo dziękuję. Naprawdę dobrze się nim zajmę. – A potem nagle do niej dotarło. – Nie masz zamiaru wracać, prawda?

– Nie. – Pokręcił głową.

Nic innego się nie liczyło. Nie dbał o to, czy jeszcze zaśpiewa piosenkę, skomponuje nową melodię, wyprodukuje kolejny przebój. Zamierzał pogrążyć się w cichym szczęściu z kobietą, którą kochał nad życie. Chciał odzyskać Ayeshę i Sabinę, na warunkach, które ona ustali. Kupi jej wiejską farmę, willę nad brzegiem morza albo dom gdzieś na prowincji. A gdziekolwiek będzie Ayesha, on będzie razem z nią.

Rozdział osiemdziesiąty dziewiąty

– Nasmażę więcej wegetariańskich pierożków – mówię do Bena, wycierając ręce w fartuch. – W porze lunchu *samosa* błyskawicznie się sprzedały.

– Jesteś popularna, Ayesho – mówi Ben. - Klienci uwielbiają twoją kuchnię.

Patrzę na nowy *salwar kamiz* wiszący na drzwiach przy toalecie.

– Nie chce mi się wierzyć, że jest mój.

Ben pomógł mi zamówić ten piękny strój przez internet. Dzisiaj go dostarczono. Nigdy nie miałam tak pięknego ubrania.

– Będziesz super wyglądała – zapewnia Ben, puszczając do mnie oko.

Też tak myślę. Nie mogę się doczekać, kiedy się przebiorę.

– Klienci pokochają cię jeszcze bardziej.

Ben nie szczędzi mi pochwał. Rumienię się z radości.

Miałam niesamowite szczęście, że krótko po przyjeździe dostałam pracę. Pierwszy tydzień w Lyme Regis spędziłyśmy w małym pensjonacie, gdzie w cenę pokoju wliczone były śniadania. Od wyjazdu z Londynu przebyłam długą i trudną drogę, ale teraz mogę powiedzieć, że się opłaciło.

Na początku każdej nocy nie mogłam usnąć i się zamartwiałam. Sabina płakała przez sen i nie byłam w stanie jej uspokoić. W domu Haydena wiodłyśmy komfortowe życie. Bałam się, że postąpiłam lekkomyślnie, rezygnując z tego, co nam zapewniał. Bardzo tęskniłam za Haydenem, nie wiedziałam, że można aż tak tęsknić. W nocy obejmowałam się ramionami i wyobrażałam sobie, że to on mnie przytula; chciałam przez chwilę być bliżej niego i zwalczyć nieznośne uczucie samotności. Ale żaden koszt nie był zbyt wielki, jeśli tylko mogłam ukryć Sabinę przed Sureshem. Przyświecał mi jeden cel i nic poza tym nie miało znaczenia.

Przez pierwsze dwa dni spacerowałam po promenadzie i wąskich ulicach miasteczka, pytając w każdym sklepie i kawiarni, czy może jest dla mnie jakaś praca. Drugiego dnia po południu poszczęściło mi się. Dostałam pracę w kawiarence. Domowa Kuchnia to niewielki lokal, w którym jest miejsce na osiem stolików, a właściciel, Ben, to miły i życzliwy człowiek. Trudno o bardziej poczciwą duszę.

Jestem mu niezwykle wdzięczna, że zaryzykował i dał mi szansę, choć nie miałam żadnej praktyki jako kelnerka. Powiedział mi później, że zrobiłam na nim wrażenie osoby w równej mierze uczciwej, co zdesperowanej. I nie mylił się.

Zaprzyjaźniliśmy się. Ben jest blondynem, ma długie dredy, które związuje w koński ogon, i przyjazną ludziom naturę. Kiedy zaproponowałam, że mogę przyrządzić parę domowych potraw dla naszych gości, bardzo się ucieszył. Teraz ustaliliśmy nowy podział obowiązków - spędzam połowę czasu w kuchni, a połowę na sali, obsługując klientów.

Kawiarenka jest otwarta również w sobotnie wieczory. Urządziliśmy dwie cejlońskie noce, na które przygotowałam menu. Nie wypada się chwalić, ale odniosły wielki sukces i za każdym razem lokal był pełen aż do zamknięcia. Ben chce wprowadzić takie akcje na stałe do kalendarza. Nie muszę dodawać, że bardzo mnie to cieszy.

Kolejna cejlońska noc przypada w najbliższą sobotę – mamy rezerwacje na wszystkie stoliki. Właśnie dlatego zaszalałam i zamówiłam nowy *salwar kamiz*, w którym z tej okazji zamierzam wystąpić.

Jest w pięknym kolorze miodu, ozdobiony karmelowymi i złotymi koralikami. Myślę, że będzie pasował do moich czarnych włosów i ciemnej skóry.

I nagle odczuwam przemożną potrzebę zrobienia czegoś, co wcześniej nie przyszło mi do głowy, a teraz jest palącą koniecznością.

Minęła już pora, w której zwykle mamy sporo gości. Niedługo będę musiała odebrać Sabinę ze szkoły.

– Ben, muszę załatwić coś pilnego – mówię. – Zgadzasz się? Wrócę za dwie minutki.

– Jasne. – Akceptuje to bez oporu.

Nie jest konfliktowym człowiekiem, dlatego świetnie się z nim pracuje. Zawsze stara się pomóc i dostosowuje się do moich potrzeb. Biegnę więc do mieszkanka na piętrze nad kawiarnią.

To właśnie jest najlepsza rzecz ze wszystkich, jakie mi się zdarzyły. Pomieszczenie na górze było używane jako składzik, ale kiedy opowiedziałam Benowi o swoim trudnym położeniu i poszukiwaniach stałego lokum, opróżnił je ze wszystkich pudeł. Przez cały weekend sprzątaliśmy, żeby dało się w nim zamieszkać. Jestem przekonana, że czynsz, który mu płacę, jest dużo niższy niż rynkowa stawka.

Zarobki z ostatnich tygodni przeznaczyłam na urządzanie naszego gniazdka. Mamy jedną sypialnię, przeznaczyłam ją dla Sabiny. Śpię na kanapie w saloniku, ale jest mi bardzo wygodnie. Mamy prysznic i aneks kuchenny. Jeśli wyciągnie się szyję, przez okno widać morze. Nic nam więcej nie potrzeba do szczęścia.

Z szafy wyciągam swój stary, brzydki *salwar kamiz*. Symbolizuje czas spędzony w małżeństwie. Jest znoszony, spłowiały i brudny. Wpatruję się w niego, jakby należał do innej osoby. A potem, zanim zmienię zdanie, biegnę na dół, ściskając go w ręku.

– Masz zapałki? – pytam Bena.

– Tak. – Podaje mi je z zaskoczoną miną.

– Chodź ze mną – proszę. – Będziesz świadkiem. – I ciągnę go za sobą.

Wychodzimy na podwórko za lokalem. To niewielka przestrzeń otoczona wysokim murem z cegieł. Ben ma zamiar ją uporządkować i w następnym sezonie ustawić tu parę stolików dla gości. Powinien wykorzystać to zaciszne i ciepłe miejsce. Dobrze nasłonecznione. W tej chwili świetnie się nada do moich celów. Z szacunkiem kładę stare ubranie na kamiennych kostkach.

– Ojej – dziwi się Ben. – Ceremonialne spalenie?

– Tak – mówię. – Chcę, żeby moje stare życie poszło z dymem.

– Świetnie. – Ben cieszy się jak dziecko.

Zapalam zapałkę i rzucam ją na cienką tkaninę, którą od razu pochłania ogień. Tani materiał skwierczy i kurczy się, zamiast jasnego płomienia tworzy się gryzący dym.

– Powinnaś chyba odmówić jakąś modlitwę – doradza Ben, jakby robił to każdego dnia.

Zamykam oczy i zaczynam się modlić. Proszę bogów, żebym w przyszłości podejmowała mądre decyzje, żebym zapewniła córce dobre życie i wreszcie, żebym u kresu życia wiedziała, że byłam kochana.

Kiedy otwieram oczy, z *salwar kamiz* zostaje garstka gorącego popiołu.

Żałuję, że nie ma ze mną Crystal, Joy i mojego ukochanego Haydena. Serce kurczy się w bolesnej tęsknocie za nimi.

– Unicestwiłam resztki starej siebie – mówię do Bena.

– Wspaniale. Powinniśmy to uczcić filiżanką herbaty i kawałkiem ciasta.

– Dobry pomysł. – Uśmiecham się.

Jest we mnie teraz spokój, który bardzo mi się podoba. Naprawdę bardzo.

W kawiarni siadamy przy stoliku, bo lokal na razie jest prawie pusty. Pijemy czarną herbatę i jemy babeczki z porannej dostawy.

– Za przyszłość – mówi Ben i unosi filiżankę.

– Za przyszłość – powtarzam.

– Musisz się pośpieszyć, żeby zdążyć do szkoły po Sabinę. – Patrzy na zegarek.

– O, mój Boże. Nie zdawałam sobie sprawy, że już tak późno. – Zdejmuję fartuszek i wkładam sweter. Lato ma się ku końcowi, pogoda przypomina o nadchodzącej jesieni. Przekonałam się, że nad morzem jest chłodniej, a wieczorami nawet przejmująco zimno. – Do zobaczenia rano.

– Dziękuję, Ayesho. Miłego popołudnia. Masz jakieś plany?

– Pójdziemy z Sabiną na plażę, zanim zrobi się zbyt zimno na spacery. To ulubione miejsce Sabiny, moje także.

– Zimy bywają tu piękne – mówi Ben. – Jest spokojnie. Nie ma turystów. Wybrzeże ma swoje uroki. Sama się przekonasz. Trudno się tu nudzić.

Ben ma dwie córki, jedna z nich jest w wieku Sabiny. Dziewczynki chodzą do tej samej szkoły i od pierwszego spotkania się przyjaźnią. Żona Bena, Megan, jest dla mnie bardzo miła. Dała mi ubrania, z których wyrosła jej starsza córka, Layla. Jest wyższa od Sabiny, więc gdy coś podłożę, a gdzieś dodam zaszewkę to mam dla córki ubrania jak nowe. To wielka pomoc.

Myślę, że skoro tu trafiłam, to bogowie mi sprzyjają. Mogę za to podziękować Haydenowi. Gdy podjęłam decyzję o wyjeździe, wiedziałam, że przyjadę nad morze. Moje serce jest tu szczęśliwe.

– Nie ociągaj się – żartuje Ben – bo zaraz znajdę ci coś do zrobienia.

– Już mnie nie ma. – Biorę torby i jestem za drzwiami.

Rozdział dziewięćdziesiąty

Nowa szkoła Sabiny jest bardzo przyjemnym miejscem i moja córka szybko się w niej zaaklimatyzowała. Znajduje się pięć minut drogi od kawiarni i naszego nowego mieszkanka. Wiedziemy tu dobre, spokojne życie. Raz w tygodniu wieczorem Sabina chodzi na zajęcia baletowe w miejskim domu kultury. Uwielbia je. To prosta przyjemność, która kiedyś wydawała się poza naszym zasięgiem. Czasami trudno mi uzbierać pieniądze na te zajęcia, bo tyle jest innych potrzeb, ale skoro Sabina chce być tancerką, powinna mieć swoją szansę.

Nie ma godziny, i to codziennie, żebym nie wspominała życia w Londynie. Hayden jest stale obecny w moich myślach. Sądziłam, że z czasem ból ustąpi, a przynajmniej zmaleje, ale jak na razie jest moim nieodstępnym towarzyszem. Straszliwie za nimi wszystkimi tęsknię. Mimo trudnego czasu, w jakim się poznaliśmy, wnieśli do mojego życia radość i miłość. Jestem uboższa, od kiedy zniknęli mi z horyzontu.

Sabina nie przestaje o nich mówić. „Kiedy się spotkamy? Czy mogę do nich zadzwonić?". A ja tylko zbywam ją półsłówkami. Ona także tęskni za Haydenem. Czasem słyszę, jak śpiewa jego piosenki. Wtedy serce staje mi w piersi. Tęsknota nieznośnie boli. Kiedy jest mi szczególnie smutno, przypominam sobie, jak grali razem na fortepianie, roześmiani, a on spoglądał na nią z ojcowską miłością.

Idąc, wstukuję numer Crystal w komórce. Dotąd z nią nie rozmawiałam. Nie wiedziałam, w jaki sposób przeprosić za swoje nagłe zniknięcie. Bałam się też, że zostanę wyśledzona. Najwyższy czas zrobić z tym porządek. Mam nadzieję, że zrozumie powody naszej ucieczki i pozostanie moją najdroższą przyjaciółką. Pewnie już wie, jak się sprawy potoczyły. Mam opory przed powiedzeniem, że mam dobre nowiny, bo nie powinno się w ten sposób określać śmierci człowieka. A jednak, gdy się dowiedziałam o śmierci Suresha, poczułam wszechogarniającą ulgę. Nareszcie jestem wolna.

Serce mi bije z podniecenia na myśl, że wkrótce ją usłyszę, ale odzywa się tylko poczta głosowa. Biorę więc głęboki wdech i mówię bez zastanowienia:

– Najmilsza Crystal, tu twoja przyjaciółka Ayesha. Bardzo bym chciała z tobą porozmawiać. Ogromnie mi ciebie brakuje. Niedługo zadzwonię jeszcze raz.

Rozłączam się zawiedziona. Ciekawa jestem, gdzie ona teraz jest i co robi. Wyobrażam ją sobie w salonie kosmetycznym, zajętą malowaniem paznokci jakiejś klientce. Z rozczuleniem myślę o tamtych czasach. Mam nadzieję, że Joy, Crystal, a może nawet Hayden, wkrótce na powrót staną się częścią naszego życia.

Przyspieszam kroku, żeby nie spóźnić się do szkoły. Nie chcę, żeby Sabina czekała na mnie na boisku. Chociaż Suresh nie może nam zagrozić zza grobu, wiele czasu musi upłynąć, zanim lęk opuści mnie na dobre.

Kiedy jestem przy furtce, widzę swoje dziecko z koleżankami na boisku. Na jej widok moja dusza zawsze wzlatuje do nieba.

– Mamo! – Odrywa się od rozgadanej grupy i biegnie.

Tulę ją mocno do siebie.

– Jak się miewa moja śliczna córeczka? Jak ci minął dzień?

– Mam trzy nowe książki do czytania – mówi zadowolona.

Jestem z niej dumna, w szkole dobrze się uczy, a w domu jest posłuszna i chętna do pomocy. Zazwyczaj… Ale nawet mi się podoba, że czasem się o coś wykłóca. Patrzę na to pobłażliwie. Sabina nie da sobie w kaszę dmuchać. Mam nadzieję, że przez ostatnie miesiące nauczyłam ją, że czasem trzeba walczyć o siebie. Jest mądra i ma własne zdanie. A od kiedy odzyskała głos, potrafi je wyrażać. Nie ma z tym problemu.

Brakuje mi długich godzin spędzanych z Haydenem na głośnym czytaniu. Zwłaszcza wieczorami, gdy Sabina już śpi, doskwiera mi samotność. Czytam sobie po cichu, ale tracę wątek, bo zaczynam myśleć o czymś innym, przypominam sobie wspólnie spędzony czas. Wspomnienia bywają niesamowicie intensywne, czasem czuję jego pocałunki na wargach. Kiedy jestem pewna, że dziecko śpi, pozwalam sobie na płacz z tęsknoty.

– Pospacerujemy po plaży – proponuję – a potem wrócimy do domu i poczytasz nowe książki. Zgoda?

– Tak. – Idzie u mego boku i opowiada o swoim dniu.

Jej paplanina nigdy mnie nie męczy.

Kiedy przeczytałam w gazecie o okolicznościach śmierci Suresha, zrobiło mi się go żal. Jakie to okropne, że w ten sposób zakończył żywot. A jednocześnie byłam przerażona, że mogłyśmy trafić w jego łapy. Niewiele brakowało. Udało mi się uciec tylko dzięki Joy i Crystal.

Przyznam, że się popłakałam, czytając artykuł w gazecie. Płakałam po człowieku, którego kiedyś nazywałam mężem. Opłakiwałam potwora, którym się stał, i mężczyznę, którym mógłby być, ale nigdy nie był. Płakałam nad jego upadkiem spowodowanym przez gniew i chciwość. Płakałam z powodu człowieka, który zabił się podczas tragicznych wydarzeń, i z żalu nad jego rodziną. Arunja i dwaj mężczyźni, których zapewne widywałam w naszym domu, zostali aresztowani. Dla Suresha wszystko się skończyło.

Prawda jest jednak taka, że mimo smutku, z jakim przyjmuje się podobne wiadomości, wiem, że na moje życie nie pada ponury cień męża, a to napełnia mnie radosnym uczuciem oswobodzenia. Spadł mi kamień z serca. Już nigdy nie będę musiała uciekać.

Martwiłam się, jak to oznajmić córce. Stale tkwi we mnie lęk, że szok może odebrać jej głos, ale obawy były bezpodstawne. Sabina przyjęła te nowiny ze spokojem i od tej pory ani razu nie wspomniała o ojcu. Któregoś dnia, gdy będzie starsza, porozmawiamy na ten temat.

Osobą, o której Sabina mówi nieustannie, jest Hayden. Ostatnio zdarza się to coraz częściej. Dopytuje, co się z nim dzieje i kiedy go zobaczymy. Mogę jej tylko powiedzieć, że chciałabym, aby to się stało jak najszybciej. I modlę się gorąco, żeby moje pragnienie się ziściło.

Kiedy wysłałam do niego pocztówkę z naszego nadmorskiego miasteczka, miałam nadzieję, że do nas przyjedzie. Bo skoro się dowiedział, gdzie jesteśmy, to chyba nie zostanie w Londynie? Jednak się pomyliłam. Chciałam mu dać znać, że jesteśmy bezpieczne i stale o nim myślimy. Milion razy miałam ochotę zadzwonić do niego, ale brakowało mi słów, by wyrazić, co czuję. Ile razy wybieram jego numer, ręce mi się pocą ze strachu i muszę odłożyć telefon. A jeśli się pogniewał i nie chce nas w swoim życiu? Może już nie zechce ze mną być. A może planuje wielki powrót na scenę i kobieta z dzieckiem jest niepotrzebnym obciążeniem? To byłaby największa życiowa porażka i czułabym wielki smutek, gdyby się okazało, że utraciłam miłość Haydena w zamian za odzyskany spokój. Zniosę to z pokorą. Na razie wolę zbawienną niepewność niż ból odrzucenia. Bardzo bym jednak chciała znowu usłyszeć jego kochany głos.

Mam nadzieję, że Joy czuje się dobrze. Skoro już nie ma Suresha, mogę kontaktować się z przyjaciółmi bez obawy o ich lub swoje bezpieczeństwo. Gorąco pragnę ich tutaj gościć. Napisałam też do rodziców, wyjaśniając, jak zmieniły się okoliczności, i obiecałam odkładać co tydzień trochę pieniędzy, żeby pewnego dnia stać nas było na bilety lotnicze. Wtedy obie z Sabiną przylecimy ich odwiedzić.

Będę musiała napisać kolejny list, powiadomić mamę i tatę o śmierci męża, choć pominę wszystkie okropne szczegóły. Ostatni list będzie do rodziców Suresha. Oni wiele wycierpieli z powodu syna, a nie zasługują na potępienie. Wstyd, jaki czują, jest trudny do zniesienia. Prześlę im szczere wyrazy współczucia. Mam nadzieję, że nadal widzą we mnie córkę i kiedyś się spotkamy. Sabina kocha dziadków i za nimi tęskni.

Córka łapie mnie za rękę, razem schodzimy na piaszczystą plażę, która przypomina rogalik porzucony na morskim brzegu nieopodal malowniczego portu. Wieczory są chłodne, mam bluzę dla Sabiny, chociaż jest w ciągłym ruchu i nie marznie tak szybko jak ja. Zrzuca buty i zdejmuje skarpetki.

Regularnie przychodzimy na plażę, Sabinie to nie spowszedniało; za każdym razem podskakuje na piasku, rozpościerając ramiona, jakby tu nareszcie czuła się wolna. Rozkładam ręcznik, z torby wyciągam szorty dla Sabiny. Jak zwykle wkłada je pod szkolną spódniczką, potem zrzuca mundurek. Staramy się spędzać dużo czasu nad morzem. Uładzone piękno Lyme Regis bardzo się różni od nietkniętych ludzką ręką krajobrazów z okolic mojej wioski, ale morze wszędzie jest podobne. Siedząc na plaży, czuję więź z rodziną. Kiedy staję na brzegu i fale obmywają mi stopy, mogę sobie wyobrażać, że tysiące mil stąd to samo robi moja siostra, mama czy ojciec. Wtedy wydaje mi się, że są blisko, że mogłabym ich dotknąć.

Wciągam powietrze w płuca. Kocham smak soli w morskiej bryzie, zawodzenia mew, pieszczotę wiatru we włosach, mokry, szorstki piach pod stopami. Czuję się niemal szczęśliwa.

Składam mundurek córki, wysypuję piasek z jej butów, a Sabina biega w tę i z powrotem po plaży, pokrzykując z radości. Obserwuję ją z dumą i wzruszeniem. Jest dla mnie wszystkim, żyję dla niej. Cokolwiek przeszłyśmy i cokolwiek nas jeszcze czeka, żadna cena nie jest zbyt wysoka, jeśli Sabina będzie szczęśliwa i kochana.

– Chodź, mamo! – woła. – Pobaw się ze mną.

Ocieram łzę i zdejmuję buty. Biegnę do niej. Trzymamy się za ręce i bawimy w berka z falami, jak nas nauczył Hayden. Gonimy je do morza i uciekamy przed nimi w stronę plaży. Zaśmiewamy się, bo lodowata woda zalewająca stopy zatyka nam dech.

Sabina obraca się, nagle puszcza moją rękę i otwiera buzię w wyrazie bezbrzeżnego zdumienia. A potem biegnie w głąb lądu, z dala od morza i ode mnie.

– Sabino! Co robisz?! – wołam, zaskoczona jej dziwnym zachowaniem.

– Mamo! – krzyczy. – Mamo! To Hayden! Tu jest Hayden!

Osłaniam ręką oczy przed promieniami zachodzącego słońca. Ma rację. To Hayden. Stoi przed nami na plaży.

Kiedy moja córka rzuca mu się na szyję, on chwyta ją w ramiona i okręca w kółko, ku jej absolutnemu zachwytowi. Nad jej głową patrzy na mnie i się uśmiecha.

A ja biegnę do niego. Z uśmiechem na ustach, słońcem na twarzy i nadzieją w sercu.

Podziękowania

Dziękuję wszystkim, którzy pomogli mi w pracy nad tą książką, a zwłaszcza wspaniałemu zespołowi wydawnictwa Little, Brown, dzięki którym życie autora jest radosne. Dziękuję mojej drogiej przyjaciółce, Ayeshy Bernard, i kochanej Lizzy Kremer, która ma doskonałe wyczucie fabuły. I, jak zawsze, najdroższemu Kevowi – za wszystko.